INTRODUCTION À L'ANALYSE POLITIQUE

Collection POLITIQUE ET ÉCONOMIE

Cette collection est dirigée par le Groupe d'étude et de recherche sur les transformations sociales et économiques (Université de Montréal — Université du Québec à Montréal).

Série ÉTUDES CANADIENNES

- *Énergie et fédéralisme au Canada,* Michel Duquette
- *La Montée de l'ingénierie canadienne,* Jorge Niosi
- *La Politique technologique au Québec,* Robert Dalpé, Réjean Landry
- *La Société libérale duplessiste,* Gilles Bourque, Jules Duchastel, Jacques Beauchemin
- *Vers l'innovation flexible,* Jorge Niosi

Série TENDANCES ACTUELLES

- *Action collective et démocratie locale. Les mouvements urbains montréalais,* Pierre Hamel
- *Les Formes modernes de la démocratie,* Gérard Boismenu, Pierre Hamel, Georges Labica
- *Le Japon contemporain,* Bernard Bernier
- *La Modernisation sociale des entreprises,* Paul R. Bélanger, Michel Grant, Benoît Lévesque
- *Où va le modèle suédois ? État-providence et protection sociale,* Lionel-H. Groulx
- *Les Pièges de l'austérité,* Pierre Paquette, Mario Seccareccia
- *La Recomposition du politique,* Louis Maheu, Arnaud Sales
- *Une voix pour le Sud. Le discours de la CNUCED,* Jean-Philippe Thérien

Série LES GRANDS PENSEURS

- *Gunnar Myrdal et son œuvre,* Gilles Dostaler, Diane Éthier, Laurent Lepage
- *Milton Friedman et son œuvre,* Marc Lavoie, Mario Seccareccia

Série CORPUS

- *Le Système politique américain,* Edmond Orban, Michel Fortmann

POLITIQUE ET ÉCONOMIE
SÉRIE CORPUS

INTRODUCTION À L'ANALYSE POLITIQUE

André-J. Bélanger

Vincent Lemieux

LES PRESSES DE L'UNIVERSITÉ DE MONTRÉAL
C. P. 6128, succursale Centre-Ville, Montréal (Québec), Canada, H3C 3J7

Données de catalogage avant publication (Canada)

Bélanger, André-J.,
Introduction à l'analyse politique
(Politique et économie. Série Corpus)
Comprend des réf. bibliogr.
ISBN 2-7606-1671-1
1. Science politique. 2. État. 3. Représentations sociales. 4. Groupes de pression 5. Communication politique. I. Lemieux, Vincent. II. Titre. III. Collection.

JA71.B44 1996 320 C95-941795-8

Les Presses de l'Université de Montréal tiennent à remercier le ministère du Patrimoine canadien, le Conseil des Arts du Canada, le ministère de la Culture et des Communications du Québec et l'Université de Montréal pour le soutien constant qu'ils apportent à leur programme éditorial.

Illustration de couverture :
Paul V. Beaulieu
Sans titre # 15, 1964
Aquarelle sur papier, 32 cm x 50 cm
Galerie Simon Blais, Montréal

ISBN 2-7606-1671-1

Dépôt légal, 1er trimestre 1996

Deuxième réimpression, 2000

Table des matières

Avant-propos

À l'instar des autres sciences sociales, la science politique ne saurait aborder son objet sans parti pris. Le phénomène politique, en tant que phénomène, ne peut être saisi dans l'abstrait. Il renvoie à un découpage qu'un ouvrage d'initiation comme celui-ci se doit d'expliciter. Il n'existe pas, dans notre esprit, une nature politique en soi que l'analyste n'aurait qu'à intuitionner. Nous croyons plutôt à l'empirie, tout en sachant que la manière d'appréhender l'objet est déterminante sur les observations qu'on peut en dégager par la suite.

Notre parti pris nous conduit, en l'occurrence, à privilégier l'aspect *relation* dans l'identification du politique, plutôt que de traiter d'entités sociales telles que peuvent se présenter à nous, par exemple, l'État, le parlement, les partis politiques, les groupes et les mass media. En d'autres mots, nous estimons qu'il est plus fécond d'aborder des acteurs suivant leurs rapports les uns avec les autres, que de tenter d'interpréter directement leur mise en commun globale. Le jeu politique, pris dans sa totalité, est ici traité comme second dans la procédure d'analyse, c'est-à-dire après la mise en évidence de ses composantes élémentaires.

L'ouvrage gravite autour de la notion de *représentation des intérêts.* Elle nous apparaît la relation propre au phénomène politique, relation complexe qui s'exprime par l'entremise de relations sociales plus immédiatement identifiables telles que l'influence, le contrôle et le conflit. La logique du développement suit donc une trajectoire pédagogique qui progresse du niveau microscopique au niveau macroscopique, en tentant de montrer combien l'analyse du second est tributaire des instruments élaborés dans l'observation du premier.

Nous avons, par ailleurs, la conviction que le phénomène de la représentation des intérêts se joue bien au-delà des arènes spontanément identifiées comme politiques par le profane. Sans aller jusqu'à prétendre que toute action sociale est, en soi, politique, nous croyons que la représentation des intérêts, que ce soit dans la famille, dans la rue, dans de doctes assemblées ou dans des institutions étatiques, introduit une dynamique susceptible d'une analyse qui lui est propre.

L'État, de par son caractère de contrainte obligée, ne crée pas, à nos yeux, une nouvelle réalité, mais renforce les enjeux soumis à la représentation des intérêts. Il donne lieu à une exacerbation de la défense des intérêts en présence et augmente, de la sorte, l'amplitude des conflits. Il y a là une différence non de nature mais d'intensité dans le phénomène observé. Le vecteur analytique que nous adoptons vise d'abord une compréhension de la représentation des intérêts en général avant d'accéder à l'examen de ce même phénomène dans l'arène étatique.

Enfin, le ton de l'exposé se veut également pédagogique. Nous nous en tenons à un nombre minimal de termes techniques que nous nous appliquons à définir de la manière la plus simple et la plus concise possible, sans concession cependant à la facilité. Notre intention demeure de permettre un accès analytique rigoureux dans la plus grande limpidité possible. Nous ne sommes pas convaincus d'y être complètement parvenus, mais encore faut-il annoncer l'objectif idéal qui a été le nôtre tout au long de cette entreprise.

*
* *

Nous ne saurions terminer cet avant-propos sans y ajouter une note plus personnelle. Les deux auteurs ont eu l'occasion de se connaître et d'entretenir de longues conversations durant les quelque huit années où ils ont donné des cours de première à l'Université Laval. À la suite de ces rencontres nombreuses s'est mûrie, au fil du temps, l'intention de réunir en un tout intégré les éléments introductifs à l'analyse politique. Il s'est agi, pour eux, de se retrouver, mais, cette fois, suivant une formule plus officielle et, bien sûr, plus compromettante. André-J. Bélanger a conçu le projet et rédigé la plus grande partie de l'ouvrage, mais les deux auteurs, qui se sont lus et corrigés, doivent être tenus solidairement responsables du produit dans son ensemble.

Néanmoins, ce livre n'aurait pu être réalisé sans la lecture attentive de collègues qui, dans la bonne tradition des échanges vigoureux, nous ont prodigué leurs avis et commentaires : André Blais, Stéphane Dion, Louis Massicotte, Alain Noël et Paul-André Perron. Qu'ils en soient vivement remerciés. Un mot de reconnaissance bien spécial revient au directeur scientifique des Presses de l'Université de Montréal, le professeur Gérard Boismenu, qui a pris l'initiative d'inciter et d'encourager les auteurs à la rédaction de cet ouvrage.

INTRODUCTION

LE PHÉNOMÈNE POLITIQUE : PHÉNOMÈNE DE RELATIONS SOCIALES

Chapitre 1

Le champ du politique

De toutes les sciences sociales, l'étude du phénomène politique est la plus ancienne. Même avant les Grecs de l'Antiquité, les Chinois se sont interrogés sur la meilleure manière d'organiser leur société. On retrouve généralement ce genre de réflexion au moment de crises et de changements sociaux. Pour les Chinois, par exemple, il s'est agi, entre le Ve et le IIIe siècle avant notre ère, d'assurer le passage des royaumes combattants à la constitution d'un grand empire.

La pensée politique grecque apparaît, pour sa part, au moment où la civilisation hellène amorce sa décadence. Sensible à un certain état de déliquescence dans lequel la cité s'enfonçait, Platon a été un des premiers en Occident à proposer une organisation bien constituée de la gouverne. Aristote, après lui, s'est interrogé, mais en termes différents, sur la nature des régimes politiques et leur meilleur exercice.

La première question d'ordre social à se poser a donc été politique. Et cette réflexion politique a pris forme en même temps que la grande réflexion philosophique en Occident. Il a semblé alors normal que l'organisation des rapports entre gouvernants et gouvernés soit posée comme premier problème social à résoudre. C'est ainsi que la science politique trouve les premiers fondements de son discours chez les Anciens.

Il en a été différemment pour les autres sciences sociales qui sont beaucoup plus récentes. Elles sont apparues dans la mouvance de la réflexion scientifique en général et se sont désignées, d'entrée de jeu, comme sciences distinctes, c'est-à-dire non incorporées à la philosophie. L'économie, la sociologie et l'anthropologie appartiennent à l'ère moderne et contemporaine. L'économique s'est développée au moment où le capitalisme commençait à prendre forme, alors qu'on se demandait comment constituer la société de manière qu'elle puisse apporter un enrichissement collectif ; ainsi s'est d'abord imposée la pensée mercantiliste, puis physiocratique, mais surtout le grand discours libéral amorcé par Adam Smith (*Richesse des nations*, 1776) et prolongé par David Ricardo et ses successeurs. La sociologie, pour sa part, a surgi avec l'émergence du peuple comme partie prenante à l'histoire et à la démocratie. C'est au XVIIIe siècle que l'on commence à se rendre compte que l'histoire n'est pas seulement celle des rois et des figures illustres du passé, mais également celle de la société dans son ensemble. La sociologie rend précisément compte de ce constat avec l'*Esprit des lois* (1748) de Montesquieu, et, plus tard, Auguste Comte, Karl Marx, puis les grands classiques : Émile Durkheim et Max Weber.

Enfin l'anthropologie s'est développée en concomitance avec les grands efforts de colonisation française et britannique. Le lecteur un peu attentif aura reconnu que, déjà à ce stade de l'identification de l'origine des disciplines, il est possible de se livrer à une lecture politique. Cette lecture consiste, on l'aura deviné, à discerner, dans ce cas-ci, les *intérêts* qui président à la fondation de ces disciplines. Leur création n'a pas correspondu à une simple interrogation gratuite, mais plutôt à un problème social posé dans une conjoncture donnée.

Du moins en Occident, le problème de l'organisation politique a précédé la réflexion économique et sociale. Les rapports d'autorité et leur stabilité ont été les premiers éléments à frapper les esprits. Il s'est alors agi de savoir quelle pouvait être la forme de gouverne à la fois la plus juste et la mieux adaptée au type de société dans laquelle on se trouvait.

Si la science politique peut se targuer d'être la plus ancienne des sciences sociales, elle ne peut cependant pas prétendre être aujourd'hui la plus développée. Plus récentes, les sciences économiques jouissent, en comparaison, d'un *corpus* plus reconnu ou, si on préfère, d'un ensemble de concepts, de règles et de propositions fondamentales, à propos desquels les praticiens de cette discipline s'entendent jusqu'à un certain point. Tel n'est pas, pour le moment, le cas de la science politique. On peut affirmer, en s'inspirant de Kuhn, qu'elle demeure à un stade dit « préparadigmatique », c'est-à-dire à un stade où diverses démarches se disputent encore la manière même d'aborder le phénomène politique.

Effectivement, il n'existe pas plus un consensus sur son objet que sur sa démarche. Le terme même de politique prête à une extension plus ou moins grande selon le sens qu'on veut bien lui prêter. Il faut dire tout de suite que le phénomène politique lui-même n'est pas seulement observé par la science politique. Une foule de disciplines en ont fait leur objet à des degrés divers : la philosophie, le droit, la sociologie, l'anthropologie et, plus récemment, l'économique. On pourrait y ajouter, bien sûr, l'histoire et même la psychologie. Autant de disciplines, autant de manières plus ou moins distinctes d'aborder et de définir le politique. Autant de trajectoires qui ne se recoupent pas nécessairement.

Il est revenu à la philosophie de circonscrire les premiers contours du politique. Il n'y a là rien d'étonnant ; bon nombre de sciences ont d'abord été définies par la philosophie qui, autrefois, coiffait l'ensemble du savoir et en déterminait les ramifications. Platon d'abord, Aristote ensuite, ont donné le ton pour plus d'un millénaire. Selon ces Anciens, la philosophie politique avait pour fin propre la réalisation de la société juste. L'étude du politique se fixe donc au départ un objectif proprement normatif. Platon propose une utopie, la République, dirigée par les rois philosophes, c'est-à-dire par ceux qui *savent*. Avec Aristote, le regard se porte, dans un premier temps, sur les régimes tels qu'ils existent ou pourraient exister. Suivant la tradition déjà établie, il reconnaît trois sortes de constitutions selon le nombre de gouvernants : la monarchie, l'aristocratie et la *politeia* (ou république) qui deviennent respectivement tyrannie, oligarchie et démocratie (extrême), lorsqu'elles sont corrompues. Il y a là fusion entre l'analyse froide et le jugement normatif. Aristote s'applique à dégager la diversité des formes à l'intérieur de chacune de ces rubriques. Ainsi, il ne distingue pas moins de cinq types de monarchies qu'il observe dans des sociétés différentes : à Sparte, chez les « barbares », dans la Grèce archaïque et ailleurs. À cet égard, Aristote est probablement le premier à s'être livré à une analyse rigoureusement comparative du politique. En constituant ce classement des régimes, il compte établir de manière non équivoque la *nature* propre à chacun d'entre eux et les facteurs qui contribuent soit à leur maintien, soit à leur dégénérescence. De la sorte, Aristote pose à la fois un jugement de valeur sur les bonnes et les mauvaises constitutions, en insistant sur leur contribution à l'accomplissement du bien.

Cette tradition normative introduite par les philosophes grecs s'est poursuivie jusqu'à nos jours, en connaissant, il va de soi, des périodes fastes. Dans cette lignée, on peut ranger des auteurs comme Hobbes, Locke, Rousseau, John Stuart Mill, pour ne nommer que ceux-là, qui offriront divers projets de gouverne, certains autoritaires, d'autres démocratiques.

La démarche philosophique se fixe généralement pour mission de proposer les conditions d'établissement d'une autorité idéale. Son langage porte, à cette occasion, sur le juste et l'injuste, le désirable et l'indésirable, le possible et l'impossible.

S'inscrivant toujours dans la tradition philosophique, certains auteurs ont poursuivi, comme l'avait fait longtemps auparavant Aristote, une observation également analytique. Ainsi en a-t-il été des œuvres de Machiavel, Montesquieu et Tocqueville qui, à des époques bien différentes, ont tenté de saisir, chacun à sa manière, le fonctionnent de la gouverne.

Assez proche de la philosophie, le droit constitutionnel a joué, en science politique, un rôle tout aussi important. Il traite de manière plus immédiate des institutions propres à l'autorité étatique. Tout en dérivant de présupposés philosophiques sur le juste et l'injuste, son discours est de nature appliquée. Il décrit, entre autres, quelles sont les règles et procédures que la loi prévoit ou devrait prévoir dans l'exercice de l'autorité. Longtemps la science politique s'est appliquée à décrire le fonctionnement des institutions en se concentrant, de préférence, sur les plus apparentes, comme l'appareil législatif. L'étude des institutions a permis d'établir des distinctions classiques entre régime parlementaire et présidentiel, État unitaire et fédératif, même si, depuis, l'avènement de la Ve République (en France) et de l'Union européenne les a un peu brouillées. Cette approche demeure néanmoins prescriptive dans la mesure où elle privilégie ce qui *doit* se faire. Elle fonctionne à partir de principes et de règles posés comme impératifs.

Le droit a beaucoup contribué à concentrer l'observation du phénomène politique sur l'État et ses institutions. Si bien que le terme même de politique en est venu à lui être presque exclusivement attaché. Dans cette perspective, il est facile de concevoir la science politique comme la science du gouvernement, pris dans son sens large, c'est-à-dire celle appliquée à l'observation des gouvernants, qu'ils soient présidents, ministres, sénateurs ou députés, en incluant l'action des fonctionnaires.

Figure 1

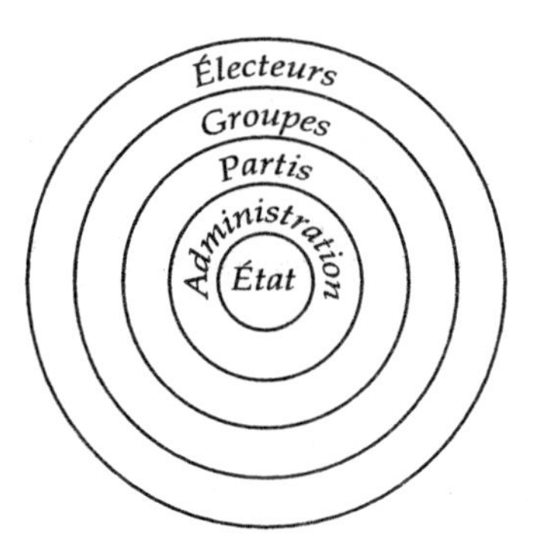

On peut dire que la science politique s'est affranchie du droit lorsque, au début du XXe siècle, elle s'est appliquée à l'observation du phénomène politique au-delà des acteurs étatiques. Comme l'indique la figure 1, l'attention s'est tout naturellement portée vers les appareils les plus rapprochés du gouvernement et de son administration que sont les partis politiques. Ceux-ci, au tournant du siècle, commencent à encadrer de plus en plus l'action des députés et perdent leur caractère de simples regroupements de référence. Ils s'intègrent alors dans le jeu de la gouverne. L'agrandissement du corps électoral par la reconnaissance progressive du suffrage universel, c'est-à-dire du droit de tout adulte au vote, rend en quelque sorte nécessaire les courroies de transmission que deviennent alors les partis politiques. Puis, un peu plus tard, et surtout aux États-Unis, on s'est rendu compte du grand rôle que jouaient également ce qu'on a appelé les groupes d'intérêts, ou groupes de pression. Ces agents, très actifs en terre américaine, mais également ailleurs, quoique parfois plus discrets, ont été progressivement reconnus par la science politique comme appartenant, à part entière, à ce même jeu de la gouverne. Disposant d'un statut généralement moins officiel que les partis, les groupes ont cependant une influence souvent plus grande sur les gouvernants. De là l'importance d'observer leur action et leur fonctionnement interne. Enfin, un peu comme à la périphérie, on a retrouvé l'électeur. Il y avait bien sûr longtemps qu'on parlait du citoyen et de la nécessité de sa participation au choix des gouvernants. On le faisait alors en termes normatifs. Ce n'est, globalement, qu'après la dernière grande guerre que des études méthodiques se sont appliquées à analyser les attitudes et le comportement de l'électeur comme intervenant dans l'arène politique. Avec le recours à des instruments d'observation comme l'entrevue et le sondage, de même qu'avec l'usage de la statistique, comme technique d'analyse, les études électorales sont devenues un des champs privilégiés de la science politique.

Pour rendre compte de l'action de ces diverses instances que sont les gouvernants, les partis, les groupes et les électeurs, l'étude de la communication a servi à lier leur influence réciproque. Et pour traiter l'ensemble de ces instances, il est apparu utile de les aborder autrement, c'est-à-dire en les recomposant à partir d'une vision globale, le *système*.

Ainsi, à partir d'un noyau qu'on pouvait identifier à l'État et à ses appareils, les observateurs de science politique ont progressivement étendu leur champ d'analyse. Il en a été de même dans l'étude des relations internationales où l'on est passé d'un aperçu institutionnel et étatique à une vision plus globale, entraînée, dans ce mouvement d'ouverture, par la présence grandissante d'organisations internationales de tous ordres. Cette extension du champ observé a conduit les chercheurs à modifier leurs cadres d'analyse. De philosophique et juridique qu'il était au début, leur regard est devenu plus sociologique : le phénomène politique n'était plus seulement un problème normatif mais davantage un objet social assujetti aux règles de l'observation scientifique. Ce cheminement de la science politique a cependant été plus tardif que celui des autres sciences sociales. C'est peut-être une raison pour laquelle elle demeure encore assez tributaire des principes et des méthodes élaborés par ces disciplines connexes.

La sociologie a donc, pour un temps, imposé ses modes d'analyse à l'étude du politique. Et ce, autant dans l'observation des acteurs individuels, comme l'électeur, que dans celle des grands ensembles, comme la dynamique politique prise dans sa totalité, qu'on a appelé système. Le tout était abordé à partir de notions courantes en sociologie : système, structure, fonction, rôle, etc., qui avaient pour objet de fournir une explication sociale à des réalités perçues, elles aussi, comme sociales.

Depuis plus d'une vingtaine d'années, la discipline se livre à une lecture cette fois individualiste du comportement politique. Au lieu de faire appel à des concepts globaux ayant pour référence des déterminants sociaux — c'est-à-dire des impératifs qui dérivent de l'appartenance à la société —, une nouvelle démarche, puisée à la méthode économique, a voulu rendre compte d'événements collectifs à partir de leur composante première : l'individu, appelé, avec certaines variantes de perspectives, « individualisme méthodologique », « choix rationnels » ou, en anglais, *public choice*. Ce mode d'observation se fonde sur la propension rationnelle des individus à obtenir le plus de bénéfices au moindre coût. Il donne lieu à l'élaboration de modèles formels déductifs qui doivent emporter la conviction avec ou sans vérification empirique, suivant les écoles. Contrairement à la sociologie qui fait appel à l'étude sur le terrain, c'est-à-dire auprès des acteurs concernés, l'individualisme méthodologique, dans sa forme courante, développe des constructions abstraites n'ayant pour tout fondement de départ que la logique attribuée aux acteurs par l'analyste. Nous aurons, plus tard, l'occasion d'y revenir. Qu'il suffise, pour le moment, de prendre note de la nouvelle méthode proposée.

Nous nous trouvons donc, au terme de cette trajectoire rétrospective, devant une variété de démarches qui, de philosophiques puis juridiques au départ, deviennent, par la suite, plus sociologiques et économiques. Il serait possible d'y ajouter l'apport, dans certains cas, de l'anthropologie, de la psychologie et des diverses théories de la communication. Nous avons donc affaire à une discipline, la science politique, encore traversée par une diversité de disciplines qui ne sont pas toujours compatibles entre elles. Il n'y a aucun avantage dès lors à considérer la science politique comme une science carrefour. Ce serait, au départ, s'engager dans une impasse. Il y a plutôt lieu de poser, pour notre propre compréhension, les premiers jalons, les premières conditions, de notre lecture du politique.

Définition du politique et méthode d'approche

Le sens commun nous entraîne presque spontanément à percevoir les réalités sociales en termes d'objets bien singularisés, auxquels on pourrait conférer une nature propre. La société, la démocratie, l'État, les partis politiques et les groupes apparaissent, de toute évidence, comme les premiers éléments à retenir en science politique. Ils se présentent à nos yeux comme déjà *donnés*, sinon imposés à l'observation. Davantage, ils semblent mus par une dynamique, une énergie propre, qu'il s'agit pour nous de saisir afin de les comprendre. C'est là une bien vieille illusion, celle de l'essentialisme et de l'animisme. L'illusion essentialiste consiste à vouloir découvrir la vraie nature des choses, leur substance propre et leurs fins propres ; en d'autres termes, leur essence. Or, aucune science, jusqu'à nos jours, n'y est parvenue et ne compte y parvenir. C'est une conception qui nous vient de la philosophie grecque et que le Moyen Âge a gardée. Il y a longtemps que les sciences de la nature l'ont écartée : on n'a plus idée, par exemple, de se demander s'il existe une essence chien distincte d'une essence renard. Pas plus d'ailleurs que de s'interroger sur la vraie nature de la physique, de la chimie ou de la biologie.

La science n'a pas non plus pour objectif premier d'expliquer la totalité des choses, ni encore leur singularité ; au contraire, elle n'aborde que des *fragments* du réel, dans la mesure où ces fragments se retrouvent à de multiples exemplaires. Il n'y a de science que du *divisé* et du *récurrent*. Ce sont deux conditions indispensables et liées l'une à l'autre. En d'autres mots, la science ne retient que des aspects de la réalité, et dans la mesure même où ces aspects se représentent suffisamment souvent pour pouvoir établir une règle de fréquence.

C'est en vertu d'une opération de l'esprit que l'observateur procède à un *découpage* du réel. Il se propose ainsi de ne retenir, aux fins de son analyse, qu'une dimension des choses. Ce n'est plus tout à fait du réel dont il s'agit, mais d'une *construction* de l'esprit qui consiste à extraire du réel un aspect susceptible de faire l'objet d'une explication particulière. Par exemple, tous les corps, sur notre planète, sont soumis à l'attraction de la terre exercée sur eux. Cette notion d'attraction n'est évidemment qu'*un* aspect de ces corps qui peuvent être animés ou inanimés, peu importe. Si on va un peu plus loin, on saura qu'ils sont attirés en raison de leur masse. Jean, Jeanne et Jeannette y sont assujettis au même titre que la mouche la plus minuscule ou l'éléphant le plus gigantesque. Il ne s'agit toujours, bien sûr, que de la *dimension* « masse » de ces corps et de nulle autre chose. Si, en outre, on veut connaître leur degré de stabilité sur terre, on pourra situer (par des calculs établissant la répartition de la masse dans un corps) leurs centres de gravité respectifs. Les canoéistes savent qu'en se baissant, dans leur embarcation, ils abaissent leur centre de gravité et diminuent, sur un cours agité, les risques de chavirer. Ce centre de gravité n'est qu'une *construction*, on peut le localiser avec précision, mais il n'a aucune autre existence que dans nos esprits. Il n'existe pas en soi puisqu'il ne s'agit que d'une élaboration de l'esprit destinée à prévoir la stabilité d'un corps. Ce n'est pas le réel qui se réfléchit dans la raison, comme il le ferait dans un miroir, mais la raison qui va vers le réel à partir de constructions dont elle vérifie la pertinence par l'expérience. Cette construction sert à gérer notre rapport avec le réel, soit simplement pour le comprendre (les sciences pures), soit pour agir sur lui (les sciences appliquées ou la technologie). Il est bien entendu qu'elle se modifie avec le progrès de la science.

Le discours scientifique consiste donc en un travail d'*abstraction* qui, en *comparant* certains aspects du réel, parvient à tirer des règles *générales*. Seuls demeurent réels les cas particuliers, car toute chose singulière n'est absolument semblable qu'à elle-même. Ainsi, nous classons des types de cristaux de neige ; mais, dans sa singularité propre, chacun des cristaux ne demeure identique qu'à lui-même. Toute règle générale, par contre, relève de la construction, donc de l'abstraction. La loi de l'attraction des corps de Newton, par exemple, n'existe que dans nos esprits, et nullement dans les objets dont elle se propose de rendre compte.

On reconnaîtra d'emblée que ce travail de généralisation fondée sur l'abstraction contribue à simplifier la réalité. De complexe qu'elle est, la réalité est intentionnellement réduite dans l'abstrait pour permettre la compréhension d'une de ses dimensions. Et c'est le propre de la science de remettre en cause ses propres *construits* au profit d'autres qui lui apparaissent, par la suite, plus pertinents. La théorie de la relativité proposée par Einstein a eu pour effet, par exemple, de situer autrement la physique de Newton. Cette physique a été longtemps perçue comme définitive alors qu'au fond elle ne l'était pas. Ces renversements surviennent parfois en science et contribuent à rendre tout à fait relatifs ses énoncés et même ses principes.

Pour le moment, nous assistons à une fragmentation progressive des diverses sciences, nous sommes donc encore très éloignés d'une quelconque vue d'ensemble, si tant est qu'on puisse parvenir à en avoir une. La sociologie a reconnu assez tôt le caractère « désenchanteur » de la science. Max Weber a parlé volontiers de ce « désenchantement du monde » qu'opère la science. On peut dire que la manière dont elle s'y prend pour décomposer le réel laisse peu d'emprise au merveilleux ou aux propos évocateurs fondés sur l'indicible. Des entités globales comme la société ou l'État, prises comme totalités, offrent, à cet égard, un champ propice à l'évocation plutôt qu'à l'explication. Les aborder comme des réalités vivantes, c'est solliciter l'imagination plutôt que la raison analytique.

Avant même d'opérer un découpage, il y a lieu de se rappeler qu'en science, ce ne sont pas les concepts comme tels qui comptent mais leur mise en relation. Ces concepts n'ont en soi aucune fécondité, et c'est la relation entre eux qui se révèle fructueuse ou non. Si nous revenons à la célèbre loi de l'attraction des corps, nous constatons que c'est l'équation qui compte comme relation de concepts et non les composantes prises individuellement : $F = G\,mm' / r^2$. Selon cette loi, l'attraction des corps est proportionnelle au produit de leurs masses sur le carré de la distance qui les sépare, G indiquant une constante.

La définition d'un concept a pour seul but d'identifier un type d'objet ou de phénomène afin de s'assurer, par une pure convention, que le concept utilisé renvoie toujours à un même ordre de réalité. On doit donc bien se garder de chercher derrière les mots un autre sens que fourniraient leur étymologie, leur origine ou encore leur essence. Une définition ne peut donc être vraie ou fausse ; elle peut être opératoire ou non, précise ou imprécise.

N'étant qu'une convention, le terme employé n'a en soi aucune importance. Néanmoins, on a avantage à sélectionner des expressions plutôt neutres afin d'éviter que l'esprit ne s'égare sous l'effet d'évocation suscité par certains mots. Les sciences économiques ont puisé des termes du langage courant et leur ont assigné un sens aux fins de leur analyse. Ainsi, les concepts d'offre, de demande, de rente, d'investissement et d'entrepreneur ont, en économie, une acception qui est propre à la discipline. Toute science est conduite à constituer son propre vocabulaire en fonction de ses propres impératifs analytiques. Certaines disciplines disposent d'une panoplie étendue de termes, d'autres sont moins dépendantes de la diversité des phénomènes et des objets observés. Pour notre part, nous tenterons de nous en tenir à un nombre limité de phénomènes et donc à une certaine économie dans les termes utilisés.

Il y a diverses manières d'aborder les phénomènes politiques comme il y a diverses manières d'aborder les phénomènes sociaux. On peut, à l'instar de certains sociologues, couvrir du regard l'ensemble de la société, et donc tenter de traiter le phénomène politique comme une globalité, on parlera alors volontiers d'un système, le système politique. À l'inverse, on peut, utilisant l'autre bout de la lorgnette, tourner cette fois le regard vers l'individu, et, à la manière de certains économistes, élaborer des modèles abstraits de comportement. Que l'on commence par le système politique ou par l'individu, il faut fatalement traiter des deux. Cependant, ces deux optiques, l'une globaliste, l'autre atomiste (ou individualiste, c'est la même chose) conduisent à des démarches théoriques bien distinctes, et donc à des explications et à des conclusions souvent opposées. Il s'agit ici de découpages bien différents qui donnent lieu, par voie de conséquence, à des construits bien différents.

Mais il n'y a pas que deux modes d'observation, globaliste ou atomiste. Il est possible d'apercevoir les phénomènes sociaux en termes de rapports qu'entretiennent des personnes entre elles. Ces rapports, ou relations sociales, peuvent être de diverses natures. Nous en avons tous l'expérience durant le cours de notre vie courante. La relation sociale la plus exploitée par les analystes a été l'échange. Dès le XVIIIe siècle, les physiocrates en France et, plus tard, Adam Smith en Écosse, vantaient les qualités du marché libre de toute contrainte. Et depuis, la science économique a continué à élaborer des modèles d'analyse à partir de cette relation sociale qu'est l'échange.

L'échange met en présence des acteurs qui, en principe, consentent à céder un bien contre un autre. Mais la vie en société n'est pas faite que d'échanges. Nos rapports courants avec les autres nous conduisent à tenter de les convaincre à penser ou même à agir dans un certain sens, on parlera alors d'*influence*. La publicité a précisément pour fonction d'influer sur l'échange proposé au consommateur. Mais il est possible d'aller au-delà et de faire intervenir des éléments de contrainte qui obligent les acteurs à se conformer à certaines exigences ou à certaines règles, on se trouve alors en plein *contrôle*. Par ailleurs, il n'est pas exclu que ces mêmes acteurs refusent ces contrôles et entrent en *conflit* avec celui ou ceux qui veulent les leur imposer. Ainsi, l'influence comme le contrôle et le conflit sont des relations sociales au même titre que l'échange. À l'instar de ce dernier, ces relations sociales trouvent largement leur raison d'être dans la rareté. Il y a influence, contrôle et conflit parce qu'il y a pénurie. Dans une situation utopique d'abondance, il ne pourrait exister sensiblement que des contraintes relevant de la morale personnelle.

Plutôt que d'aborder tout de go des entités sociales comme l'État et ses appareils, ou encore les groupes ou les partis politiques, il nous apparaît plus fécond de poser les relations sociales comme antérieures en importance aux entités sociales. Il y a ici un choix, un parti pris de méthode. Nous croyons que l'observation systématique des relations sociales offre une avenue analytique plus prometteuse que l'observation d'entités sociales.

Les relations sociales offrent, il va de soi, une vue *extensive* de la réalité sociale, dans la mesure où elles *traversent* tous les groupes institués en entités sociales. Il y a de l'échange, des contrôles et des conflits dans le couple, dans la famille, à l'université, comme il y en a dans les appareils de l'État et dans les partis politiques. On verra que les modèles d'explication les plus riches sont souvent ceux dont les applications transgressent les frontières généralement imposées par le sens commun. Au lieu de proposer une science de l'État, qui risque fort de ne jamais exister, il est préférable de proposer l'observation d'un certain nombre de relations sociales ayant en commun d'impliquer l'intervention d'un acteur auprès d'un autre. Le contrôle, l'influence et le conflit offrent tous ce caractère, alors que l'échange à l'*état pur* en est dépourvu.

Nous convenons, pour les fins de l'analyse, qu'est **politique** *toute relation sociale contenant cette dimension d'* ***intervention,*** *que ce soit sur les préférences ou sur le comportement d'un acteur.* Dans cette perspective, ce sont des types de relations sociales qui vont conférer aux entités sociales leur caractère politique et non pas l'inverse. Les institutions de l'État auront une forte teneur politique parce que les relations sociales qu'on établit au nom de l'État ont un fort contenu d'intervention. Le fonctionnement de ces institutions implique des contrôles étendus et nombreux à propos desquels s'engage un grand nombre de conflits. Mais ce n'est pas pour autant l'État qui donne à ces relations sociales leur caractère politique. La famille, l'association sportive, l'Église et le syndicat donnent également lieu, comme arènes, à des jeux d'influence, à des contrôles comme à des conflits. Il n'y a rien ici d'inusité. Il en est de même de l'économiste qui observe des rapports d'échange dans ces mêmes institutions sociales. Pour lui, ce n'est pas l'entreprise en soi, par exemple, qui est l'objet privilégié de son observation, mais la relation d'échange dans laquelle l'entreprise est engagée.

L'*influence*, le *contrôle* et le *conflit* constituent les trois relations sociales de base à partir desquelles il sera possible d'impliquer, par la suite, la *représentation des intérêts* qui est, elle aussi, un type de relation sociale, mais plus complexe. En allant du plus simple au plus complexe, il y aura lieu d'envisager, en toute fin de piste, le jeu de l'ensemble dans la diversité de ses composantes, c'est-à-dire le *système politique.*

Bibliographie

ALMOND, Gabriel A., 1988. « Separate Tables : Schools and Sects in Political Science », *P.S. : Political Science and Politics,* vol. XXI, n° 4, p. 828-842.

BOUDON, Raymond, 1992. « Introduction » et « Action », in *Traité de sociologie,* Paris, Presses Universitaires de France, p. 7-55.

LALMAN, David, Joe OPPENHEIMER et Piotr SWISTAK, 1993. « Formal Rational Choice Theory : A Cumulative Science of Politics », in Ada W. FINIFTER, *The State of the Discipline,* Washington, D.C., American Political Science Association, p. 77-104.

Chapitre 2

Les trois composantes de la représentation des intérêts : l'influence, le contrôle et le conflit

Nous avons déjà identifié trois relations sociales fondamentales : l'*influence*, le *contrôle* et le *conflit*. À elles trois, elles permettent de saisir les phénomènes premiers de la discipline. S'y ajoute une relation un peu plus complexe qui fait néanmoins appel à ces trois relations premières pour prendre forme, et c'est, comme nous l'avons déjà mentionné, la *représentation des intérêts*. Il s'agit effectivement d'une dynamique qui fonctionne à l'influence, au contrôle et au conflit. Il est donc impératif de bien saisir, dans un premier temps, ce que comportent ces trois relations, pour ensuite aborder brièvement le phénomène plus global de la représentation des intérêts, phénomène qui fera d'ailleurs l'objet de toute la troisième partie du présent ouvrage.

Robert Dahl (1973, p. 50) a déjà fait observer qu'il existe de nombreux termes en science politique pour désigner un même ordre de phénomènes : le pouvoir, l'influence, l'autorité, le contrôle, la persuasion, la puissance, la force, la coercition, auxquels on pourrait en ajouter d'autres. Il n'existe effectivement pas d'accord sur les concepts à employer. Chacun d'entre eux inspire différemment les politologues qui se livrent parfois à des exercices de distinctions sémantiques où la discipline y trouve plus ou moins son compte. Puisque la science se fonde sur des phénomènes offrant en soi un certain intérêt, et non sur la recherche du sens qui se cacherait derrière les mots, il n'y a pas lieu de tenter ici de démêler les écheveaux d'un problème inexistant. Nous devons retenir, pour fins d'analyse, non pas des mots, mais des réalités qui traduisent ou composent certains types de relations sociales.

Bon nombre d'auteurs ont porté leur attention sur le caractère de virtualité que confèrent certains attributs dont dispose un acteur. Déjà dans l'Antiquité romaine, Cicéron parlait de *potentia*, ou puissance, pour désigner cette capacité d'action que possède un acteur par rapport à d'autres. Et il parlait de *potestas*, ou pouvoir, pour désigner les facultés d'action rattachées cette fois à une fonction. Être consul conférait une *potestas*, un ensemble de compétences juridiques. Être *tel* consul, comme Cicéron par exemple, c'était jouir d'une *potentia* propre à sa personne même, *potentia* renforcée par la *potestas* de la fonction de consul. La tradition française a eu tendance à maintenir cette distinction entre puissance attribuée à la personne et pouvoir attaché à la fonction. Il faut bien retenir qu'il est toujours question dans les deux cas de *potentialités*. Il s'agit toujours d'une *capacité* d'action et non de l'action elle-même.

La tradition juridique française pose généralement le pouvoir comme la capacité d'intervention dont dispose l'État sur la société. On dira volontiers que telle formation politique a pris le pouvoir. Georges Burdeau voyait l'État comme disposant du pouvoir. Un peu dans le même sens, Maurice Duverger associe le pouvoir à l'autorité ou, plus précisément, à une forme de puissance établie par des normes et des croyances. Avant lui, Bertrand de Jouvenel l'avait vu dans la dialectique du commandement, le commandant disposant d'un pouvoir auprès du commandé. Enfin, Raymond Aron a posé le pouvoir comme une capacité d'intervention vers l'intérieur, c'est-à-dire de l'État vers la société ; et la puissance comme la capacité d'intervention vers l'extérieur, c'est-à-dire d'un État vers d'autres États. Toutes ces manières de définir le pouvoir ressortissent à une approche très macroscopique. Il s'agit, dans l'ensemble, d'une *capacité* ou encore d'un *potentiel* dont disposerait l'autorité dans ses rapports avec les gouvernés.

L'anglais avec *power* et l'allemand avec *Macht* ne disposent pas de la distinction possible entre puissance et pouvoir. Suivant le contexte, il pourra s'agir de l'un ou de l'autre. Les traductions en français recourront parfois à l'un ou à l'autre, indifféremment. Ainsi, le terme de *Macht* est entendu par Max Weber comme toute chance de faire triompher au sein d'une relation sociale sa propre volonté, même contre des résistances. On aura reconnu l'aspect virtuel de la situation proposée : il s'agit d'emblée d'une relation sociale possible, mais non encore réalisée. Weber s'empresse de préciser que ce concept de *Macht* est sociologiquement amorphe. Il lui préfère alors, parce que plus précis, le terme de *Herrschaft* (« domination »), qui revient à la chance qu'a un maître (*Herr*), c'est-à-dire un acteur perçu comme légitime, de se faire obéir par des subordonnés. En d'autres termes, Weber pose la domination comme la *probabilité* qu'un commandement soit observé.

De nombreux auteurs se sont inscrits depuis dans le sillage de Max Weber. Toujours en termes de potentialité, le sociologue politique Dennis Wrong, dans son étude intitulée tout simplement *Power*, définit ce dernier comme la capacité d'un acteur de produire des effets prévus et voulus sur le comportement d'autres acteurs. Cette perspective retient toujours l'aspect d'une relation sociale en puissance par opposition à une relation sociale en acte, en d'autres mots le pouvoir et non l'exercice du pouvoir. Pour ceux que le sujet pourrait intéresser, nous recommandons cet ouvrage qui, en première partie, expose la variété des situations posées par ce rapport fondé sur l'intentionnalité de l'agent actif.

Ce type d'observation est excellent pour l'analyse des forces en présence lors de crises ou de conflits ouverts. Elle permet aux opposants comme aux commentateurs d'évaluer la situation en fonction d'une observation prospective qui part d'une situation donnée pour extrapoler par la suite.

L'influence

La science politique trouve davantage son profit dans l'observation de relations sociales réelles plutôt que virtuelles. Il s'en trouve deux, l'influence et le contrôle, qui rendent bien compte d'une situation actualisée d'intervention d'un acteur sur un autre.

Lorsqu'on parle d'**acteur** ou d'**agent**, on se réfère *à une personne abstraite qui est saisie en situation de faire une action ou de la subir*. Cet acteur ou cet agent peut être un individu ou un groupe entendu comme agissant en tant que tel. On peut donc parler d'un acteur individuel ou d'un acteur collectif. Sans épithète, le terme « acteur » renvoie à l'un ou à l'autre de manière indifférenciée. Parler d'acteur collectif demeure cependant sujet à caution. Nous verrons plus loin que ce concept doit être utilisé avec circonspection.

Il y a **influence**, en tant que *relation sociale*, lorsque, par le truchement d'une simple communication, *un acteur modifie intentionnellement les* ***attitudes*** *d'un autre acteur*, en vue, souvent, de lui faire adopter un *comportement* déterminé. Dans la présente définition, on se trouve à exclure d'autres sens couramment attribués au concept d'influence pour ne retenir, par pure convention, que les relations sociales ayant l'effet attendu. Il aurait été possible d'employer un autre terme pour désigner cette même réalité.

Qu'est-ce donc alors qu'une attitude et qu'est-ce qu'un comportement ? Ces termes sont tirés de la sociologie courante. Par **attitude**, on entend *une* ***disposition*** *à l'égard d'un objet qui peut être abstrait ou concret : une idée, un sentiment, une action, une chose ou un être animé*. Un acteur peut dès lors entretenir une attitude positive ou négative, d'attrait ou de répulsion, envers une idée, comme le libéralisme ; envers une action, comme le vote ; envers une chose, comme l'isoloir ; envers une personne, comme son député ; ou tous à la fois. Il s'agit généralement d'un jugement plus ou moins explicite qu'un acteur porte sur un objet, mais il peut également entretenir une simple attitude d'indifférence. Les sondages ont précisément pour objet de tenter de révéler l'attitude des personnes interrogées sur une gamme de sujets. Ces attitudes relèvent de valeurs soit religieuses, idéologiques, morales, esthétiques ou autres, et, dans le concret, se traduisent par des *préférences* qu'il est alors possible d'enregistrer de manière plus spécifique. Le **comportement**, quant à lui (le terme de **conduite** est aussi employé dans le même sens), désigne *la* ***manière*** *dont l'acteur se conduit et surtout les actions qu'il accomplit*. L'attitude n'est observable que lorsqu'elle est ouvertement exprimée par l'acteur, sinon elle demeure dans le secret de sa conscience, tandis que le comportement est davantage observable, bien qu'il puisse se dérouler à l'abri du regard : le scrutin secret en est un exemple. On dit volontiers que l'attitude correspond souvent à une disposition à l'égard d'un comportement. Un sondage peut révéler l'attitude de certains électeurs, mais le scrutin témoigne de leur comportement, car voter est un comportement.

Il y a donc influence, selon notre convention, lorsqu'un acteur, par l'émission de signes ou de symboles, agit volontairement sur l'attitude et souvent, en même temps, sur le comportement d'un autre acteur. Il s'agit, comme nous allons le voir, d'une manière très extensive d'aborder ce type de relation sociale. Les signes ou symboles émis par l'acteur peuvent être des paroles, des écrits ou simplement des sons, des images, des gestes, etc., qui ont pour résultat de modifier les attitudes et, par voie de conséquence, le comportement d'un autre acteur.

L'influence peut revêtir deux formes. Elle peut opérer tout simplement par la *persuasion*. Dans un tel cas, les arguments pour atteindre l'objectif désiré sont perçus comme valables et donc convaincants par les deux parties en présence. Ainsi en est-il d'un acteur qui, gagné par une cause, tente de recruter de nouveaux adeptes et de les amener à agir dans un certain sens. Si, par contre, ce même acteur cherche à dissimuler ses véritables intentions en vue de tromper un autre acteur et de l'amener à adopter une attitude ou un comportement, on dit alors qu'il y a *manipulation*. Comme forme d'influence, la manipulation n'est pas toujours facile à démontrer. On sait, par les documents qui nous sont parvenus, que Hitler et Goebbels, son ministre de la propagande, déployaient sciemment une propagande trompeuse. Par contre, il arrive souvent, même à des analystes chevronnés, de prêter à des acteurs collectifs une visée manipulatrice sans fondements véritables. Estimer, par exemple, que la classe technocratique manipule les masses, c'est affirmer plus que démontrer. Bien sûr, la manipulation a toujours fait partie de l'arsenal des acteurs politiques. Les célèbres *Philippiques* de Démosthène contre le père d'Alexandre le Grand avaient précisément pour objet de dénoncer, auprès des Athéniens, les réelles visées de Philippe de Macédoine, et le danger qu'il représentait pour eux. De même en fut-il des *Catilinaires* de Cicéron qui démasquèrent en plein Sénat la conjuration de Catilina. *Le Prince* de Machiavel, qui ouvre l'ère moderne en politique, consacre, pour sa part, l'usage de la manipulation comme moyen nécessaire pour se maintenir en situation d'autorité.

Qu'elle agisse par la persuasion ou la manipulation, l'influence est toujours voulue par celui qui l'exerce auprès d'un autre qui la subit. Le premier a nécessairement l'intention délibérée d'influer sur les préférences du second dans un sens bien déterminé. Il peut cependant arriver qu'un acteur en incite un autre involontairement.

L'incitation involontaire est plus courante qu'on ne le croit parfois. Elle peut reposer sur l'ascendant psychologique qu'un acteur exerce sur un autre. Une personnalité de premier plan se crée des admirateurs sans nécessairement s'en rendre compte. Mais l'incitation inconsciente la plus courante encore est celle que les uns suscitent auprès des autres par l'exemple quotidien du respect (ou non) des codes et des normes. La langue comme code évolue suivant les acquisitions et rejets, au gré de rencontres démultipliées qui en modifient l'usage. Une bonne part de notre socialisation, c'est-à-dire de notre initiation aux valeurs et aux normes sociales, s'accomplit dans l'imitation des comportements d'autrui. Sans concertation aucune, notre comportement quotidien influe sur notre entourage qui, à son tour, influe sur nous. Le simple fait de parler d'un événement, c'est le mettre à l'ordre du jour, c'est lui accorder une certaine importance et le démarquer par rapport à ceux que l'on tait volontairement ou non. De la sorte, souvent à l'insu des intéressés, se transmettent des normes et des valeurs qui se traduisent par des attitudes correspondantes à l'égard des personnes et des événements.

L'influence joue sur les attitudes qui prennent la forme de préférences, positives ou négatives, parfois indifférentes. Et ce n'est que secondairement, ou, si l'on veut, de manière indirecte qu'elle affecte le comportement. En campagne électorale, les candidats tentent d'avoir suffisamment d'influence pour que l'attitude favorable de l'électeur le conduise au comportement d'aller voter pour eux. On peut inciter quelqu'un à agir, mais encore faut-il l'en convaincre, sinon ce n'est plus de l'influence, mais du contrôle.

Le contrôle

Le contrôle n'est pas sans affinité avec l'influence, mais il est plus impératif. Contrairement à l'influence qui fonctionne à la persuasion, le contrôle fonctionne à l'ordre ou au commandement. Il n'a pas pour premier objectif de viser les attitudes mais plutôt le comportement. Nous convenons de définir le **contrôle** comme *une relation sociale par laquelle un acteur (le contrôleur) parvient à imposer, restreindre ou empêcher une action, c'est-à-dire un* ***comportement****, d'un autre acteur (le contrôlé).*

Ce contrôle peut fonctionner à la menace pure. C'est le principe de l'alternative posée lors du hold-up : « la bourse ou la vie ». Cette menace peut être moins radicale ou plus voilée, mais l'idée de représailles sert toujours d'unique instrument pour forcer l'adhésion du contrôlé. L'appréhension d'une sanction éventuelle demeure, pour ce dernier, le seul motif d'acceptation. Ce n'est évidemment pas le type de contrôle le plus répandu, mais il demeure toujours possible.

Le contrôle le plus courant repose plutôt sur une forme de légitimité qui sert de fondement à l'intervention du contrôleur auprès du contrôlé. Le contrôleur se réclame alors d'un droit qui devient pour le contrôlé une obligation. Notre activité quotidienne est tissée de ces contrôles que nous imposons aux autres et qui nous sont imposés. Nous reconnaissons que nous avons tous des droits et des obligations qui rendent en quelque sorte possible la vie en société. Suivant notre statut, c'est-à-dire de notre position sociale, nous assumons un certain nombre de rôles. Par rôle, on entend l'ensemble des comportements attendus dans l'accomplissement d'une fonction. Or, c'est à l'intérieur du rôle que se légitime le contrôle. Celui de parents autorise ceux-ci, par exemple, à exercer un certain nombre de contrôles sur leurs enfants : présence aux repas, heures de sorties, etc. De même le professeur exerce un certain contrôle sur le travail de ses étudiants : il en fixe la nature et l'évalue. Tout contrôle trouve sa légitimité dans le rôle accompli par l'acteur. Il apparaît plus évident lorsqu'on parle de personnes en situation dite d'autorité officielle comme le juge, le policier, etc.

Le contrôle consiste à obtenir d'un acteur, le contrôlé, qu'il fasse une action ou qu'il s'en abstienne. Mais il est plus facile, en principe, de forcer l'abstention que l'action. Bon nombre de contrôles, dans la société, sont d'ailleurs de type négatif, c'est-à-dire qu'ils prévoient l'interdiction plutôt que l'obligation de faire quelque chose.

Le contrôle s'applique à propos de divers objets qui peuvent être des personnes, des biens matériels ou encore des signes et des symboles. Le contrôle immédiat des personnes se retrouve dans l'esclavage, le service militaire obligatoire, la levée de troupes, l'emprisonnement et d'autres cas similaires. Le contrôle peut également s'exercer sur l'usage plus ou moins exclusif d'un bien matériel. Étant une relation sociale, le contrôle ne vise que des personnes et ne saurait en soi s'appliquer à des objets. Le droit à la propriété implique la faculté de jouir de l'usage plus ou moins *exclusif* d'un bien. Le propriétaire exerce un contrôle sur l'usage de ce bien dans la mesure où d'autres personnes en sont exclues. Les plages privées servent d'excellente illustration : seules certaines personnes y ont légitimement accès. Le contrôle est alors plus ou moins efficace selon la capacité du contrôleur de le faire respecter. Ce même droit de propriété, surtout s'il s'agit de biens fonciers ou immobiliers, peut être plus ou moins partagé en termes de contrôles. L'autorité étatique intervient souvent pour contrôler l'usage commercial, industriel ou résidentiel des lieux. Elle établit ensuite volontiers des règles de construction pour des fins d'hygiène, de sécurité, de confort ou d'esthétique. Ce sont des contrôles qui viennent atténuer l'étendue du droit de jouissance accordé au propriétaire.

Par raccourci utile on dit parfois qu'un acteur dispose d'un contrôle sur un objet ; il faudra toujours entendre, dans ce cas, que le contrôle s'exerce sur son usage et en relation avec d'autres acteurs qui s'en trouvent exclus. Robinson, seul dans son île, n'exerçait aucun contrôle puisqu'il n'était en relation avec personne, jusqu'à ce que survienne Vendredi...

Outre les personnes et les biens matériels, le contrôle peut s'exercer à propos de signes et de symboles. Un des biens symboliques (et non matériel, comme bien des gens le croient) les plus convoités est, bien sûr, l'argent, c'est-à-dire, dans la plupart des cas, des signes comptables au crédit d'un acteur en fonction de divers titres : compte de banque, effets de créance, actions et obligations, etc. La raison pour laquelle ces biens tout à fait symboliques sont tant recherchés, c'est qu'ils sont convertibles en d'autres biens ou services.

Le contrôle sur l'usage des biens symboliques couvre les rapports d'exclusivité entre les auteurs et artistes, et leurs œuvres. Le copyright accorde à l'auteur d'un livre, ou à son éditeur, un contrôle exclusif sur sa publication, pour un temps déterminé. De même un peintre ou sa succession maintiennent un tel contrôle sur la reproduction de ses œuvres ; ainsi, le propriétaire d'un tableau de Riopelle n'a pas la liberté d'en diffuser à son gré la reproduction sous forme de photos ou autrement. Dans le même ordre de contrôle sur la diffusion de biens symboliques, on trouve la censure et diverses autres formes d'interdits sur les publications, œuvres ou spectacles.

Enfin, au niveau le plus abstrait se situent les contrôles qu'accorde un poste dans une organisation ou une institution. On peut définir une **organisation** comme un *ensemble de postes structurés en fonction de contrôles qui en déterminent la hiérarchie.* L'organigramme qui l'explicite a précisément pour objet d'établir de manière visuelle la répartition des contrôles dans une organisation. Il s'agit alors de contrôles virtuels ou possibles dans la mesure où ils ne sont pas encore nécessairement exercés. Le terme de pouvoir peut toujours être retenu ici, dans la mesure où il conserve son sens strict de potentialité. Une organisation fortement hiérarchisée se présentera alors sous forme de pyramide où les niveaux supérieurs ont la faculté de contrôler les décisions prises par les échelons inférieurs. Par voie d'enchaînement, les décisions prises au sommet engageront la base qui se trouvera soumise à son contrôle.

Comme on peut le voir, le contrôle est un type de relation qui se trouve à tous les niveaux de la vie sociale. On le constate entre particuliers : rapports entre propriétaires et locataires, vendeurs et acheteurs ; et à l'intérieur d'institutions étatiques qui disposent évidemment de contrôles plus étendus qu'une entreprise privée.

Nous avons noté au début que le contrôle pouvait s'exercer par la menace. Celle-ci existe toujours, mais de manière latente, toutes les fois qu'un contrôleur affirme son droit sur un contrôlé éventuel. Dans la vie courante, la plupart des contrôles sont acceptés parce que le contrôlé en saisit d'emblée la légitimité. Mais pour s'assurer que le droit à l'objet est respecté, il faut prévoir une position de rechange en cas d'inobservation de l'injonction. Il s'agit toujours, en dernier recours, d'une privation possible qui peut aller d'un bien à la vie elle-même. Toute tentative de contrôle implique pour les deux parties un calcul de probabilité ou de risque sur ses chances de réalisation. Ce calcul se fait en termes de coûts et de bénéfices pour le contrôleur et le contrôlé en perspective. Le premier peut, comme on dit, perdre la face devant un refus du second, ou devoir mettre à exécution sa menace à des coûts qui lui apparaîtront onéreux. De même, le second est appelé à évaluer les capacités du contrôleur à exécuter ses projets.

En plus d'un rôle qui l'autorise, le contrôleur doit donc disposer de ressources pour imposer ses contrôles. Ces ressources reposent sur une influence ou des contrôles déjà acquis, c'est-à-dire des biens qui souvent servent de moyens en vue d'obtenir d'autres biens.

En termes d'influence, un chef d'État, de gouvernement, de parti, de groupe ou de mouvement peut compter sur ces avantages que présentent la fonction, la compétence, la réputation, le prestige, l'éloquence, etc. Ces avantages ressortissent au statut ou aux habiletés de l'acteur auprès d'un public déterminé : électeurs, partisans, activistes, etc.

En termes de contrôle, un acteur peut disposer d'une panoplie de ressources. Ce peuvent être des personnes comme l'armée, la police ou autres corps constitués. Ce peuvent être également des biens meubles ou immeubles : machines, armes, locaux, territoire. D'autres ressources relèvent des signes ; c'est le cas notamment de l'information. En outre, le statut d'un acteur offrira à celui-ci la faculté de pouvoir intervenir pour modifier les règles du jeu en sa faveur : c'est tout le contrôle sur l'adoption des lois et règlements d'une organisation ou d'un État. On en arrive alors à l'aspect organisationnel des ressources qui correspond à leur aménagement : il s'agit alors de considérer l'usage concerté de ressources collectives. Et au-delà de l'organisation, un acteur devra compter sur le bon moral de ses troupes de même que sur la solidarité qui les tient ensemble.

Viennent s'ajouter à ces ressources des qualités propres à l'acteur comme individu. L'intelligence, la formation, l'expérience, l'équilibre psychologique et autres traits analogues servent d'atouts dans la réalisation d'un contrôle.

Toutes ces ressources et qualités peuvent contribuer à un degré ou à un autre dans l'obtention d'un contrôle. Elles constituent ce qu'il est toujours loisible d'appeler la puissance de l'acteur, mais elles ne sauraient préjuger de l'action à venir. L'acteur peut être bien pourvu en ressources sans nécessairement vouloir accroître les contrôles dont il dispose déjà. C'est de la piètre analyse politique que de présumer des contrôles à partir seulement de ressources dont disposerait un acteur pour les réaliser.

S'inspirant de catégories déjà posées par Bertrand de Jouvenel, il est possible d'évaluer le contrôle selon trois critères : l'extension, l'étendue et la profondeur. L'extension sert à identifier le nombre de personnes touchées par le contrôle. L'étendue vise plutôt à préciser les sphères d'action : s'agit-il, comme l'ordre des médecins, de contrôles très précis du champ professionnel, ou bien plutôt, comme dans les collèges d'autrefois, de nombreuses activités contrôlées sept jours sur sept ? Enfin, la profondeur indique le seuil de tolérance des contrôlés : jusqu'à quel point sont-ils prêts à être soumis, jusqu'à quels coûts pour eux sont-ils prêts à le demeurer ? Ces catégories s'appliquent pour évaluer des conditions assez concrètes touchant les contrôles exercés par des acteurs précis. Une grande dictature comme celle de Staline, par exemple, démontre une extension, une étendue et une profondeur exemplaires. C'est le propre de l'État dit totalitaire de contrôler de manière aussi tentaculaire la vie publique et la vie privée des personnes.

Le contrôle demeure néanmoins un concept neutre, il ne comporte en soi aucune connotation péjorative. Le choix de ce terme lui-même est délibéré : il offre l'avantage d'être plat en comparaison de concepts comme pouvoir et domination qui, en plus d'être fort évocateurs, sont porteurs d'un sens négatif. Il en est du contrôle comme de toute relation sociale. Il n'est licite ou illicite qu'en fonction de normes qui le rendent tel. Tout comme l'échange est licite ou illicite en fonction de facteurs externes à l'idée même d'échange. Ce n'est pas l'idée de contrôle en soi qui est bonne ou mauvaise, mais l'objectif qu'on poursuit en ayant recours à celui-ci.

Mis en rapport avec l'influence, le contrôle s'inscrit souvent comme sa conséquence. En effet, l'influence sert à le légitimer auprès du contrôlé. Il s'agit, en l'occurrence, de susciter auprès du contrôlé une attitude de soumission au contrôle. De manière plus globale, la socialisation en tant que processus de transmission et de maintien de normes, dans une collectivité donnée, a pour fonction de faire accepter comme naturelles les contraintes de la vie en société. Lorsque l'acceptation est bien intériorisée, elle devient ce que le sociologue Pierre Bourdieu appelle un « habitus », c'est-à-dire une disposition acquise.

Par contre, la tentative d'influence peut échouer et le contrôle être refusé, même sous la menace. Dans ce cas, l'éventuel contrôleur a la faculté soit d'abandonner la partie et de laisser tomber le contrôle qu'il se proposait d'imposer, soit, au contraire, de revenir à la charge, et dès lors d'engager une relation sociale d'un autre type : le conflit.

Le conflit

L'idée de conflit suscite presque naturellement une réaction de réprobation. La chronique des journaux s'en alimente, mais en le présentant souvent comme une pathologie sociale ou encore comme un mal moral dû à l'égoïsme de certains. Le conflit est alors vu comme l'envers morbide de la vie en société qui normalement devrait rallier le bon ordre dans l'harmonie. Comme dans les *westerns*, les protagonistes sont divisés en bons et en méchants. Si les bons pouvaient enfin gagner définitivement, ce devrait être la fin de ces luttes incessantes entre nations, ethnies, classes sociales, religions, sexes, etc. Néanmoins, on constate que, au cours de l'histoire, surgissent des conflits de nature différente. Certains sont plus ou moins constants à travers les âges comme les guerres de religion : qu'on se rappelle les croisades au Moyen Âge, les empoignades entre catholiques et protestants durant plus d'un siècle, et la résurgence actuelle du fondamentalisme islamique. Par contre, la grande guerre idéologique entre le communisme et le capitalisme, qui a rangé et dressé des nations les unes contre les autres, a offert, durant quelque quarante-cinq années, un spectacle assez unique dans l'histoire. Les temps actuels semblent plus propices aux tensions ethniques et aux différends mettant aux prises des catégories de sexe ou d'âge. D'une époque à une autre, le champ de bataille, que nous appellerons plus volontiers *arène*, se déplace selon l'objet des conflits.

Tout **conflit** *est une relation sociale qui se présente sous la forme d'une séquence d'événements (d'actions) résultant du* ***refus*** *d'un acteur d'être soumis à un contrôle et de la* ***persistance*** *d'un autre acteur à le lui imposer.* Pour qu'il y ait conflit, il faut que les deux parties en présence y consentent, au moins tacitement. Il peut s'agir du refus d'un contrôle déjà existant que le contrôlé tente de faire abolir : l'émancipation de la femme a précisément consisté à l'affranchir des divers contrôles exercés par l'homme sur elle, affranchissement réalisé seulement après de longues luttes. Ce peut être aussi l'opposition à un contrôle plus ou moins prochain, comme celui qu'est susceptible de prévoir un projet de loi ; dans ce cas, le gouvernement se trouve en situation d'affrontement avec ceux qui refusent d'être soumis à un tel contrôle. Il arrive que certains aillent jusqu'à anticiper des contrôles possibles, comme ces médecins aux États-Unis qui, depuis la fin des années 1940, demeurent en état d'alerte contre les tentatives périodiques d'étendre l'assurance médicale. En revanche, les acteurs en situation de contrôleurs pourront réagir à des contrôles qu'on se propose de leur ravir. Les avocats, par exemple, ne voient pas toujours d'un bon œil qu'on porte atteinte à leur fonction d'intermédiaire obligé dans les causes de divorces, d'assurance, ou de petites créances : ils ont tout avantage à défendre l'importance du monopole de la représentation des intérêts par les membres de leur profession, donc du contrôle exclusif assuré par eux. Dans l'ensemble, les grands débats publics ont pour objet la suppression de contrôles ou l'introduction de nouveaux. Le conflit prend alors plus ou moins d'ampleur selon le degré d'incompatibilité des intérêts en présence. Tout dépendra de l'intensité avec laquelle, *en même temps*, les deux parties s'impliquent : l'une pour refuser un contrôle, l'autre pour le lui imposer.

Lorsqu'on parle de l'*objet* d'un conflit, on fait référence à *ce pourquoi les parties en présence s'opposent.* L'objet renvoie au contrôle précis à propos duquel il y a incompatibilité. Bon nombre de conflits entre pays, par exemple, ont pour objet le contrôle d'un territoire.

Par ailleurs, le gain ou la perte d'un contrôle a un *sens* qu'on appelle l'*enjeu*, c'est-à-dire *ce qui est mis en jeu à l'occasion du conflit*. Le fait de gagner ou de perdre un contrôle est susceptible d'avoir une portée dans l'avenir pour chacun des acteurs, qu'il soit gagnant ou perdant. Il peut arriver que l'enjeu coïncide avec l'objet, mais, plus le souvent, l'enjeu est plus englobant que l'objet. Prenons un exemple : l'*objet* spécifique du conflit en Afrique du Sud touchant naguère sur le droit de vote des Noirs à égalité avec les Blancs, portait, dans les faits, sur le contrôle majoritaire des Noirs dans la désignation des députés à la chambre basse ; il impliquait, en termes d'*enjeu*, des pertes pour les Blancs au profit des Noirs dans une série de domaines où les premiers avaient exercé jusqu'alors un contrôle exclusif, puisque désormais les Noirs étaient appelés à contrôler la législation. Dans ce cas-ci, l'enjeu est considérable mais demeure sensiblement le même pour les deux parties, dans la mesure où ce qui est perdu par les Blancs est gagné par les Noirs. Il arrive cependant que l'enjeu soit différent pour les acteurs en présence. Dans une telle situation, le gain ou la perte, à l'occasion d'un premier conflit, est perçu comme susceptible de modifier leur position en termes d'influence ou de contrôle, et de se répercuter sur un conflit possible ou probable avec d'autres acteurs. Le processus de décolonisation qu'ont connu les métropoles européennes illustre bien ce cas. Le fait de reconnaître l'indépendance d'une colonie, donc la perte de contrôle sur elle, signifiait pour le pays colonisateur une diminution dans sa marge de manœuvre avec ses autres colonies, qui, elles aussi, réclamaient le même statut. Ainsi, la perte pour la France de la Tunisie et du Maroc ne pouvait que diminuer, plus tard, sa légitimité auprès d'Algériens qui réclamaient la même condition (même si l'Algérie avait juridiquement le statut de département français). De même, l'échec des États-Unis au Viêt-nam a signifié une diminution d'influence dans le tiers monde, et la perte des États baltes pour l'Union soviétique de l'époque, une position amoindrie de Moscou dans ses rapports avec les autres républiques.

La notion d'enjeu ouvre la possibilité de débats interminables puisqu'il est toujours hasardeux d'exprimer toute la portée d'un événement. Il s'agit, en la matière, d'interpréter combien les intérêts d'un acteur sont ou seront touchés par l'issue d'un conflit. La notion d'**intérêt** se rapporte à *ce qui est désirable pour un acteur*. Elle a donc un contenu normatif et se pose en fonction de valeurs susceptibles de donner un sens à son comportement. Deux écoles, diamétralement opposées, se disputent la manière d'aborder la notion même d'intérêts : l'école dite subjectiviste et l'école dite objectiviste.

L'école subjectiviste est aujourd'hui la plus répandue et Robert Dahl est son principal représentant. L'argument central de cette école pose l'individu comme capable, par lui-même, d'établir ses préférences, et d'évaluer le coût des moyens pour les mettre en œuvre. Cette notion de l'intérêt fait donc reposer celui-ci sur le sentiment qu'a l'individu de ce qui est désirable, en d'autres termes, sur sa subjectivité. Dans la perspective de cette école, l'analyste est appelé à ne tenir compte, chez l'acteur, que des attitudes exprimées et des comportements observables. À la manière des économistes, les préférences de l'acteur sont tenues comme données. Il ne revient pas à l'analyste d'en évaluer les fondements. L'acteur est considéré comme le meilleur sinon le seul juge de ses propres intérêts, il sait ce qui lui convient et connaît les coûts qu'il est prêt à assumer pour les réaliser.

Si l'acteur n'intervient pas dans une arène publique, c'est qu'il n'y voit pas son intérêt, sans plus. Le raisonnement, ainsi posé, peut prendre l'allure d'une tautologie, mais se comprend lorsqu'on l'oppose à celui de l'autre école.

Toute cette argumentation trouve son point d'appui dans l'individu comme acteur et tient alors le groupe comme une agrégation d'individus dont certains se font les porte-parole. C'est ainsi que sont alors considérés les acteurs collectifs, tels que les groupes et les partis politiques. Il revient à l'école objectiviste de considérer le groupe comme une entité propre.

Les tenants de la thèse objectiviste estiment que les intérêts correspondent à une réalité objective qui se situe donc en dehors de la conscience de l'acteur. À la subjectivité de l'acteur, ils opposent effectivement l'objectivité des intérêts de la classe ou du groupe auquel l'acteur appartient. Le point d'appui n'est plus l'individu comme acteur de référence, mais une collectivité dont l'individu est l'émanation. L'analyste qui adopte cette approche est alors appelé à se prononcer sur le degré de conscience qu'a un acteur de ses vrais intérêts. Puisque les intérêts ont, selon cette école, une nature réelle, on peut croire que l'observateur avisé saura discerner le bien-fondé d'interventions sur la place publique. On parlera alors volontiers de fausse conscience ou de conscience mystifiée lorsque l'acteur sera perçu comme défendant des intérêts opposés à sa condition sociale. Le terme d'aliénation servira à désigner cet état où l'intéressé, devenant en quelque sorte étranger à ses propres intérêts, ne parvient pas à les identifier ou même se porte à la défense d'intérêts qui lui sont objectivement contraires.

Dans un ouvrage classique, *Power, A Radical View*, Stephen Lukes s'en prend directement à Robert Dahl et à l'école subjectiviste dans son ensemble. Selon lui, on ne peut s'arrêter aux seules préférences des acteurs parce qu'elles sont susceptibles de n'être que le résultat d'une manipulation venant de la société. Ainsi, les perceptions et les idées de l'individu seraient formées de manière à ce qu'il accepte son rôle assigné par la société. Il s'agirait donc d'une des formes les plus insidieuses d'influence qui empêche l'acteur de concevoir d'autres formes d'autorité que celles qu'il connaît déjà, l'induisant à considérer le présent ordre des choses comme naturel, normal et inchangeable.

La tradition marxiste retient, pour le moins, l'idée d'une objectivité des positions sociales qui sont définies en fonction de la division sociale du travail. Puisque la division du travail évolue dans le cours de l'histoire, les intérêts sont également appelés à évoluer. Dans une société féodale, donc de nature paysanne, la bourgeoisie représentera la classe progressiste, alors que, plus tard, le capitalisme étant bien installé, le prolétariat apparaîtra cette fois comme la classe progressiste et la bourgeoisie comme la classe dépassée. Selon l'évolution de l'histoire et de la conjoncture, l'observateur éclairé pourra élaborer une politique juste, c'est-à-dire une politique adaptée aux intérêts qu'il représente.

Le problème qui se pose est évidemment celui de savoir qui est en mesure de se prononcer sur les intérêts objectifs d'un groupe. Marx et Engels estimaient dans le *Manifeste du parti communiste* que le parti communiste a théoriquement l'avantage d'avoir sur le reste du prolétariat une compréhension claire du sens que prend le mouvement prolétarien. Plus explicite, Lénine était convaincu dans *Que faire ?* que seuls les intellectuels, c'est-à-dire les « représentants cultivés des classes possédantes », pouvaient atteindre la conscience révolutionnaire, alors que les ouvriers, laissés à eux-mêmes, s'orienteraient vers une conscience de simple revendication syndicale. Ce ne sont ici que des illustrations d'une conception objectiviste des intérêts. Il suffit de retenir qu'une telle conception conduit inéluctablement à déterminer qui est en position privilégiée de découvrir le sens véritable de ces intérêts ; l'analyste peut, en l'occurrence, s'estimer en meilleure situation d'observation que les acteurs eux-mêmes. Ceux-ci, perdus dans le quotidien ou soumis à des influences indues, sont susceptibles, selon cette école, de perdre la juste perspective de leurs propres intérêts.

En somme, l'école objectiviste pose les intérêts comme jouissant d'une existence objectivement identifiable, donc extérieure à la conscience de l'acteur. Comme chez les subjectivistes, cette perspective repose sur la conscience, mais celle-ci n'a qu'à être éclairée pour saisir le vrai sens des intérêts d'un acteur. L'acteur lui-même n'est pas nécessairement considéré comme le meilleur juge de ses propres intérêts.

Cette opposition entre les deux écoles subjectiviste et objectiviste sert à camper deux positions portées à leur extrême logique. Dans l'abstrait, ces positions analytiques sont irréductibles, irréconciliables. Il faut reconnaître qu'en réalité on a souvent affaire à l'évaluation des *moyens* auxquels l'acteur a eu recours et qui, eux, peuvent être rationnellement évalués, alors que ce n'est pas le cas des fins poursuivies.

Les intérêts, quelle que soit leur nature (subjective ou objective), relèvent de l'ordre des préférences qui n'ont rien à voir avec la rationalité (regardée ici comme instrumentale). Préférer le football à l'opéra ou inversement, vouloir vivre ou mourir, adorer ou honnir les mathématiques ne relève pas de l'immédiat rationnel. En d'autres termes, il n'est pas contre la raison d'adopter l'option inverse, même si, comme les mathématiques, il s'agit d'un contenu proprement rationnel. Si les grandes options individuelles ou collectives ne relèvent pas directement d'un calcul rationnel, les moyens, eux, pour réaliser ces mêmes options, y font appel. La raison sert de guide dans le choix des moyens, et peut même éclairer parfois le caractère désirable d'une fin, mais elle ne la détermine pas comme telle. La raison n'est pas à l'origine des intérêts, mais plutôt à leur service, dans la mesure où elle sert d'instrument à leur poursuite. On ne peut donc juger de la nature rationnelle d'une fin, mais on peut évaluer la rationalité des moyens employés.

Le conflit surgit parce qu'il y a incompatibilité de ces intérêts et parce que la raison prévoit, au moins implicitement, un gain probable, compte tenu des coûts à assumer. Cette situation est soumise à des facteurs qui atténuent ou renforcent l'opposition des acteurs en conflit.

Les facteurs qui affectent le déclenchement d'un conflit

Trois facteurs interviennent dans le déclenchement d'un conflit : la rareté, la mobilité et l'information.

La plupart des conflits éclatent parce qu'il existe un certain état de pénurie. Dans l'abondance absolue, il ne se poserait plus que des questions qui relèvent de la morale personnelle : la religion, le sexe, l'avortement, etc. La grande majorité des conflits en société et entre sociétés surgissent parce qu'il se pose un problème d'allocation des ressources. Il y a mésentente sur la manière de les répartir.

La science économique étudie comment le jeu du marché répartit des biens rares, alors que la science politique s'intéresse plutôt au phénomène d'arènes où on se dispute, par le truchement de la force ou de l'autorité, le moyen le plus équitable d'y parvenir. L'économie fonctionne largement à la liberté laissée aux acteurs tandis que le politique fonctionne à la contrainte.

Il faut bien se rappeler que la notion de pénurie ou d'abondance est toute relative. Les économistes savent que ce qui était luxe hier, comme l'eau courante, l'automobile, le téléphone, l'ordinateur, est nécessité aujourd'hui. Si bien que la rareté est relative à une collectivité donnée, à un moment donné. Il est possible d'illustrer comment, dans le temps, un acteur peut éprouver un sentiment de privation progressive. En s'inspirant de la perspective psychologique du politologue Ted Gurr (dans *Why Men Rebel*, 1971), on arrive aux situations suivantes.

Dans le premier cas, le sens de la privation provient exclusivement d'une chute de bien-être qui peut être de nature matérielle, symbolique ou psychologique. Il peut s'agir, par exemple, d'une diminution du niveau de vie, de l'occupation militaire par un pays voisin, d'une augmentation de l'insécurité consécutive à un accroissement de la criminalité. La figure 2 illustre cet écart grandissant entre les attentes et la réalisation de ces attentes. L'insatisfaction est ici imputable à la production de bien-être qui fléchit alors que les attentes demeurent stables.

Figure 2

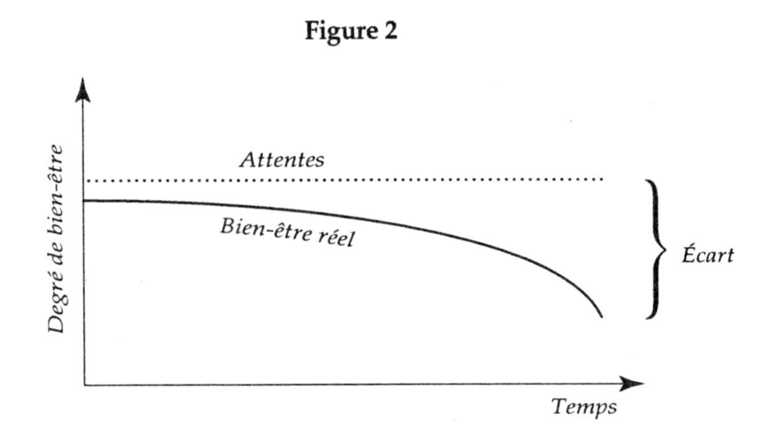

Dans le second cas (figure 3), les aspirations croissent, alors que la possibilité de les réaliser demeure stable.

Cette fois, c'est la situation des attentes qui augmentent en dépit d'une stabilité dans la production de biens pour les satisfaire. Si l'écart va grandissant, c'est que ces attentes ne tiennent nullement compte d'une réalité qui ne les suit pas. Un peu dans le même sens se situe le troisième cas (figure 4) où les aspirations anticipent de plus en plus sur les réalisations possibles.

Figure 3

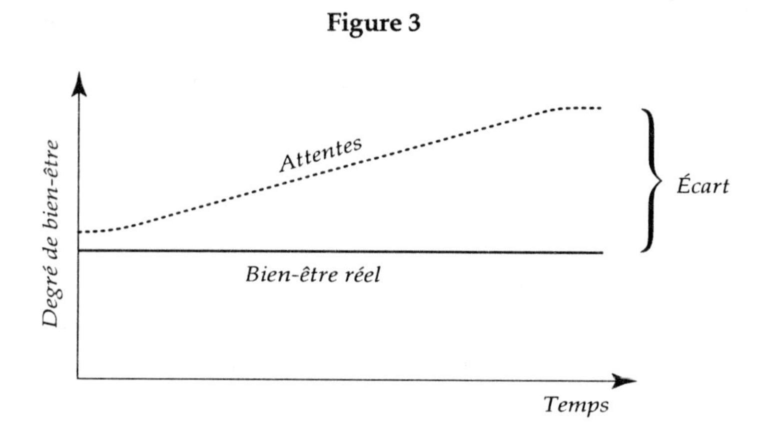

Figure 4

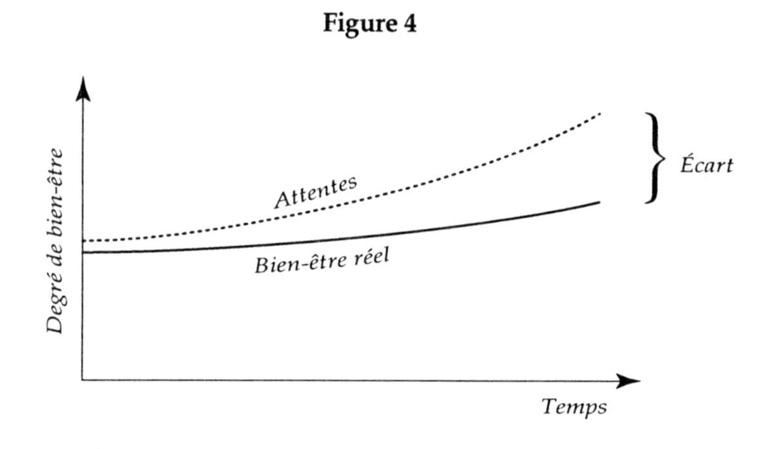

Ce genre d'écart se présente lorsque, par exemple, la prospérité amène les acteurs à espérer encore plus des conditions économiques qu'elles ne peuvent effectivement fournir. La situation se détériore davantage quand le bien-être fléchit alors que les attentes poursuivent leur tendance ascendante. Par contre, lorsqu'une récession, comme celle de 1981, est attendue et acceptée comme telle, on se trouve avec un écart constant comme l'indique la figure 5.

Figure 5

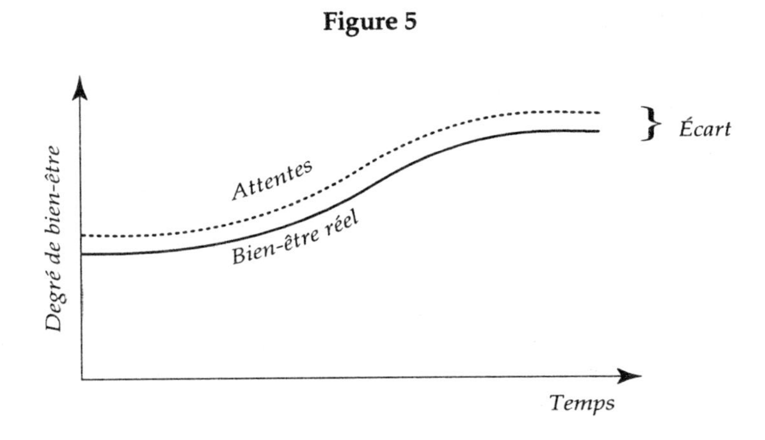

Le conflit est susceptible d'être exacerbé par un écart grandissant dans le sentiment de privation. Comme on peut le constater, la privation est affaire de perception par rapport à une condition donnée. Elle n'a aucune qualité d'absolu. Elle dépend de la psychologie des acteurs et de la culture dont ils sont tributaires. Plus ce sentiment sera intense et profond, plus, bien sûr, ils seront enclins à vouloir y mettre un terme, et donc, si nécessaire, à engager des conflits longs et coûteux. La frustration ressentie peut être contenue tant et aussi longtemps que les intéressés n'ont pas les moyens organisationnels appropriés pour engager la mobilisation qu'exige leur combat. Ces acteurs constituent alors un groupe à l'état de latence : il n'existe pas pour le moment, mais il est susceptible de devenir manifeste, en d'autres mots, de prendre forme, si l'occasion favorable se présente. Cette problématique sera reprise lorsque nous aborderons les mouvements sociaux.

Il est un axiome en économie qui établit que plus le prix d'un bien est élevé, plus les consommateurs ont tendance à rechercher des substituts aptes à en atténuer le besoin. Toute crise du pétrole, par exemple, suscite l'exploitation d'autres ressources énergétiques comme l'électricité, le nucléaire et même le charbon, le bois, les marées, le vent, etc. On peut poser comme hypothèse que plus la capacité de substitution touchant un objet est grande, plus le conflit est susceptible de diminuer en intensité. Le degré de mobilité des acteurs, c'est-à-dire la faculté de se déplacer ou d'éviter une situation désavantageuse, correspond également à cette capacité de substitution dont peut disposer un acteur par rapport à d'autres.

Dans un classique intitulé *Exit, Voice, and Loyalty* (1970) et traduit depuis en français (*Défection et prise de parole)*, Albert O. Hirschman explique comment il est possible de classer les groupes selon le degré de mobilité (défection ou *exit*) de leurs membres, comparé aux possibilité d'intervention par ces mêmes personnes au moyen de la protestation, de la prise de parole (*voice*). Par exemple, un individu appartenant à une association volontaire peut, s'il est insatisfait de son groupe, manifester d'abord son mécontentement, puis, si sa frustration persiste, se retirer tout simplement. C'est le propre de ce type de groupe où, à défaut d'être entendus, des acteurs peuvent quitter et même fonder, s'ils le jugent à propos, une association concurrente. Aussi, dans ces associations, le conflit a moins de chance de devenir aigu que dans une famille, une tribu ou une nation, où la mobilité est nettement moindre.

Outre le facteur de rareté et celui de mobilité qui permet d'atténuer ou même d'annuler l'effet de rareté, le facteur de l'information intervient de manière plus immédiate dans le déclenchement et le déroulement d'un conflit. Il y a ultimement conflit parce qu'il y a manque d'information. Dans un univers hypothétique d'information parfaite, il n'y aurait pas de conflit, hormis pour les rares cas de baroud d'honneur ou encore de martyre, où l'exemple sert alors de moyen d'influence. Aucune personne sensée ne s'engage dans une bataille qu'elle est absolument sûre de perdre. Le dénouement du conflit étant connu à l'avance, le déclenchement devient inutilement coûteux. Il y a conflit, au contraire, parce qu'il y a incertitude, si minime soit-elle, pour au moins une des deux parties en présence. Ce caractère d'incertitude quant à l'issue du combat conduit les protagonistes à tenter d'évaluer les chances de gain ou de perte, et donc le risque. De là l'importance du rapport suivant : UP > C. U représente l'utilité du bien recherché, P la probabilité du gain, et C les coûts prévus, en termes d'utilité. Dans tout conflit conduit rationnellement, les protagonistes font ce calcul plus ou moins implicite, en vertu duquel ils posent le degré d'intérêt (l'utilité) qu'ils ont dans un objet (matériel ou symbolique), et la probabilité, donc la marge de risque, de l'obtenir ; ces deux, combinés, doivent être supérieurs, ou au moins égaux, aux coûts (matériels, financiers, moraux, psychologiques, etc.) que le conflit est susceptible d'entraîner, sinon il n'y a aucun avantage à s'y engager. Plus l'utilité recherchée est grande, plus, en retour, la proportion en termes de probabilité pourra être faible, pour un même coût. De même plus cette utilité et sa probabilité de réalisation seront grandes, plus l'acteur acceptera des coûts élevés pour l'obtenir. Tout conflit relève, du moins implicitement, de ce type de décision que prend chacune des parties. Nous verrons cependant que, le plus souvent, les acteurs en présence ont tendance à minimiser les coûts probables, si bien que les conflits entraînent généralement des pertes imprévues de grande importance. Le déclenchement d'un conflit repose sur une méprise de la part d'au moins une des parties en présence.

La stratégie et l'arène

Le conflit proprement dit implique des **stratégies** mises au point par les opposants dans leurs rapports les uns avec les autres. Ce sont *des* ***projets d'ensemble*** *qui visent à obtenir la victoire au moindre coût.* À la guerre, les stratégies sont conçues par les états-majors sur des cartes, mais assez loin du champ de bataille. En prolongement de la stratégie, la **tactique** *vise l'action sur le terrain, il s'agit alors d'une* ***application*** *qui adapte la stratégie aux contingences du combat réel.* Stratégies et tactiques font nécessairement appel à une dépense de ressources dont la nature variera selon le type de conflit. Les ressources déployées dans un conflit armé sont bien différentes de celles d'un conflit occasionné par l'adoption d'un projet de loi. Mais dans les deux cas, on assiste au déploiement de stratégies et de tactiques qui doivent être appropriées à la nature de l'arène.

Le langage de la stratégie est fort ancien. Déjà en Chine, à l'époque des royaumes combattants, c'est-à-dire du Ve au IIIe siècle av. J.-C., on comptait une grande quantité de traités d'art militaire, dont bon nombre de principes sont encore retenus : évaluer sa force et celle de l'adversaire, maintenir l'initiative tout en tenant l'ennemi dans l'incertitude, tromper et surprendre l'ennemi, user de la rapidité sur le terrain, etc. Mao Zedong s'en est inspiré. Les règles que proposait Machiavel aux Italiens de la Renaissance relèvent également de stratégies, mais cette fois dans l'établissement et le maintien de l'autorité étatique. Tous ces propos relèvent d'une esthétique politique, ou, en d'autres termes, d'un art de l'action, où la réussite est le seul critère d'évaluation.

L'étude des stratégies permet de reconnaître qu'en certaines circonstances la coopération est plus avantageuse que le conflit pour les deux parties en présence. On se rend compte que c'est très souvent l'absence d'information ou encore la qualité imparfaite de celle-ci qui rend cette coopération difficile à réaliser. Pour comprendre la logique de cette situation, toute une école des choix rationnels a élaboré un discours qu'on appelle la théorie des jeux.

Cette théorie s'applique à poser des propositions relevant de ce qu'on appelle l'analyse formelle. Le plus souvent ce sont des modèles de comportements qui se déroulent dans un univers abstrait où le nombre de variables est très limité afin d'imaginer comment, en principe, un acteur rationnel peut ou doit se comporter dans une situation donnée.

Un des modèles les plus connus est le « dilemme du prisonnier » qui met bien en évidence les questions que peut se poser un acteur partagé entre la coopération et le conflit dans une situation d'information imparfaite. Il s'agit d'une matrice à double entrée qui met en présence deux acteurs se voyant confrontés à une alternative identique. Deux personnes sont soupçonnées d'avoir commis ensemble un délit. Elles sont arrêtées et tenues isolées l'une de l'autre afin de les forcer aux aveux. La police les soumet alors aux conditions suivantes : elles ont la faculté d'avouer ou de se taire, mais toujours sans pouvoir savoir ce que dira ou ne dira pas l'autre complice ; si les deux suspects avouent, ils sont tous les deux incarcérés pour cinq ans, si les deux résistent à l'aveu, ils vont tous les deux écoper d'un an en prison pour port d'armes ; par contre, si l'un avoue et l'autre pas, le premier sera aussitôt libéré et son complice enfermé pour vingt ans (tableau 1).

Tableau 1

		Suspect II	
		N'avoue pas (Coopération)	*Avoue (Défection)*
Suspect I	*N'avoue pas (Coopération)*	*1 an, 1 an*	*20 an, 0 an*
	Avoue (Défection)	*0 an, 20 ans*	*5 ans, 5ans*

Le tableau 1 à double entrée se lit de la manière suivante : les réactions du suspect I sont les premières indiquées dans chacune des quatre cases, tandis que celles du suspect II le sont en second. Il faut bien comprendre que la coopération dont il s'agit ici vise le rapport entre les deux complices (qui, comme on le sait, ne se voient pas) et non avec la police.

La stratégie la plus favorable pour chacun des prisonniers pris *individuellement* consiste à avouer, donc à trahir son complice (en faisant, bien entendu, abstraction du code de l'honneur ou des liens affectifs qui pourraient tenir nos deux truands). Mettons-nous à la place du suspect I : il va choisir sa stratégie en fonction de celle de son complice. Or, quelle que soit l'option du suspect II, le suspect I s'en tire toujours mieux en avouant. En effet, se dit le suspect I, « si d'abord mon complice n'avoue pas, il vaut mieux pour moi d'avouer parce qu'alors je suis libéré ; par contre, s'il avoue, j'ai encore avantage à faire de même puisque j'écoperai de cinq ans au lieu de vingt ». Le raisonnement de son complice sera le même, et les deux se retrouveront chacun en prison pour cinq ans. Cependant, si les deux suspects avaient coopéré ; si, au lieu d'avouer tous les deux, ils s'en étaient solidairement abstenus, ils n'auraient chacun écopé que d'un an. Voilà le dilemme. Dans cette situation précise, le conflit est préférable à la coopération qui apparaît trop aléatoire. Celle-ci repose sur la confiance qu'un acteur peut mettre dans un adversaire ou un rival possible, et vice versa. Par contre, quand il y a coopération, l'utilité totale, c'est-à-dire le bien-être des deux acteurs, comme *ensemble*, se trouve alors supérieure aux trois autres situations données.

Certaines applications peuvent l'illustrer davantage, et surtout lorsque le même type de jeu peut être repris en succession ; ce qui n'est pas le cas dans l'exemple du prisonnier où les chances de répétition sont infimes. Prenons, à cette fin, la situation de deux stations d'essence dans un lieu isolé, qui peuvent, pour s'attirer de la clientèle, se livrer à une guerre de prix. On reconnaît ici qu'à la longue ces concurrents ont tout avantage à respecter le prix courant, car le gain acquis par une baisse subite de prix pour l'un sera vite compensé par une perte égale pour les deux, lorsque l'autre sera mis au courant et sera forcé, par le fait même, de diminuer ses prix. Les deux concurrents ont donc avantage à se faire confiance mutuellement et à tirer, comme ensemble, un profit plus élevé en maintenant le prix courant.

L'observation des relations internationales se prête bien à la théorie des jeux. De nombreux modèles servent à rendre compte des stratégies des grandes puissances dans leurs rapports d'opposition. La guerre froide entre l'Union soviétique et les États-Unis a suscité durant nombre d'années l'élaboration de jeux qui se proposaient de rationaliser la situation de dissuasion réciproque et la course aux armements qu'elle entraînait. Le livre de Steven J. Brams intitulé *Superpower Games* (1985) donne de nombreuses applications tirées de ce mode d'analyse.

La théorie des jeux nous montre combien l'élaboration d'une stratégie se prête à de multiples considérations de l'ordre de la rationalité et du risque. La stratégie se conçoit dans un climat propre au conflit, qui en est un d'information imparfaite. Et c'est parce qu'il y a information imparfaite que les acteurs doivent se livrer à ce calcul de risques.

Dans la pratique, les stratégies impliquent la mise en œuvre des ressources dont disposent les belligérants. Ceux-ci déterminent d'abord leurs possibilités d'intervention à partir d'une évaluation de leurs propres capacités qu'ils mettent en comparaison avec celles de l'adversaire. Les ressources utilisées dépendront de l'arène, et donc du type de combat. On ne gagne pas une joute oratoire avec des canons, pas plus qu'on ne remporte une victoire militaire avec des effets de rhétorique.

L'aménagement interne de ses propres forces constitue un des éléments déterminants dans l'élaboration de la stratégie. Et une des ressources sur lesquelles les représentants d'un groupe doivent compter, c'est le moral de leurs troupes. On estime, par exemple, que l'échec des États-Unis au Viêt-nam est en grande partie attribuable à la profonde lassitude, sinon à l'impatience, de l'opinion américaine, à la suite des reportages démoralisants dont le conflit faisait l'objet. Aussi, lors de la guerre du Golfe, le Pentagone s'est arrangé pour mieux contrôler l'accès des médias à l'information.

Outre le moral, il y a également la solidarité du groupe qui compte comme ressource significative dans l'organisation d'une action collective. La solidarité repose sur le degré d'identification des individus à une entité collective déterminée. Il y a lieu de croire que, plus la cohésion sera forte, plus les membres d'un groupe seront susceptibles de consentir des sacrifices pour maintenir son existence et son action.

Il revient à la **mobilisation**, qui est *une forme de stratégie, mais tournée vers l'intérieur (c'est-à-dire vers le groupe lui-même), de* ***rallier*** *le plus de gens en faveur d'une cause*, et en particulier les plus influents et les plus représentatifs. Elle consiste, dans nos sociétés, en un processus de sensibilisation auprès d'un public donné. La mobilisation vise à agrandir, par l'influence, la solidarité d'un groupe au plus grand nombre possible ou aux plus importants, selon l'objectif poursuivi. Cette influence peut prendre la forme de la persuasion ou de l'endoctrinement. Elle peut aussi user de l'intimidation physique, judiciaire ou simplement symbolique. Il s'agit alors de contrôles qui ont pour objectif de laisser croire, auprès de l'opinion publique, à une solidarité de conviction. Les grandes manifestations publiques ont pour fonction, entre autres, de révéler à l'ensemble de la population l'ampleur d'une mobilisation et, par le fait même, de son étendue. De là le danger ou le risque de faire la démonstration de sa propre faiblesse, lorsque la consigne de ralliement est peu suivie.

La mobilisation conduit souvent à la formation de coalitions de groupes ou d'individus qui, ayant des intérêts communs à défendre, conviennent de concerter leur action à l'occasion d'un conflit déterminé. La solidité et la durée de ces coalitions peuvent varier en fonction du degré d'affinité des intérêts en présence. L'alliance qui réunissait entre autres l'Union soviétique et les États-Unis contre l'Allemagne nazie lors de la dernière guerre mondiale n'était pas appelée à durer, l'incompatibilité de leurs visées respectives condamnait cette coalition aussitôt le conflit terminé. Il arrive que des alliances réunissent des acteurs aux intérêts tellement disparates qu'elles apparaissent, de l'extérieur, comme contre nature.

Dans nos sociétés, le succès de la stratégie repose sur la concertation. Pour réussir, l'action fait appel à l'organisation qui devient une ressource entre les mains de ses dirigeants. Il incombe à ces derniers d'interpréter l'information fournie par l'organisation, de diffuser leurs consignes et d'être suivis. D'où le poids d'autres ressources telles que les moyens financiers pour obtenir cette information et la traiter, de même que l'autorité formelle comme informelle pour être obéis. On voit ici le caractère tout aussi complexe que peut avoir la stratégie interne (mobilisation) quand on la compare avec la stratégie tournée vers l'extérieur, c'est-à-dire vers l'adversaire. Cette dernière stratégie, pour fonctionner efficacement, doit être accordée, comme la mobilisation d'ailleurs, à l'arène à laquelle elle s'adresse.

Par **arène**, on entend *le lieu concret ou abstrait où se déroule le conflit*. Un conflit impliquant un affrontement physique ou des engagements militaires impose une arène concrètement identifiable. Ce sera la rue, un champ de bataille, une ville, etc., mais la plupart des conflits se déroulent, en partie ou en totalité, dans des lieux abstraits comme les parlements, les gouvernements, les mass media, les partis politiques et les groupes. Or, chaque arène dispose de *règles de fonctionnement* que nous appellerons **règles du jeu**. Ce sont *des* ***contraintes*** *qui limitent la variété des situations possibles. Elles constituent pour les acteurs en présence des balises normatives qui autorisent, exigent, tolèrent ou interdisent certaines actions.* Les règles du jeu correspondent à des *contrôles* sur le déroulement même d'un affrontement. Rares sont les conflits qui se passent dans l'anarchie totale. Il y a presque toujours des règles, au moins tacites, qui sont parfois observées parce qu'elles favorisent indistinctement tous les belligérants. Certaines conventions, par exemple, prévoient l'échange d'émissaires, le respect des ambulanciers en temps de guerre, le droit des prisonniers, l'interdiction de certaines armes comme les gaz, etc. Certaines règles vont jusqu'à un code de procédure très développé. Ainsi en est-il des assemblées délibérantes qui, pour pouvoir fonctionner, doivent être pourvues de règles du jeu nombreuses et précises. Un débat dans les journaux répond, par ailleurs, à d'autres impératifs. Aussi y a-t-il, selon les arènes, des règles explicites qui ont force de loi, et d'autres, implicites, qui relèvent de conventions plus ou moins contraignantes.

Puisqu'il revient généralement à l'une des deux parties en conflit, sinon aux deux, de fixer l'arène ou les arènes où il prendra place, il importe, du point de vue de la stratégie, de choisir celle où on croit pouvoir tirer le meilleur profit au moindre coût. Un stratège averti sait entraîner son adversaire sur le terrain qui lui est le plus favorable. Les groupes de pression préfèrent généralement engager la discussion avec le ministère correspondant à leurs intérêts plutôt que de déployer une stratégie de grande envergure auprès des parlementaires. Les grands affrontements publics qui débordent dans la rue ne sont souvent que le déplacement d'un conflit qui n'a pu être réglé par les instances plus officielles, comme le gouvernement ou le parlement.

Toute stratégie bien conçue doit tenir compte de l'arène à laquelle elle est destinée. Ainsi, le travail de *lobbying* auprès des députés du Congrès américain ne se fait pas de la même façon qu'auprès d'un ministère à Whitehall en Angleterre. Le conflit est plus feutré dans un ministère que dans une assemblée de parlementaires. L'arène n'est vraiment pas la même. À chaque arène ses règles du jeu : obligations formelles et conventions.

Ces facteurs de mobilisation, d'information imparfaite sur l'adversaire, d'arènes et de règles qui leurs sont propres, contribuent à rendre la stratégie délicate. Le caractère changeant de ces facteurs oblige le stratège à une adaptation constante et au rejet des recettes toutes faites.

Le déroulement du conflit

Le conflit, comme tel, correspond à un échange de signes (donc, une relation sociale) plus ou moins coûteux entre adversaires, échange qui a pour objectif de clarifier l'information et, par voie de conséquence, de signifier à l'opposant qu'il est inutile de poursuivre. Suivant le schéma simple de la communication où un émetteur transmet un message par l'intermédiaire d'un code auprès d'un récepteur qui l'interprète, on peut dire que le conflit met aux prises des acteurs qui s'appliquent réciproquement à communiquer à l'autre les signes annonciateurs de sa défaite.

Le conflit se présente comme un processus, c'est-à-dire une suite d'actions liées les unes aux autres selon une séquence dans le temps. Si court soit-il, il n'est jamais instantané, même lorsque l'adversaire déclare forfait dès le premier affrontement. Ce processus est constitué d'échanges d'actions qui peuvent être de tous ordres, suivant l'arène. Les jeux de société ont pour objet d'instituer des arènes toutes pacifiques, en principe..., où des règles précises permettent, après un certain nombre d'échanges, de déclarer, au-delà de tout doute, le gagnant ou le match nul. Connaissant ces règles, les joueurs acceptent volontiers, lorsqu'ils sont suffisamment informés de l'issue probable ou certaine de la partie, d'abandonner avant le tout dernier échange possible. Qui, par exemple, a vraiment terminé une partie de Monopoly ? Il arrive, à ce jeu, un stade où, après un certain épuisement des joueurs (dû à la durée du processus d'échange), mais surtout après la reconnaissance par l'ensemble des joueurs d'un gagnant presque certain, qu'on termine la partie sans arriver à une évidence absolue. La situation est suffisamment claire, l'information est satisfaisante, pour ne plus poursuivre le jeu. Il en est ainsi dans la plupart des conflits réels. La supériorité de l'un est reconnue par l'autre, une fois que ce dernier en a été suffisamment informé. Et cette information est fournie par le déroulement du conflit lui-même. Ainsi, après Hiroshima et Nagasaki, il était évident, pour les Japonais, que la poursuite de la guerre contre les Alliés était devenue vaine.

Quelle que soit l'arène, la stratégie des protagonistes consiste toujours à obtenir le plus fort gain au moindre coût. Toutes les manœuvres ont pour objectif de signifier à l'adversaire soit la victoire prochaine si on a l'avantage, soit la résistance tenace, si on est en position de faiblesse. Elles se traduisent par des privations matérielles ou symboliques qui servent à pousser l'adversaire à capituler. Si dévastateur soit-il, un bombardement a pour objet de démontrer à l'adversaire combien il y a encore du semblable sinon du pire en perspective, à moins que ce soit pour l'anéantir. Il demeure donc un signe qui se veut annonciateur d'autres privations à venir. Une dernière cartouche est sans effet si le destinataire le sait. C'est l'assurance d'une récidive qui, elle, est convaincante.

Cet échange d'actions entraîne, la plupart du temps, une inflation imprévue de signes (donc de coûts) qui rendent le conflit presque insaisissable à cause de sa complexité inattendue. Si bien que les coûts, de par leur ampleur insoupçonnée, donnent au conflit un nouveau sens. Ces coûts additionnels sont alors susceptibles de faire oublier aux belligérants les raisons qui, à l'origine, les ont conduits à s'opposer. C'est ainsi que parfois le conflit se nourrit lui-même et présente une dynamique qui semble échapper aux acteurs. Les grandes guerres relèvent de cette logique, de même que certains conflits plus restreints comme les grèves ou encore les querelles de ménage. Dans tous ces cas, les coûts de sortie sont plus élevés que prévus : ils impliquent une perte inattendue de contrôle ou d'influence. L'engagement des Américains au Viêt-nam illustre bien le phénomène de l'intervention progressive qui se légitime par les coûts assumés au fur et à mesure que le conflit gagne en ampleur. Au début, ce sont quelques troupes, puis un plus grand nombre et, à la fin, un engagement massif qui trouve sa justification dans la nécessité de sauvegarder des acquis et surtout de justifier les coûts déjà encourus. Il ne s'agit plus alors de poursuivre l'objet recherché, mais de sauver la mise. Dans le cas de la Maison-Blanche, c'était, entre autres, de sauver la face devant l'opinion américaine, comme devant les autres nations.

Les cas étudiés jusqu'ici relèvent du conflit où les parties règlent leurs comptes dans un rapport d'affrontement simple. Par ailleurs, il arrive qu'un bon nombre de conflits fassent l'objet, en dernière instance, d'un arbitrage, par le recours à une autorité habilitée à trancher le litige. Le conflit est alors clos par un acteur externe qui y met un terme par une décision s'imposant à toutes les parties. Il est clos dans la mesure où, évidemment, les belligérants se soumettent à la décision. Au niveau suprême, qui est celui de l'État, cette décision peut s'exprimer par la loi, lorsque c'est le parlement qui se prononce ; par décret, ordonnance ou règlement, lorsque c'est le gouvernement ; ou par un jugement, lorsque c'est la Cour. L'autorité étatique est souvent appelée à régler des conflits entre des acteurs qui lui demandent d'imposer ou de lever des contrôles perçus comme désirables ou insupportables.

Les grands débats que connaissent nos sociétés portent sur les contrôles que l'autorité étatique impose, permet ou interdit. La loi impose, par exemple, que les jeunes fréquentent obligatoirement l'école jusqu'à un certain âge, elle permet cependant la fréquentation d'établissements privés ou libres, mais elle interdit, en principe, l'enseignement de l'intolérance ou du racisme. Le débat sur l'enseignement a donné lieu, en Occident, à des empoignades célèbres qui ont divisé des sociétés. Il y a tout lieu de croire qu'avec les déplacements de populations, on assistera, dans l'avenir, à de nouveaux débats sur le rôle de l'école et, par voie de conséquence, sur les contrôles que l'État peut ou doit exercer.

Dans ce cas-ci, l'autorité étatique est elle-même partie prenante dans le conflit, pour autant qu'elle ait la responsabilité de tout le secteur public de l'enseignement. Il arrive d'ailleurs assez souvent que les agents de l'État soient à la fois juges et parties. La situation est encore plus évidente lorsque l'État affronte ses propres employés. Une grève de fonctionnaires force naturellement le gouvernement à jouer les deux rôles à la fois.

Quel que soit le conflit, il est rare qu'on parvienne vraiment à une solution. On *règle* des conflits plutôt qu'on ne les résout. Il arrive qu'on croit avoir résolu un conflit, pour se rendre compte, plus tard, de sa résurgence.

Tout conflit, comme nous l'avons vu, comporte des tentatives d'influence et de contrôle. L'influence, le contrôle et le conflit sont trois types fondamentaux de relations sociales. Ils se trouvent à tous les niveaux de la vie sociale : dans la famille, dans l'université, dans les syndicats et les partis politiques comme dans l'Église et l'État. Mais il y a une autre relation sociale qui se fonde sur les trois premières que nous venons d'analyser, et c'est la représentation des intérêts.

La représentation des intérêts : une relation sociale seconde

Jusqu'ici, nous nous sommes arrêtés à la situation d'acteurs qui défendent leurs intérêts respectifs. Et lorsqu'il a été question d'acteurs collectifs, groupes ou pays, nous les avons traités comme s'il s'agissait d'entités individuelles ayant des intérêts propres. Or, on se doute bien que la réalité est beaucoup plus complexe. Les influences, les contrôles et les conflits les plus significatifs, ceux qui ont la plus grande portée sur nous, sont ces relations sociales qui se déroulent dans des arènes où certains acteurs interviennent au nom d'un plus grand nombre. Ce ne sont plus des intérêts individuels mais collectifs qui sont mis en présence. Les acteurs impliqués se parlent à titre de représentants d'intérêts qui dépassent leur propre personne. Nous avons affaire, dès lors, à une dynamique complexe, et ce, à un double titre : complexe parce que la représentation des intérêts démultiplie le nombre des intervenants ; complexe également parce qu'elle met en branle la panoplie des relations de base que nous avons déjà identifiée. Ce qu'on appelle couramment la vie politique à l'intérieur d'un groupe ou de toute une société, c'est ce jeu auquel se livrent des intervenants qui ne combattent plus en leur propre nom, mais au nom d'autres dont ils affirment être les porte-parole.

Ce phénomène constitue une relation sociale en soi qui met en présence trois acteurs : le représentant, le représenté et le tiers auprès duquel se fait la représentation. On dira qu'il y a **représentation des intérêts** *lorsqu'un acteur, mandaté ou non, agit au nom d'autres personnes.*

La forme la plus simple de représentation est celle qui se fonde sur un *mandat*. Ainsi en est-il de l'avocat dûment habilité à agir au nom de son client auprès d'une autre personne. Il peut arriver qu'un acteur soit même obligé d'être représenté, c'est le cas pour un bon nombre d'actes notariés. Souvent le notaire est censé servir les intérêts des deux acteurs en présence, comme à l'occasion d'un contrat de mariage. La vie courante se charge de nous faire connaître des agents dûment mandatés pour défendre des intérêts de toutes sortes. Les associations d'industriels, de producteurs, de commerçants ou d'ouvriers ont pour objectifs ouvertement annoncés de promouvoir les intérêts de leurs commettants. Ce phénomène n'est cependant pas seulement le propre des grands groupes. Il peut tout aussi bien avoir lieu dans une famille, dans une classe au collège, ou encore à l'intérieur d'un groupe de représentants. Dans tous ces cas, il s'agit d'acteurs qui ont été mandatés par des personnes pour les représenter auprès d'autres instances. Cette relation sociale se présente de la manière suivante :

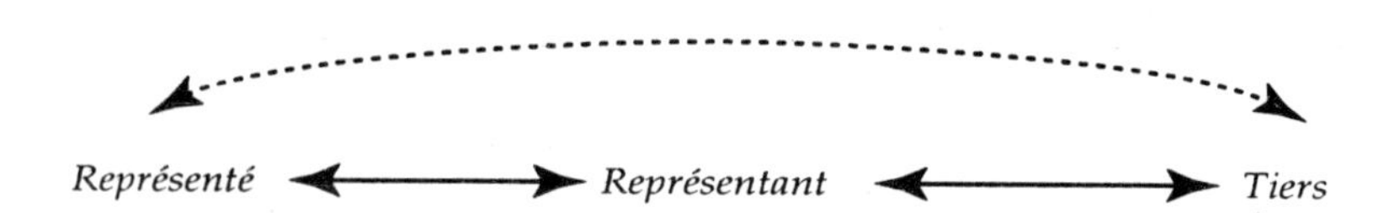

Au fond, il s'agit d'une relation sociale à trois, une relation entre le représenté et le représentant, entre le représentant et le tiers auprès duquel se fait la représentation, et, finalement, par personnes interposées, le représenté et le tiers. Entre ces trois acteurs peut se jouer toute la gamme des relations sociales fondamentales : l'échange, l'influence, le contrôle et le conflit. La représentation des intérêts doit nécessairement recourir à ces relations fondamentales pour s'exercer. À ce titre, on peut dire qu'elle constitue une relation sociale seconde, ce qui ne diminue en rien son importance. Car, bien au contraire, c'est à la représentation d'intérêts que s'intéresse largement la science politique. Au fond, la discipline a pour objet privilégié ce phénomène dont le présent ouvrage est appelé, pour une bonne part, à traiter.

La représentation fondée sur le mandat se déroule nécessairement dans le cadre d'institutions plus ou moins développées. Elle peut alors prendre la forme d'organisations, comme il en existe tant, et dont l'objet est de défendre les intérêts spécifiques de leurs membres. Elle peut parfois même être rendue obligatoire pour l'exercice d'un métier ou d'une profession. Tel est le cas de certaines conventions collectives qui, de par la loi, contraignent l'employé à être membre d'un syndicat ; ou encore de régimes d'inspiration corporative, comme l'ordre des médecins et le barreau qui exigent l'adhésion à ces institutions.

Outre les représentants mandatés, il existe une foule d'agents qui, à divers titres, s'érigent en représentants d'intérêts de toutes sortes. Il y a d'abord les intellectuels qui, de par un certain prestige propre à leur état, se prononcent comme porte-parole de l'intérêt général. Il y a aussi les animateurs de mouvements qui peuvent prétendre incarner l'intérêt objectif d'un secteur de la population, comme les féministes, ou encore de l'ensemble, comme les environnementalistes. Ces groupes, quoique non mandatés, sont souvent très bien organisés et même reconnus officiellement par les instances gouvernementales.

La représentation des intérêts prend des formes différentes selon les arènes et les règles auxquelles elles sont soumises. Elle peut s'exercer par le canal formel des ministères qui reconnaissent à des associations données un statut de représentant officiel d'un secteur déterminé de l'économie comme l'agriculture, le milieu ouvrier ou encore le patronat. En revanche, la représentation des intérêts peut aussi se faire dans des conditions plus libres comme pour ces groupes aux États-Unis qui appuient des candidats aux élections législatives. Mandatée ou non, la représentation des intérêts introduit une dynamique plus complexe dans la prise de décision. Le phénomène même de cette médiatisation pose tout le problème de la légitimité des représentants de même que celui de leur représentativité. Les gouvernements sont constamment aux prises avec ces deux questions, s'interrogeant sur le degré de crédibilité et l'à-propos de ces représentations. À cette relation sociale de représentation d'intérêts spécifiques vient s'ajouter la prétention plus globale de l'autorité étatique à représenter l'intérêt général. Les membres du gouvernement, comme les parlementaires, les sénateurs ou les députés, représentent, en principe, les intérêts de l'ensemble de la société, bien qu'ils puissent décider de ne représenter qu'une fraction de la population comme la classe ouvrière, ou comme le Bloc québécois à Ottawa, qui se dit garantir les intérêts du Québec au sein du Parlement canadien.

Nous verrons plus loin combien la fonction de représentation comporte des intérêts qui lui sont propres. Les représentants en tant que médiateurs en arrivent à poursuivre des intérêts qui sont distincts de ceux qu'ils se revendiquent. Ils se reconnaissent entre eux, et développent, par des contacts répétés, une certaine solidarité de situation, quand ce n'est pas une certaine connivence.

Sans être un phénomène proprement contemporain, la représentation des intérêts est devenue la relation sociale dominante dans les arènes étatiques, économiques et sociales. L'arène étatique fonctionne de nos jours presque exclusivement à la représentation opérée par les groupes auprès des gouvernants. L'arène économique met également en présence des agents mandatés pour représenter les intérêts d'actionnaires, de créanciers, de financiers ou encore de fonds collectifs de retraite. Quant à l'arène sociale, si on peut l'appeler ainsi, elle met en présence à l'intérieur d'institutions sociales, comme les hôpitaux et les maisons d'enseignement, des représentants de secteurs spécifiques : ce sont, par exemple, les médecins, les infirmières, les employés, les patients et les administrateurs, dans le premier cas ; les enseignants, les employés, les élèves et la direction, dans le second. Tous ces cas relèvent de la représentation des intérêts qui fonctionne nécessairement à l'influence, au contrôle et au conflit.

Les quatre relations sociales que nous avons analysées, à savoir l'influence, le contrôle, le conflit et la représentation des intérêts, ont en commun d'être reconnaissables à tous les niveaux de l'activité sociale. Elles ne sont pas le propre du niveau exclusivement étatique. Au contraire, elles les traversent tous. Si les activités suscitées par la présence de l'autorité étatique sont privilégiées, ce n'est pas parce qu'elles dériveraient de l'État (ce qui n'est d'ailleurs pas le cas), mais tout simplement parce que la mobilité relativement restreinte des gouvernés se trouve à accroître l'emprise de l'influence, des contrôles et des conflits sur eux, et, par le fait même, à rendre la représentation des intérêts plus pressante. L'appartenance obligatoire à un État quel qu'il soit contribue à exacerber ces relations sociales. C'est cette intensification des relations sociales occasionnée par le caractère extensif des interventions de l'État qui confère à ces relations un intérêt particulier. Non seulement sont-elles plus nombreuses, mais elles sont porteuses de conséquences plus importantes de par l'ampleur des enjeux impliqués.

L'exercice de l'autorité étatique peut être abordé de diverses manières. Il est possible, par exemple, d'adopter une démarche étroitement juridique qui s'attacherait à considérer l'État en tant que tel, en faisant abstraction de la société qu'il chapeaute. Dans ce cas, l'analyste se contenterait de mettre en lumière l'organisation interne de l'État et son fonctionnement, en faisant largement abstraction des conditions sociales de son exercice. Mais la science politique trouve un avantage analytique à élargir la question en s'interrogeant d'abord sur les composantes sociales qui rendent possible la présence de l'État en tant que mode d'autorité. Ce sont des éléments globaux, comme la nation, la culture, mais également des produits de clivages, comme les classes sociales et les expressions de divergences que sont les idéologies.

Après avoir traité de ces facteurs sociaux (première partie), il y a lieu d'aborder l'État comme tel (deuxième partie), pour déboucher sur le phénomène de la représentation des intérêts que suscite son existence même (troisième partie), car c'est bien en fonction de la présence de l'État, comme autorité impérative et obligatoire, que s'engage le processus conflictuel de la représentation des intérêts dans une société donnée.

Bibliographie

BOULDING, Kenneth E., 1989. *Three Faces of Power,* Newbury Park (Californie), Sage.

CHAZEL, François, 1992. « Pouvoir », *in* Raymond BOUDON (dir.), *Traité de sociologie,* Paris, Presses Universitaires de France, p. 195-226.

DAHL, Robert A., 1973. *L'Analyse politique contemporaine,* Paris, Robert Laffont.

HIRSCHMAN, Albert O., 1995 (1970). *Défection et prise de parole,* Paris, Fayard.

JOUVENEL, Bertrand de, 1972. *Du pouvoir. Histoire naturelle de sa croissance,* Paris, Hachette.

LEMIEUX, Vincent, 1979. *Les Cheminements de l'influence,* Québec, Presses de l'Université Laval.

LUKES, Stephen, 1974. *Power, A Radical View,* Londres, Macmillan.

WRONG, Dennis, 1979. *Power,* Oxford, Basil Blackwell.

PREMIÈRE PARTIE

LES COMPOSANTES SOCIALES DE LA GOUVERNE ÉTATIQUE

Introduction

L'existence de la gouverne étatique repose sur des conditions sociales qui la rendent possible et qui soulignent à la fois les tensions générales auxquelles cette autorité est soumise. Avant même de parler de l'État, il y a lieu d'examiner la configuration de ces éléments qui, se trouvant dans la société, jouent un rôle dans l'exercice de cette autorité. Ce sont des composantes proprement sociales, c'est-à-dire logées hors de l'État ; elles contribuent soit à sa consolidation, soit, au contraire, à son affaiblissement ou parfois même à son ébranlement. Elles sont, dans le premier cas, des facteurs d'unité et, dans le second, des facteurs de division.

Le facteur d'unité par excellence est celui qui permet aux gouvernants de fonder leur autorité sur une *collectivité* bien identifiée occupant un territoire donné. Le territoire a longtemps servi de référence unique et suffisante, le caractère ethnique des populations comptant pour peu dans le découpage des empires. Mais, aujourd'hui, l'État trouve davantage sa légitimité dans la capacité des gouvernants à parler au nom d'une collectivité qui se reconnaît dans la *nation*. Aussi est-il nécessaire d'aborder d'entrée de jeu les fondements cette reconnaissance de la nation comme collectivité de référence de l'État (chapitre 3).

Si la nation sert de facteur d'unité pour désigner l'ensemble des gouvernés, il existe une notion plus analytique pour dégager les traits communs qui se dégagent d'une collectivité, et c'est celle de *culture* (chapitre 4). Elle est l'expression d'une certaine uniformité par laquelle les gouvernés se reconnaissent entre eux dans leurs manières de penser et d'agir. La culture rend compte des traits de similarité à l'intérieur d'une collectivité, et de leur diversité par rapport à l'extérieur. Elle contribue à renforcer le sentiment d'appartenance et, par voie de conséquence, consolide la raison d'être de la gouverne.

Mais la société n'est pas qu'uniformité. On le sait bien. Il existe des éléments susceptibles de la diviser et de rendre plus aléatoires les décisions de l'autorité étatique. Toute société présente des *clivages* qui en expriment les facteurs d'*inégalité*. Ce peuvent être des castes, des classes, ou autres différences sociales. Le problème porte sur le mode d'identification de ces clivages, qui varie selon les perspectives analytiques. Il revient à l'analyste de bien cerner ces écoles qui proposent des interprétations fort peu compatibles des inégalités sociales. Pour les uns, on parlera d'élites ; pour les autres, de classes sociales, ou encore de stratification sociale (chapitre 5).

L'inégalité n'est cependant pas conflit, mais peut y conduire ; elle est une situation qui donne lieu à des discours pour l'interpréter et l'expliquer. Par cette ouverture, l'*idéologie* fait son entrée (chapitre 6). Elle participe du conflit dont elle est une expression symbolique et sert à légitimer l'action entreprise par les gouvernants, acteurs de l'État. Le libéralisme, le fascisme, le communisme et la social-démocratie sont des *projets* de société qui se présentent comme des solutions dans une situation de débats sinon de combats publics. L'idéologie au pouvoir, comme projet établi ou en voie de l'être, fonde et dès lors renforce la position des gouvernants, tandis que l'idéologie contestatrice alimente le conflit et peut miner cette même position.

La présence et l'action de l'autorité étatique se comprennent mieux lorsqu'on a pris soin auparavant d'identifier les composantes sociales qui les confortent et celles qui, au contraire, les fragilisent.

Chapitre 3

La nation : collectivité de référence

Toute autorité s'exerce auprès d'une collectivité déterminée. Elle impose, en vertu d'un droit, un certain nombre de règles (qui impliquent des contrôles) auprès d'un groupe spécifique qui peut être aussi restreint qu'un club de bridge, une association de quartier, ou, encore, aussi étendu que la population d'un pays ou qu'un rassemblement d'États.

La référence à l'État comme tel est moderne. Elle est apparue au moment où l'autorité monarchique s'est affranchie des contraintes internes et externes qui limitaient son exercice. C'est avec la fin du Moyen Âge et à la Renaissance que les rois ont cessé progressivement de partager leur pouvoir avec leurs vassaux immédiats. Auparavant, la tradition prévoyait un étagement de compétences. Il était tout à fait naturel, au XIIe siècle, que Henri II Plantagenêt, roi d'Angleterre, possédât près des deux tiers du royaume de France et fût, à cet égard, vassal du roi de France. En termes de contrainte externe, l'Église pouvait se prévaloir d'un droit d'interprétation de la tradition religieuse couplé d'un certain droit d'arbitrage du pape sur divers contentieux entre monarques. Aucune instance ne pouvait donc prétendre détenir le monopole de l'autorité. Il ne venait à l'esprit de personne d'ailleurs de le revendiquer.

Avec les temps modernes, la monarchie s'est approchée graduellement de l'exercice du commandement exclusif sur un territoire donné. Ce faisant, elle a conféré à cette autorité nouvellement constituée un caractère distinct et absolu ; c'est à partir de ce moment qu'on a commencé à parler d'État.

Il s'agit, comme on le verra plus tard, d'un principe abstrait d'autorité qui se démarque de la tradition et de la religion. L'État renvoie à l'exercice rigoureusement laïc et souverain de l'autorité. À son stade proprement monarchiste, il s'imposait auprès des habitants occupant un territoire donné. Ceux-ci étaient *sujets* du roi et devenaient sujets d'un autre monarque lorsque les lieux où ils se trouvaient passaient en d'autres mains. C'est ainsi que les « Canadiens » de la Nouvelle-France sont devenus, en vertu du Traité de Paris (1763), sujets britanniques, alors qu'ils étaient auparavant sujets du roi de France.

Avec l'avènement de la démocratie libérale, l'autorité de l'État s'est trouvée à reposer sur l'ensemble des citoyens, c'est-à-dire sur le peuple. Cette référence au peuple a été d'abord étendue de manière abstraite par les premiers penseurs libéraux. Pour eux, il s'agissait d'une manière toute simple de désigner la totalité des individus qui, à un moment donné, *consentent* à une certaine forme de gouvernement. C'est ainsi que l'ont envisagé, mais à des degrés divers, Hobbes, Locke et même Rousseau. Chez Locke, qui écrit à la fin du XVIIe siècle, la référence au peuple se limite aux propriétaires, comme partie prenante dans la gouverne. Rousseau, au siècle suivant, élargit le concept pour lui faire embrasser, dans le *Contrat social*, l'ensemble de la population. Néanmoins, cette population, ce peuple, demeure largement indistinct. Il n'a pas d'autres caractéristiques que de constituer une entité collective soumise à une même autorité. En d'autres mots, l'idée de peuple ne sert alors qu'à désigner l'ensemble des gouvernés dans ses rapports avec les gouvernants.

L'idée de peuple s'est vite révélée insuffisante. Elle se fondait sur une perception atomiste de la société qui consiste à ne l'envisager que comme une somme quelconque d'individus. Or, on s'est par la suite senti obligé de recourir à des termes plus mobilisateurs que le simple intérêt des particuliers. C'est dans ces circonstances qu'a resurgi l'idée de patrie et que s'est imposée, plus tard, celle de nation, comme nous l'entendons aujourd'hui.

Patrie et nation sont des concepts qui ont beaucoup en commun mais qui se distinguent par leur point d'ancrage ; l'un privilégie les lieux, l'autre, les personnes. La patrie qui, en d'autres langues, se dit *homeland* ou *Vaterland*, évoque l'appartenance à des lieux, à la terre natale, qui peuvent être de plus ou moins grande extension. Elle a de vieilles assises. Déjà au XIIe siècle, dans la chanson de geste qui porte son nom, Roland, mourant, se souvient de *dulce* France. C'est encore la terre natale dont se souvient Charles d'Orléans qui, des falaises de Douvres, aperçoit France que son « cœur aimer doit » (1433). Mais, c'est à l'occasion de la Révolution française que la patrie prend tout son sens moderne. Elle devient la terre des citoyens. En d'autres mots, la terre du peuple ; tout comme la gouverne devient elle aussi la chose du peuple ou chose publique (*res publica*). La vertu du citoyen, qu'on appellera patriotisme, portera sur la défense de la République et de son territoire ; c'est à elle qu'on fera appel lorsque les acquis de la Révolution seront en danger. L'amour de la patrie, croit-on alors, est proprement républicain et s'oppose, de la sorte, à l'absolutisme monarchique. Il faut dire que ce patriotisme se voulait inspiré de l'esprit républicain que l'on attribuait à la Rome antique. *La Marseillaise* n'est en fait qu'un appel au patriotisme.

En revanche, l'idée de nation se réfère davantage aux personnes et aux traits culturels qui les distinguent d'autres collectivités. Elle appartient au langage de la Révolution, mais sans en avoir le sens qu'on lui assignait alors. À cette époque, la nation était encore plus ou moins confondue avec la patrie ou le peuple.

Il y a lieu d'établir, au départ, que le statut sémantique de la « nation » fait problème depuis déjà plus d'un siècle. Ernest Renan s'est posé la question dans une conférence célèbre : « Qu'est-ce qu'une nation ? » (1882). Et cette question attend encore sa réponse. On peut même se demander si elle est pertinente. De toute manière, il n'existe pas encore de définition rigoureuse qui satisfasse les analystes.

Selon la langue qui l'utilise et le contexte qui l'entoure, le terme de *nation* n'évoque pas toujours la même réalité. L'anglais l'associe naturellement à l'idée de pays, alors que le tandem État-nation souligne, en français comme en anglais, l'unité sociale réalisée sous la coupe d'une autorité souveraine. Par ailleurs, l'Organisation des Nations unies, comme la Société des Nations qui l'a précédée, ne prétend que regrouper des États.

À défaut de définition satisfaisante, on convient, en général, que le concept de nation appelle deux modes d'identification. Deux modes complémentaires et donc compatibles. L'un, objectif, qui se fonde sur des caractéristiques observables ; l'autre, subjectif, qui repose sur la conscience des intéressés. Suivant le mode objectif, il existe des traits qui, combinés ensemble, permettent d'identifier une nation. On retenait autrefois la « race » et certaines caractéristiques physiques qui rendaient reconnaissables, par exemple, les Japonais comme distincts des Chinois. Aujourd'hui, l'observation ne retient plutôt que les aspects culturels comme la langue, la religion, les institutions et certaines manières d'agir et de penser. Un Asiatique installé aux États-Unis depuis un certain nombre de générations est susceptible, par exemple, de représenter tous les traits culturels propres à la nation américaine. Pris séparément, les traits culturels ne peuvent servir à désigner une nation en tant que telle, mais combinés, ils constituent un tout singulier qu'on peut prétendre propre à une collectivité donnée. On doit reconnaître que le mode objectif d'identification ne fait pas l'unanimité des analystes. Renan lui-même s'y est opposé au profit du mode subjectif.

Pour Renan, la nation est une âme, un principe spirituel. Elle se loge dans la subjectivité des personnes en mettant à contribution leur conscience morale et leur volonté de vivre ensemble. Renan parle d'un plébiscite de tous les jours qui s'appuie sur un passé qui l'anime. La nation s'alimente alors d'expériences communes où le folklore, le mythe et les événements réels se confondent. Le passé, tantôt glorieux, tantôt tragique, sert à lui donner un sens, et, de ce fait, à consolider les liens affectifs qui tiennent les membres ensemble. Renan fait observer que l'oubli et même l'erreur historique sont essentiels au maintien du sentiment national. Si bien que la rigueur de l'historien serait, en la matière, souvent préjudiciable.

Le mode subjectif a l'avantage d'être plus libéral dans la mesure où il se fonde exclusivement sur la volonté des intéressés de constituer une nation. Il leur confie le soin de décider par eux-mêmes l'étendue de leur association.

Objectif et subjectif, ces deux modes d'identification sont souvent jumelés, sans être confondus pour autant. L'existence d'un quelconque sentiment d'appartenance doit s'appuyer sur des composantes tangibles de langue, de religion ou d'autres caractères culturels objectivement identifiables. Pour Ernest Gellner, par exemple, la culture prise isolément ne saurait suffire, pas plus, d'ailleurs, que la volonté à elle seule ; mais les deux intégrées, cette fois, à l'idée de constituer un tout politique unifié. Aussi est-il conduit à affirmer que c'est le nationalisme qui engendre la nation et non l'inverse. Or, cette culture à laquelle il se réfère est une culture qui correspond à un stade dans l'histoire, l'ère moderne, où les circonstances sont favorables à l'émergence de grands ensembles unifiés et homogènes. Le débat s'est par conséquent déplacé pour porter davantage sur le caractère novateur ou non de la nation comme entité collective.

La nation est-elle une nouvelle réalité sociale propre à l'ère moderne ? Ou est-elle, au contraire, le prolongement d'une entité déjà existante ? L'interprétation admise estimait jusqu'à tout récemment que la nation est, en Occident, un produit des conditions économiques, politiques et sociales inhérentes à la société moderne. Le capitalisme, de par ses besoins d'un haut niveau d'intégration du marché, a nécessité la création de grands ensembles qui ont dissous les petites unités locales et régionales. Ce faisant, les grands États se sont progressivement dotés d'appareils administratifs et militaires donnant lieu à des contrôles plus intenses sur des territoires plus étendus. Et finalement, la sécularisation des mentalités a permis à l'État d'être reconnu comme autorité laïque auprès d'une communauté largement laïque. Tous ces facteurs réunis ont suffi, selon l'école de la modernité, à la création de cette vaste entité de référence homogène qu'est la nation.

Il en va tout autrement pour une école plus récente qui, sans nier l'apport de la modernité, soutient que la nation a besoin, pour exister, de s'appuyer sur la présence d'une communauté qui lui est antérieure dans le temps : l'ethnie. Des auteurs comme John A. Armstrong et Anthony D. Smith s'emploient à mettre en évidence les racines ethniques de la nation. Ils se fondent sur l'idée que l'ethnie, comme communauté où fusionnent des traits biologiques et culturels, est à l'origine de différences fondamentales entre sociétés, différences qui ont fixé des rapports d'inclusion et d'exclusion sociale propres à déterminer *qui* appartient au *nous* par opposition à ceux qui appartiennent aux *autres*. On parlera alors volontiers d'identité ethnique délimitée par la langue et la religion, frontières symboliques, aussi bien que par des frontières territoriales qui, quoique tangibles, prennent également valeur de symboles dans l'intégrité de cette entité sociale. L'ethnie se raconte dans la narration des origines mythiques qui se prolongent dans une histoire commune, lieu de mémoire. Il faut bien y voir ici un *patrimoine symbolique* qu'assure l'ethnie comme base de la nation. À défaut de références ethniques proches ou éloignées, la mobilisation nationale doit recourir à l'invention d'un passé communautaire, qui est appelé à jouer le même rôle, mais comme substitut.

Cet ajout à l'interprétation moderniste vise à mettre en lumière l'aspect *solidarité* qui, en tant que résultante de l'attitude de chacun des membres se reconnaissant dans l'ethnie, se pose comme préalable à l'établissement de la nation. La nation n'est donc pas un simple prolongement de l'ethnie, mais cette dernière, selon Armstrong et Smith, se présente comme une condition nécessaire à l'institution de la nation.

Quelle que soit la perspective adoptée, les analystes sont bien obligés de reconnaître la présence d'une réalité collective qui dépasse le simple caractère abstrait auparavant assigné au terme de peuple. Autrement dit, il existe, dans nos esprits, une entité autre que la simple agrégation des individus soumis à l'État. Des concepts de peuple et de patrie au concept de nation, il y a, comme nous avons vu, un déplacement de sens. Et c'est l'appartenance communautaire qui fait toute la différence.

La sociologie allemande depuis Tönnies (1855-1936) a longtemps fait la distinction entre *Gesellschaft* et *Gemeinschaft*, c'est-à-dire entre la société et la communauté. La première sert à désigner la collectivité comme lieu impersonnel et neutre où s'engagent des rapports d'échange, alors que la seconde sert à l'apercevoir comme un ensemble fondé sur des rapports de solidarité. Le processus d'unification de l'Europe rend bien compte des deux. Il s'est amorcé dans les années 1950, à partir d'une vision sociétaire où il s'est agi d'abord d'instituer un marché commun ; par la suite, il s'est orienté vers une vision plus communautaire. La société est affaire d'intérêts tandis que la communauté y introduit le sentiment. La première fonctionne au contrat et se juge à l'efficacité, la seconde fonctionne à l'adhésion de ses membres et se juge à la satisfaction qu'ils tirent du fait d'être ensemble.

Pour se réaliser, la communauté, à quelque niveau que ce soit (famille, entreprise, syndicat, parti politique), se fonde sur des rites et des symboles qui expriment un sentiment d'appartenance. Ces manifestations (drapeaux, défilés militaires, hymnes nationaux, fêtes nationales, etc.) rendent compte d'un attachement commun et aussi d'une *croyance* commune d'être ensemble. Or, cet être ensemble ne peut être qu'évoqué soit par des événements passés et des réalisations, soit encore par des manières d'être et de sentir, quand ce ne sont pas des métaphores faisant référence à l'âme, tous ces éléments réunis relevant de l'imaginaire. Aussi, la nation, comme toute communauté, est-elle indicible. On peut y faire appel en la nommant, mais sans jamais l'identifier comme telle. Elle se prête à l'évocation, et non à la désignation. Les vœux exprimés par le général de Gaulle pour l'année 1969 l'illustrent très bien :

> Françaises, Français ! Au début de l'année, pour la réussite de la France, je vous souhaite à tous, en son nom, la foi et l'espérance nationales.

On voit ici que la France, c'est plus que l'ensemble des Françaises et des Français, c'est une entité qui les dépasse. On peut dire qu'elle a même un caractère transhistorique lorsqu'on retrouve ce même sentiment (car il s'agit toujours de sentiments en cette matière), cette fois auprès d'un homme de gauche, Jean-Pierre Chevènement :

> Deux fois blessée en ce siècle, dans sa chair puis dans son âme, la nation française a perdu confiance en sa capacité à signifier et à peser par elle-même. (*Le Monde*, 2.5.1992.)

Non seulement la nation est indicible, mais elle est aussi perçue comme incomparable. Chaque nation relève d'un imaginaire qui lui est propre : être russe, américain ou chinois renvoie, dans chacun des cas, à une appartenance distincte et incommensurable : elle ne se prête, en principe, à aucune mesure commune de comparaison avec d'autres. Telle est la conception qu'on peut se faire de la nation. Joseph de Maistre (1753-1821) allait jusqu'à prétendre qu'il n'existe pas d'homme dans l'abstrait mais que des nationaux :

> Il n'y a point *d'homme* dans le monde. J'ai vu, dans ma vie, des Français, des Italiens, des Russes [...] mais quant à *l'homme*, je déclare ne l'avoir rencontré de ma vie ; s'il existe, c'est bien à mon insu. (*Considérations sur la France* [1797, chap VI].)

L'intérêt de l'analyste se porte sur la mesure possible de ce sentiment d'appartenance si fort en apparence. Il s'agit, en d'autres termes, de déterminer la façon d'en évaluer la profondeur, la solidité. La solidarité s'exprime par des prestations de toutes sortes : discours, manifestations, symboles, etc. Mais la meilleure mesure demeure probablement celle des coûts financiers, moraux, psychologiques ou physiques, auxquels donnent lieu ces prestations. Qu'un Parisien, par exemple, déploie le drapeau tricolore le 14 juillet 1939 n'implique, à tout prendre, que le coût du tissu ; le faire, un an après, sous l'occupation allemande, est beaucoup plus onéreux... La solidarité s'évalue aux coûts que les membres sont prêts à assumer pour l'affirmer et la maintenir. Dans le cas qui nous intéresse, elle s'affirmera ultimement par l'intensité avec laquelle les membres qui se reconnaissent dans la nation seront prêts à mourir pour elle dans le feu de combats réels. La nation s'est imposée comme collectivité de référence à la suite précisément de cet engagement et cette détermination de nationaux envers leur communauté d'appartenance.

Outre la mesure, l'analyste est également appelé à s'interroger sur l'origine sociale du sentiment national. Il y a lieu de comprendre les conditions de son émergence de même que de son maintien. Il n'est pas sûr que la ou les réponses apportées soient satisfaisantes, mais encore est-il indiqué de se poser au moins des questions.

Il y a avantage à confronter le concept de nation avec celui d'État, car les deux sont souvent associés. Le discours inspiré du sens commun nous convainc volontiers que la nation précède l'État, ne serait-ce que parce qu'elle le légitime. Tout porte à penser que la nation, étant l'assise qui fonde l'État, doit nécessairement lui être chronologiquement antérieure. Or, force nous est d'abord de reconnaître que, comme l'État, la nation est une idée historiquement située. Elle n'a pas toujours existé. Elle est même d'une existence récente et aussi le produit de circonstances particulières. La nation n'est pas, en dépit des apparences, une entité naturelle qui se formerait en même temps que la société. Elle laisse croire, bien sûr, à une existence qui traverserait les temps, au point de la rendre éternelle. Déjà au XIXe siècle, Renan l'avait déjà saisi comme une réalité transitoire :

> Les nations ne sont pas quelque chose d'éternel. Elles ont commencé, elles finiront. La confédération européenne, probablement, les remplacera. Mais telle n'est pas la loi du siècle où nous vivons.

Comme idée, la nation est chronologiquement postérieure à celle d'État. Elle en est presque la conséquence. Bon nombre de nations aujourd'hui bien constituées sont le produit d'une opération systématique engagée auparavant par une autorité étatique. Au moment de la Révolution, plus de la moitié des Français s'exprimaient encore en patois. L'école unique et obligatoire de même que le service militaire ont eu comme effet, sous la IIIe République (1870-1940), d'uniformiser l'usage de la langue. On estime qu'au moment de l'unification de l'Italie (1859-1870), moins de 5 % de la population italienne s'exprimait tous les jours dans la langue nationale. On lui préférait alors des dialectes régionaux. À l'époque, l'italien était perçu comme une langue littéraire. Massimo d'Azeglio (1798-1866) pouvait dire ce mot célèbre : « Nous avons fait l'Italie, maintenant nous devons faire des Italiens. » En d'autres mots, nous avons constitué un État, faisons maintenant la nation. Le libérateur de la Pologne, le maréchal Pilsudski (1867-1935) était catégorique : « C'est l'État qui fait la nation et non la nation, l'État. » Bon nombre de nations identifiées comme telles ont été façonnées par une action étatique. Les pays d'Amérique latine, comme plus tard ceux d'Afrique, ont émergé, pour la plupart, à partir d'un découpage administratif opéré par la colonisation. Dans ces cas, l'État a précédé la nation. D'ailleurs, la question était, dans les années 1960, de savoir comment devaient s'engager ces processus de fondation d'État (*state building*) et de nation (*nation building*).

Il n'empêche que le processus inverse a également existé, et surtout dans les pays d'Europe centrale et orientale où la nation a été à l'origine de l'État. Le processus d'unification de l'Allemagne au XIXe siècle en est un exemple. Plus tard, avec la fin de la première grande guerre et de la dislocation de l'Empire austro-hongrois, on a assisté à l'émergence de nouveaux États tous fondés sur le principe de l'État-nation. Plus récemment, le démembrement de l'Union soviétique et de la fédération de Yougoslavie a suscité la création d'une constellation de petits États.

Dans ce rapport entre l'État et la nation, il y a lieu de souligner qu'un État peut exister sans constituer une nation. Comme nous l'avons déjà indiqué, les États ont vu le jour bien avant les nations. Mais, inversement, une nation peut exister sans constituer un État. Certains pourront rétorquer qu'un État multinational peut être constamment menacé de sécession, et ils n'auront pas nécessairement tort. Par contre, si on devait doter d'un État chaque groupe qui s'affirme comme nation, on se retrouverait avec une fragmentation quasi tribale des États présents.

Il n'y a probablement pas grand intérêt analytique à tenter de définir la nation comme telle. L'appel à la nation a certes une fonction mobilisatrice, elle permet de stimuler l'ardeur des troupes, en suscitant la défense d'une identité collective. En revanche, l'analyste est plutôt intéressé à observer la dynamique à laquelle donne lieu l'adhésion des membres à ce type de communauté : les conditions de son apparition, de son expansion et de son maintien. En somme, on peut dire que parler de la nation est une manière de qualifier, à un stade donné de l'histoire, un type de communauté (fondée sur la langue, l'ethnie, la culture, l'histoire, etc.) susceptible d'être soumise à une autorité distincte, et, plus précisément, à l'État.

La nation tient encore lieu de collectivité de référence, mais il est loin d'être exclu que l'évolution des sociétés amènera, dans l'avenir, la constitution d'unités plus globales. Pour le moment, elle demeure la communauté par excellence au nom de laquelle s'exerce la gouverne étatique. La nation sert de cadre social abstrait à l'intérieur duquel se déroule la représentation des intérêts.

Bibliographie

ARMSTRONG, John A., 1982. *Nations Before Nationalism*, Chapel Hill, University of North Carolina Press.

GELLNER, Ernest, 1989 (1983). *Nations et nationalisme*, Paris, Payot.

HOBSBAWN, E.J., 1990. *Nations et nationalisme depuis 1780. Programme, mythe et réalité*, Paris, Gallimard.

RENAN, Ernest, 1882. « Qu'est-ce qu'une nation ? », *in Discours et conférences*, Paris, Calmann-Lévy.

SCHNAPPER, Dominique, 1994. *La Communauté des citoyens. Sur l'idée moderne de nation*, Paris, Gallimard.

SMITH, Anthony D., 1987 (1986). *The Ethnic Origins of the Nations*, Oxford, Basil Blackwell.

Chapitre 4

Expression d'uniformité : la culture

Outre la nation qui sert de référence relevant du sens commun, il y a une manière plus technique et plus rigoureuse de saisir l'élément abstrait qui peut tenir les individus ensemble, c'est la culture. Très vaste en soi, la notion de culture peut apparaître, au premier coup d'œil, bien éloignée du phénomène de la représentation des intérêts. Cependant, à y regarder de plus près, on constate que ce phénomène, comme toute relation sociale, ne prend pas forme dans l'abstrait, mais dans le cadre de valeurs, dont la culture rend compte. Les différents acteurs se conforment à des formes de penser et d'agir qui leur sont propres et qui, en même temps, les démarquent des autres. Les manières d'être et de se conduire ne sont pas les mêmes, par exemple, en Chine qu'en Italie. Notre problème est alors de parvenir à situer la représentation des intérêts en fonction d'une identification politique de la culture. De là, l'à-propos de se demander, en premier lieu, ce qu'on entend par culture, puis, en second lieu, quelles ont été, dans le passé, les tentatives de cerner une dimension politique de la culture. Or, la méthode de l'*idéal type* proposée par Max Weber offre précisément l'avantage d'apercevoir les expressions culturelles de manière spécifique ; nous nous y arrêterons donc, avant de poursuivre notre route vers des ouvrages consacrés à l'étude de la culture politique comme ceux d'Almond et Verba, puis, plus récemment, d'Inglehart. Ce n'est qu'au troisième stade de notre démarche, autrement dit après avoir fait un bref tour de la question, que nous serons en mesure de poser, pour notre propre usage, les éléments qu'il nous apparaît désirable de retenir. À cette fin, nous situerons les valeurs et les normes culturelles en fonction des relations sociales par lesquelles s'exprime la représentation des intérêts, à savoir, comme on se le rappellera : l'influence, le contrôle et le conflit. Il ne restera plus, par la suite, qu'à préciser le processus, largement politique, par lequel ces valeurs et ces normes sont transmises : la *socialisation politique.*

Comme bon nombre de termes en science sociale, et en dépit de son importance centrale, la culture n'a pas de statut techniquement défini. Elle sert à des usages assez différents selon qu'elle est employée en anthropologie, en sociologie ou en science politique. Elle est même, à l'intérieur de chacune de ces disciplines, l'objet de traitements variés.

C'est en anthropologie que la notion de culture s'est d'abord imposée. Bien sûr, certains auteurs classiques l'ont abordée auparavant. Déjà, au XVIIIe siècle, en traitant des diverses sociétés, Montesquieu avait parlé, pour expliquer leur diversité, de l'esprit général de chacune des nations. Et Tocqueville, à sa suite, avait confronté l'esprit démocratique, annonciateur d'une société à venir, à l'esprit aristocratique en voie d'extinction. Néanmoins, il revient à l'anthropologie, surtout anglo-saxonne, d'avoir exploité la notion de culture, au point de lui avoir assigné, à un moment donné, un rôle central dans la discipline. La manière de l'aborder en anthropologie est globale, elle se propose, en général, de saisir l'ensemble des phénomènes, en leur conférant un sens ou une raison d'être.

Afin d'éviter de longs débats, on peut avancer que la **culture**, dans cette perspective, *sert à désigner l'ensemble des* ***traits*** *socialement acquis que l'on retrouve dans une collectivité donnée*. Elle ne se saisit pas comme telle, mais uniquement dans ses manifestations, qui ont la particularité de se distinguer des traits exclusivement biologiques de l'être humain.

La culture se reconnaît à divers niveaux d'observation. On la trouve spontanément auprès d'artefacts, c'est-à-dire d'objets auxquels l'homme a conféré une *forme*. Ce peuvent être des objets courants, comme des ustensiles de cuisine, ou spectaculaires, comme de vastes réalisations architecturales. La forme a la faculté d'être utilitaire, esthétique, ou les deux à la fois.

Avec la dimension esthétique des objets, on touche, en même temps, à la production de signes et de symboles qui dérivent également de la culture. Celle-ci assigne des configurations ou des styles qui traduisent l'appartenance tout à fait *abstraite* à une collectivité ou à une tradition donnée. Tous les domaines de l'activité humaine sont touchés : l'art, la science et l'industrie. Au stade de l'ultime abstraction, la culture s'exprime dans le langage, qui est le produit social par excellence. Il est une invention sociale dont l'origine demeure inconnue. Il impose un ensemble de règles qui affectent la phonétique (les sons et les intonations), la syntaxe (l'aménagement des mots) et la sémantique (le sens à donner aux mots). Prise comme un tout, la culture s'exprime par des signes qui renvoient à des codes dont le sens ne peut être compris qu'à l'intérieur d'elle-même.

Outre l'univers de ces formes concrètes et abstraites, la culture atteint même les attitudes et les comportements de ses membres. Ces traits culturels seront aussi bien des états d'âme, comme des sentiments d'agressivité ou de résignation, que des connaissances, des habiletés et des manières. Ce seront des modèles d'expression ou d'action qu'on peut dire particulières à un groupe.

On peut aller jusqu'à dire que, vue dans cette perspective, la culture se manifeste dans la manière d'apercevoir les trois catégories philosophiques classiques : le vrai, le beau, le bien. Elle contribue à leur donner un sens, une signification, qui varie d'une société à une autre.

Telle que la conçoit l'anthropologie, la culture a généralement pour fonction de rendre compte de la presque totalité sinon de la totalité de l'apport social, puisque tout le champ des institutions (sociales, économiques et politiques) lui est également rapporté. Elle sert de référence constante à l'explication, tandis qu'en sociologie son statut n'est pas tout à fait le même.

L'idéal type

Dès Max Weber, les expressions culturelles ont fait l'objet d'une observation plus fragmentée qui s'est appliquée à opérer des découpages plus circonscrits. Cette fois, il s'agit moins de la société en son entier, mais plutôt d'activités sociales bien identifiées. Weber fait porter l'analyse sur des actions sociales et propose, entre autres méthodes, l'utilisation de ce qu'il convient d'appeler l'*idéal type,* ou *type idéal.*

L'*idéal type* appartient à la sociologie compréhensive propre à cet auteur et vise à dégager le *sens* de l'action sociale des acteurs. On dit qu'elle est compréhensive parce qu'elle tente de mettre en relief l'intention possible ou probable des conduites collectives. Au lieu de voir l'acteur comme mû par des valeurs extérieures à lui-même, l'analyste essaie de *comprendre* la nature des mobiles de cet acteur. Il est bien question ici de comprendre ou d'interpréter, et non d'expliquer. Suivant Weber, l'explication, comme mode d'observation, a tout à fait sa place en sciences de la nature (chimie, physique, etc.). Il n'en est pas de même pour les œuvres humaines par le fait même, dit-il, qu'elles se rapportent à des *valeurs* (morales ou esthétiques) qui sont senties et vécues comme telles par les acteurs. Plus précisément, l'action humaine est mue par des visées qui varient selon les lieux, les temps et les cultures. La pensée sociologique de Weber est bien adaptée à l'étude de la culture parce qu'elle définit, d'entrée de jeu, l'action humaine comme se déroulant dans un champ de valeurs, champ qui confère un *sens* aux attitudes et aux comportements.

L'idéal type sert à assigner un sens hypothétique à une action sociale. Il consiste à reconstruire, à la manière d'une utopie, les principaux caractères d'une entreprise collective. Cette utopie analytique, ce *construit* tout à fait abstrait, sélectionne un certain nombre de traits et les accentue volontairement, en les poussant à leur limite logique. Ce n'est donc plus la réalité qui apparaît, mais un cas posé à l'état pur. Il s'agit alors d'imaginer et donc de comprendre l'attitude et le comportement d'un acteur (hypothétique) idéal qui embrasserait une structure de valeurs données. Ainsi on peut tenter, à la manière de Weber, de reconstituer la structure des valeurs fondamentales qui animent un acteur. Le protestantisme, le capitalisme, la bureaucratie et plusieurs autres phénomènes sociaux ont été analysés par Weber en constituant un idéal type, à savoir ce que pourrait être dans l'abstrait le parfait protestant, le parfait capitaliste, le parfait bureaucrate, comme il ne peut s'en trouver que dans nos esprits. Il est dès lors possible, à partir de cette exagération rationnellement conduite, de mieux comprendre, dans la réalité, les actions accomplies par des protestants, des capitalistes ou des bureaucrates ; et de mesurer, par la suite, l'écart entre le réel et l'idéal. Ce dispositif imaginaire doit, pour être pleinement fécond, avoir une portée historique et comparative, ne serait-ce que pour établir une échelle de grandeur dans la réalisation de l'idéal type.

Le traitement que Weber fait du capitalisme peut servir ici d'illustration. D'abord il en parle comme de l'esprit du capitalisme, en portant l'attention vers l'attitude, donc l'intention, et non vers le comportement comme tel. L'esprit du capitalisme prend aux yeux de Weber la forme d'un *ethos*, c'est-à-dire d'une mentalité globale, laquelle va bien au-delà du sens des affaires. Cet esprit a pour unique fin l'augmentation du capital. Il faut gagner de l'argent et toujours davantage. À cet objectif irrationnel sont subordonnés des moyens qui, dans la perspective d'un gain illimité, sont tout à fait rationnels : l'application au travail, la frugalité, la ponctualité, l'image de sérieux auprès des créanciers, etc. Il n'y a là aucune concession au plaisir, aux dépenses somptuaires ou encore à la retraite dorée. L'*ethos* capitaliste est un *ethos* de rigueur et d'austérité jusqu'au dernier souffle. Il va de soi que personne, dans la réalité, ne se conforme aussi rigoureusement à cette ascèse, car on peut vraiment parler dans ce cas d'une ascèse ; tout est sacrifié à l'accumulation indéfinie. L'idéal type, comme on peut le constater, ne se propose pas de décrire le réel avec exactitude, mais tente plutôt de saisir une certaine logique de l'action en la poussant à bout dans l'abstrait. Il demeure toujours un construit analytique qui n'a pas pour ambition de décrire le réel dans toute sa complexité.

On peut concevoir de la même manière, c'est-à-dire suivant un idéal abstrait, ce qu'est l'individualisme, l'impérialisme, la démocratie, etc., ou plus précisément ce qu'est l'individualiste, l'impérialiste ou le démocrate, car c'est d'une conscience idéale hypothétique dont il s'agit, et non de l'essence présumée (et toujours illusoire) de l'individualisme, de l'impérialisme, etc.

L'idéal type est largement évalué par ce qu'on appelle ses qualités heuristiques, c'est-à-dire des qualités qui facilitent la découverte dans un champ d'observation donné. Il n'a pas pour prétention de rendre compte de toute la réalité, ni non plus de vérifier empiriquement l'existence de normes ou de valeurs spécifiques. Il sert plutôt à la compréhension d'un phénomène social partiel. Dans l'étude de la culture, il offre la possibilité d'observer des dimensions repérables sans tenter de la saisir dans son ensemble.

Suivant la voie ouverte par Weber, toute une sociologie s'est développée autour de la notion d'action sociale à laquelle on peut imputer un sens. C'est dans cette direction que certains se sont engagés en mettant en valeur l'action entreprise par l'individu comme acteur privilégié.

Civic Culture

Les travaux, déjà anciens, de Talcott Parsons (1902-1979) ont laissé des traces qui se retrouvent encore aujourd'hui en science politique. Pour ce sociologue, la culture correspond à un cadre de référence dont dispose un acteur dans l'entreprise d'une action. Ici, l'accent est mis sur l'*individu socialisé* comme accomplissant un certain nombre de rôles. Il n'est donc plus question d'abord d'une société globale (dont la culture serait la référence), mais d'un individu qui a été néanmoins soumis à une socialisation, c'est-à-dire à la transmission de certains modèles de penser et d'agir propres à une culture. L'observation se tourne davantage vers l'action comme entreprise subjective. C'est à cette école que s'est adressée la science politique lorsqu'elle a dû aborder la dimension culturelle.

Il faut dire que la science politique s'est intéressée à la culture lorsque la conjoncture s'y est un peu prêtée. La culture politique est apparue à la faveur de la période de la décolonisation. Tous ces nouveaux États d'Asie et d'Afrique qui gagnaient, les uns à la suite des autres, leur pleine autonomie, ont posé, au cours des années 1950 et 1960, le problème du type d'autorité qu'ils devraient choisir et de sa stabilité. Il s'agit d'une interrogation qui a d'abord répondu à des impératifs normatifs et stratégiques. En ce temps de guerre froide, tout glissement vers des régimes non démocratiques ainsi que toute instabilité chronique risquaient de faire basculer une ancienne colonie dans le camp soviétique, lequel s'appliquait, bien sûr, à la courtiser. Il n'y a rien d'étonnant à ce que ce soit aux États-Unis, pays qui s'estimait le premier responsable de la stabilité dans le monde, que la notion de culture politique associée à celle de développement politique ait été la plus approfondie.

L'ouvrage représentatif de cette nouvelle préoccupation est sans conteste *Civic Culture* (1963) d'Almond et Verba. Rapidement érigé en classique, il s'est imposé en science politique pour toute une génération de politologues. Son objectif est ambitieux, car il réunit un grand nombre d'éléments que les auteurs se proposent de mettre en commun.

Civic Culture est une vaste enquête auprès de 5 000 personnes menée, dans une perspective comparative, en Grande-Bretagne, en République fédérale d'Allemagne, en Italie, au Mexique et aux États-Unis. Elle a consisté à sonder les dispositions des interrogés à trois niveaux : 1) cognitif, qui se proposait de mesurer leur degré d'information sur divers aspects du système politique ; 2) affectif, qui permettait de déterminer la profondeur de leur attachement ou de leur identification au système et à ses symboles ; et, finalement, 3) évaluatif, qui visait à connaître leur appréciation, en termes de jugement ou d'opinion, de ce même système. Cette typologie était directement tirée des catégories posées par Talcott Parsons dans son étude de l'acteur en action. Ce mode d'observation est appelé subjectif ou psychologique parce qu'il s'en tient aux seules orientations ou croyances exprimées par les répondants.

Le questionnaire était fait de manière à permettre l'intégration des réponses en fonction de trois types de cultures préalablement identifiées : la culture *parochial* ou, si on veut, traditionnelle (plusieurs se contentent de la traduction littérale, « paroissiale ») ; la culture de sujétion ; et la culture de participation. La culture *parochial* ou traditionnelle renvoie à une vision non spécialisée des rôles, là où les fonctions religieuses, économiques et politiques se confondent. Vision qui n'a également d'attachement et de connaissances que pour l'environnement immédiat, local. Ce serait, selon Almond et Verba, le propre des sociétés tribales africaines, par exemple. Par opposition à cette culture, la culture politique de sujétion se réfère à un système politique différencié, en d'autres mots, à un système où les rôles sont distincts, mais où les rapports gouvernants-gouvernés ne vont que dans un sens, celui de la subordination qui réduit le citoyen à l'état passif de sujet. Enfin, la culture politique de participation se rapporte également à un système différencié, mais, comme le lecteur l'aura deviné, en fonction d'une participation active au processus de décision collective. Il s'agit ici de cas idéaux. Dans la réalité, les situations offrent un dosage variable selon les sociétés. Almond et Verba proposent néanmoins, dans leur livre, un équilibre idéal : les trois types se trouveraient combinés pour constituer *la* culture politique démocratique, la « culture civique », mais toujours identifiée à partir des aspirations des personnes qui y participent.

Cette enquête a conduit ses auteurs à la conclusion que seule la Grande-Bretagne, et, à un degré moindre, les États-Unis, constituaient des « cultures civiques » qui s'intègrent à une structure proprement démocratique. L'intention normative est ici manifeste. Elle s'insère, comme nous l'avons indiqué, dans une perspective de « développement » ou encore de « modernisation » politique à l'intention d'anciennes colonies en processus d'autonomie. Là se posait le problème déjà évoqué du *nation building,* celui de la constitution d'une identité nationale qui doit dépasser l'esprit de clocher de la culture traditionnelle. S'ajoutait celui de l'établissement d'un État démocratique stable. On s'était vite rendu compte qu'il était illusoire de tenter d'imposer des règles du jeu libérales à des cultures qui n'étaient pas prêtes à les recevoir. L'interrogation portait sur l'observation empirique auprès de sociétés déjà établies afin de montrer leurs divers stades de développement culturel.

Almond et Verba ont, à de multiples occasions, précisé leur pensée. Pour Almond, le développement politique ultime conduit nécessairement au stade de ce qu'il convient d'appeler la sécularisation de la culture politique. La sécularisation complète correspond, dans son esprit, à l'adoption d'orientations pragmatiques et « empiriques » qui ne visent, dans la pratique, que des objets très circonscrits. L'esprit de *bargaining*, esprit de marchandage et de compromis, devient le signe d'une maturité culturelle (Almond et Powell, 1966, p. 58-61). Verba, pour sa part, a davantage insisté sur la confiance réciproque dont les acteurs doivent faire preuve dans l'adversité (Verba, 1965, p. 536). Le principe en Grande-Bretagne de la très loyale opposition au gouvernement de Sa Majesté rendrait bien compte de ce principe. *Civic Culture* avait déjà posé l'exigence de la confiance réciproque comme condition, en termes d'attitude, de la réalisation de l'idéal démocratique.

Au-delà de sa visée normative, l'ouvrage nourrit de plus grandes ambitions, celles de faire œuvre de vérification empirique dans un domaine qui était alors perçu comme s'y prêtant peu. La culture apparaissait auparavant comme diffuse et impropre à l'analyse rigoureuse. L'entreprise d'Almond et Verba a, entre autres, pour objectif d'opérer une vérification rigoureuse dans un champ jugé essentiel, mais difficile d'accès.

En outre, les auteurs désiraient établir la jonction entre le niveau microanalytique des acteurs pris individuellement, et le niveau macroanalytique du système politique. Au niveau micro, l'individu se révèle largement par ses comportements, mais aussi par les attitudes qui les fondent. Le champ des attitudes comme légitimatrices des comportements permettait de déboucher sur la notion de système dans la mesure où, à partir des dispositions à son égard, on pouvait en dériver des considérations d'adéquation ou d'inadéquation entre les aspirations des composantes (les individus) et le fonctionnement du système.

L'enquête s'inscrit dans le courant important à l'époque du *behavioralisme*. Il s'agit d'une démarche, plus que d'une méthode, qui s'est proposé d'introduire en science politique des règles strictes d'observation. Ces règles synthétisées par David Easton (1965a) visent à l'analyse des comportements comme seuls faits sociaux observables. Imposant des préceptes de systématicité, de vérifiabilité et de quantifiabilité, le behavioralisme a manifestement contribué à orienter la discipline dans une voie analytique rigoureuse. C'est ainsi que la science politique a délesté petit à petit le champ des analyses exclusivement normatives ou institutionnelles.

L'intention d'Almond et Verba était de trouver un lien empiriquement vérifiable et quantifiable entre la culture et le comportement. Le statut scientifique du comportement étant tenu pour assuré, il s'agissait de dégager une autre réalité du même ordre. C'est dans cet esprit qu'ils se sont limités à l'étude des attitudes, qui, comme les comportements, sont considérées comme identifiables et quantifiables.

Il y avait donc, dans cette entreprise, une double visée : faire œuvre scientifique dans le cadre d'une interrogation libérale. *Civic Culture* demeure un ouvrage de référence, même si la discipline s'en dégage de plus en plus. Ce qui a frappé les esprits, au moment de sa parution, c'est ce passage du monde des impressions, qui était antérieurement le lot des études sur la culture politique, à celui de propositions vérifiables. Cet acquis se devait d'être retenu par les successeurs d'Almond et Verba.

Le post-matérialisme

Ronald Inglehart a proposé dans les années 1970 un dépassement de la perspective posée dans *Civic Culture*. Deux ouvrages retiennent l'attention : *Silent Revolution* (1977) et *Culture Shift* (1990). Ici nous avons affaire à une saga : nous sommes en présence de propositions que l'auteur soumet à l'épreuve continue depuis 1970. Son échantillonnage empirique atteint présentement au-delà de 190 000 personnes interrogées.

Alors qu'Almond et Verba établissaient un lien « empirique » entre la « culture civique » et la démocratie stable, Inglehart se propose de dépasser cet aperçu statique de la culture en situant cette dernière dans une perspective historique où la dimension politique n'est qu'un volet d'un changement également économique et social.

À la différence d'Almond et Verba qui, à partir de certains critères, se contentaient d'établir un rangement parmi une sélection de pays, Inglehart a l'ambition de vérifier une hypothèse. Suivant un raisonnement hypothético-déductif, il tente de démontrer qu'il existe depuis l'après-guerre une nouvelle culture politique. Puisqu'il s'agit d'une démarche hypothético-déductive, l'auteur se doit d'abord de proposer une explication. Et dans la mesure où il se veut empiriste, il va la mettre à l'épreuve de la vérification en Europe, aux États-Unis, au Mexique et au Japon.

Comme Almond et Verba, Inglehart procède par sondages et se fonde sur les attitudes comme révélateur de la culture. Mais, au lieu de simplement opérer un classement selon un spectre continu, il avance l'idée qu'une nouvelle culture dite post-matérialiste est en voie de supplanter la culture présente qu'il qualifie de matérialiste. La seconde viserait la satisfaction de valeurs de bien-être ou de sécurité physiques et matériels, alors que la première correspondrait au passage à des valeurs plus élevées de réalisation personnelle. Cette distinction s'inspire de la célèbre thèse de Maslow sur les stades successifs du développement psychologique de la personne humaine. Inglehart propose de regrouper ces stades en deux étapes distinctes. La première rend compte des besoins primaires de subsistance et de protection physique ou matérielle, tandis que la seconde prévoit la satisfaction de besoins plus intangibles comme l'estime, les satisfactions intellectuelles et esthétiques, et, finalement, l'actualisation de soi. Il ne nous appartient pas d'évaluer le bien-fondé de ce modèle même s'il y aurait avantage à le faire. Qu'on retienne, à ce propos, qu'Inglehart s'adresse, du moins en partie, à la psychologie des individus pour expliquer les changements sociaux.

De la première étape de Maslow, Inglehart constitue le prototype matérialiste tourné vers des objectifs qui relèvent de la *survie* matérielle ou physique : l'économie, l'ordre et la défense. La seconde étape, qui correspond au post-matérialisme, porte sur des valeurs d'épanouissement personnelles et sociales. Alors que la culture matérialiste se préoccupe de développement économique, de salaires plus élevés, de sécurité d'emploi, de dispositifs contre le crime ou d'effectifs militaires, la culture post-matérialiste, selon Inglehart, est plutôt tournée vers l'emploi intéressant, la qualité de la vie et de l'environnement.

La mutation culturelle serait attribuable à un changement important qui se serait opéré à la faveur de l'après-guerre. Depuis 1945, des générations d'enfants ont eu l'avantage de faire l'expérience *collective* d'une sécurité physique et économique de longue durée. Or, puisque les valeurs acquises dans l'enfance et la jeunesse tendent, selon Inglehart, à se maintenir par la suite, il ne faudrait pas s'étonner d'assister à un redéploiement des valeurs. Suivant la progression prévue par Maslow dans la satisfaction des besoins, un passage se serait accompli pour bien des gens vers la reconnaissance de nouvelles valeurs qui dépassent les perspectives traditionnelles du matérialisme. Satisfaits dans leurs besoins primaires de l'étape propre à la survie (grâce à une amélioration très nette du bien-être matériel) et bénéficiant d'un haut niveau de scolarité, de nombreux *individus* (puisqu'il s'agit d'une modification qui s'opère au niveau des individus d'abord) en sont venus, suivant Inglehart, à désirer des avantages plus esthétiques ou intellectuels, et à valoriser une participation active aux décisions politiques et économiques.

On a affaire à une nouvelle culture tout court, dite post-matérialiste, dont les effets sont censés se répercuter dans le champ des décisions étatiques. À partir de besoins psychologiques nouveaux et d'une formation intellectuelle suffisamment poussée, un nombre croissant d'individus envisagent autrement la vie en société. Suivant Inglehart, ils éprouvent une certaine désaffection à l'endroit des corps d'élite formellement constitués, que ce soit les institutions de l'État ou les partis politiques traditionnels. Leurs aspirations plus individualistes et universelles à la fois les font opter pour des formules d'action plus participatives. Ce sont désormais des mouvements ouverts sur le monde dont il faut parler : pacifistes, féministes, environnementalistes... L'État-nation fait figure, dans ces circonstances, de dispositif propre à l'étape matérialiste où la fonction de l'autorité est une fonction de protection des citoyens et de leurs propriétés.

Inglehart voit dans le processus de transition vers le post-matérialisme l'occasion d'un chassé-croisé inusité. Ainsi, selon lui, les individus provenant des classes moyennes, qui originellement appuyaient les partis plutôt de droite, sont susceptibles de se porter vers la nouvelle gauche post-matérialiste ; tandis que, inversement, les individus provenant de milieux moins favorisés, qui votaient traditionnellement à gauche, seront portés à favoriser la droite qui défend les options matérialistes. C'est bien d'une révolution silencieuse dont il est question, comme l'indique le titre de son premier livre.

Cette révolution silencieuse traverserait les frontières nationales. Alors qu'Almond et Verba se référaient, comme il était coutume, à des cultures nationales, Inglehart s'intéresse avant tout à des changements apportés par l'émergence de nouvelles générations porteuses de valeurs innovatrices. Certains pourront toujours y voir une intention de cautionner les prétentions de la génération qui a incarné la contre-culture à la fin des années 1960.

On se doit d'observer, à la lecture des données fournies par l'auteur lui-même, que cette culture post-matérialiste tarde à s'imposer. On constate, par exemple, que les États-Unis tirent de l'arrière par rapport à l'Europe (Inglehart, 1990, p. 92-93). Dans l'ensemble, d'ailleurs, la tendance demeure encore très minoritaire. Liée aux aléas de l'économie, qui peut toujours la faire régresser, elle demeure encore fort incertaine.

La démarche, comme nous l'avons vu, fournit une explication psychologique à une modification des mentalités rendue néanmoins possible par des conditions économiques et sociales favorables. C'est par des changements intérieurs de l'individu qu'Inglehart prétend parvenir à l'explication d'une mutation dans la culture, changements suscités en réaction à une relative abondance. On pourrait parler, dans ce cas, d'un historicisme psychologique, dans la mesure où il a la prétention de rendre prévisible de nouvelles attitudes. L'auteur se positionne par rapport à Marx, et tente de substituer au matérialisme de celui-ci une réponse en apparence opposée. La pensée matérialiste de Marx fonctionnait à la pénurie et ne prévoyait l'abondance que dans un avenir éloigné. En posant les besoins matériels comme désormais satisfaits, Inglehart a l'ambition de devancer Marx sur son propre terrain. Au mode matérialiste d'explication, il oppose le mode post-matérialiste qui repose sur la maturation psychologique (en accédant à des stades de satisfaction plus élevés) et intellectuelle (par une scolarisation plus poussée) des individus. Il n'est pas sans intérêt de noter que, à l'instar de Marx, Inglehart prévoit une atténuation du rôle de l'État-nation. Tout comme le mouvement ouvrier traversait les frontières nationales et étatiques, de même en est-il maintenant avec les grands mouvements féministes et environnementalistes. La culture post-matérialiste fonde à la fois un certain individualisme et de nouvelles solidarités.

Qu'on soit d'accord ou non avec la thèse d'Inglehart, on se doit de reconnaître qu'elle a le mérite de pouvoir être confirmée ou infirmée.

Almond et Verba autant qu'Inglehart proposent des analyses se rapportant à une conception subjective de la culture. Ne sont retenues dans l'observation que les dispositions ou attitudes des sujets interrogés. L'objectif des auteurs est d'expliquer ou de comprendre les comportements à partir des orientations qui motivent les interviewés. Cette approche offre l'avantage de se prêter à l'analyse empirique quantitative. Elle a l'inconvénient de préjuger de comportements éventuels. Ainsi, les trois quarts des Britanniques interrogés au cours de l'enquête de *Civic Culture* se croyaient en mesure d'influencer leur gouvernement, alors qu'en réalité une bien mince proportion d'entre eux ont vraiment tenté de le faire. Entre l'attitude dans l'abstrait et le comportement dans le réel, il y a fort à parier que la marge peut être grande, une des raisons étant que les personnes interrogées n'ont pas, au moment de l'enquête, à supporter les coûts effectifs des comportements annoncés.

La culture et les composantes de la représentation des intérêts

Chacune de ces diverses manières d'aborder la culture politique renvoie à une démarche particulière dans l'analyse du phénomène politique. À peu près tous les analystes s'entendent pour au moins admettre qu'une part, parfois minime, des préférences est attribuable à la culture. Mais au-delà de ce commun dénominateur, les points de vue sont très variables selon l'intention analytique du cadre proposé. Pour certains, comme nous l'avons vu, la culture politique sert la stabilité du système, pour d'autres elle peut avoir des effets de rupture.

Puisque nous avons déjà posées comme centrales un certain nombre de relations sociales, il y a lieu, dès lors, de se demander dans quelle mesure la culture peut les affecter. En d'autres mots, en quoi les rapports d'influence, de contrôle, de conflit ou de représentation d'intérêts sont-ils soumis à des formes, des normes ou des valeurs qui relèvent de la culture ?

Il est nécessaire de s'interroger sur une notion qui les précède, celle d'intérêt. Les intérêts, comme les préférences, nous invitent à nous interroger sur leurs origines. Pourquoi les gens ont-ils ces intérêts ou ces préférences ? On peut toujours y apporter une réponse de nature passablement psychologique, comme le fait Inglehart. Mais il est également possible de considérer des facteurs plus sociaux, comme les valeurs véhiculées par la religion ou par une histoire nationale commune. De manière plus spécifique, ces valeurs peuvent avoir été acquises à l'occasion d'une éducation commune, comme dans les *public schools* d'Angleterre, ou d'une expérience de travail propre à une classe sociale, à un métier ou à une profession. Les humains ont certes des besoins biologiques et psychologiques, mais même dans la satisfaction de ces besoins interviennent des facteurs culturels qui les renforcent, les balisent ou les tempèrent. La réaction à la misère n'est pas la même en Inde qu'aux États-Unis. L'importance de s'en sortir, comme les moyens licites ou illicites pour y parvenir, ne sont pas tout à fait les mêmes. Il y a des valeurs religieuses, des antécédents et des traditions qui les font être différents.

Dès lors qu'on accepte que du moins une part des intérêts tire son origine de la culture, on doit également se rendre compte que les relations sociales qu'ils mettent en branle se déroulent sur un fond culturel. La relation d'influence, la première que nous avons abordée, est probablement la plus sensible aux déterminants culturels. Puisqu'elle opère à la persuasion, à la manipulation, à l'ascendant ou au mimétisme, l'influence trouve largement sa légitimité dans un fonds de valeurs qui l'habilite. D'abord, l'acteur influent doit répondre aux critères de reconnaissance du leader. Selon une vieille tradition, l'homme politique français qui a des ambitions doit démontrer quelques qualités d'homme de lettres, alors que pareille prétention aux États-Unis serait plutôt mal accueillie. Non seulement le personnage d'influence doit-il répondre à certaines normes culturelles, mais son message, même lorsqu'il se veut des plus révolutionnaires, s'applique à démontrer son appartenance aux grands principes qui animent les personnes qu'il désire persuader. Il est donc intéressant pour le politologue d'observer combien les modes et les codes d'influence varient d'une société à une autre.

Il en est de même du contrôle. Certaines sociétés sont plus réfractaires que d'autres à l'intervention de l'État. L'individualisme des Américains, par exemple, les a conduits dès le XVIIIe siècle à se méfier du gouvernement. Le dispositif de la séparation des pouvoirs a été institué pour rendre la législation difficile et, partant, contrer un contrôle étatique plus étendu. La déclaration des droits de 1791 (les dix premiers amendements) est venue garantir dans la constitution que des pans entiers de l'activité humaine étaient soustraits à l'intervention de l'État. En retour, ces dispositions constitutionnelles n'ont fait que renforcer la méfiance envers l'État et ses agents, méfiance qu'avait déjà bien nourrie la période révolutionnaire. À cet égard, la culture contribue à encourager ou à décourager le recours au contrôle, et, davantage, elle en balise l'exercice. Ce qui ne signifie pas qu'elle n'est pas contournée à l'occasion.

Quant au conflit, il faut d'abord voir comment certaines cultures incitent au consensus et par conséquent atténuent les occasions de divergences. Le cas de la culture japonaise est exemplaire. Voici une société où l'intérêt du groupe est primordial. L'individu est appelé à s'effacer au profit de l'harmonie et surtout de la solidarité du groupe. La pression du groupe est telle qu'elle produit un état permanent de conformité. Tout conflit est vite résorbé, car il sera interprété par l'extérieur comme une faiblesse, sinon une tare. Il faut dire que lorsque le conflit devient ouvert, c'est qu'on est près de la rupture.

Au-delà des conditions culturelles qui contribuent à résorber ou, au contraire, à intensifier le conflit, il est indiqué de l'apercevoir sous son aspect de *rite*. Que ce soit dans les sociétés les plus réduites, les plus grandes, ou les plus développées, le conflit prend place dans un cadre culturel donné. Il est l'occasion de rites qui assurent un caractère de théâtralité à l'événement. L'arène elle-même constitue un lieu qui a déjà ses règles explicites auxquelles on se doit d'ajouter un ensemble de normes qui relèvent de la culture. La mise en scène d'un discours à Westminster est bien différente de celle d'un discours au Congrès américain ou au Palais Bourbon.

Les événements de mai 1968 en France illustrent bien l'aspect mise en scène dont la rue est le théâtre. Le mouvement étudiant d'alors s'érige en commune. On parle de la commune étudiante comme d'une suite à la commune de Paris de 1871. Elle se veut une reprise symbolique de cette dernière. Ces barricades et tous les rites qui l'accompagnent s'inscrivent dans une continuité de l'histoire. Ces événements n'étaient possibles, selon cette symbolique, que dans une culture où les valeurs historiques ont un grand poids. Les mouvements étudiants dans d'autres sociétés se sont déroulés selon de tout autres formes.

Si certaines traditions marquent des sociétés entières, il en est de même de collectivités plus réduites. Les partis politiques, les syndicats, les groupes de toutes natures développent, de par leurs orientations idéologiques, des rites qui leur sont propres et qui les distinguent souvent les uns des autres. Le facteur religieux qui a parfois présidé à leur création se traduit par des manières et des procédés qui perdurent en dépit de leur passage officiel à la laïcité.

La représentation des intérêts est, elle aussi, tributaire de la culture. Le statut de représentant est largement fonction de normes implicites. Il est courant aux États-Unis que la presse scrute à la loupe la vie privée des candidats à un poste public. La fonction de représentant est perçue là-bas comme réclamant un passé irréprochable. On peut y voir là un reliquat religieux de puritanisme. À l'inverse, en France, la vie privée est soustraite au regard public.

La place accordée à l'intellectuel dans la défense de certains intérêts varie aussi selon les cultures. L'intellectuel engagé se définit par son statut de personne éclairée et désintéressée qui l'autorise, en l'absence de tout mandat, à se prononcer publiquement au nom d'une classe ou d'une société entière. Or, cette faculté d'intervention n'est pas reconnue uniformément. Les prises de position publiques d'un écrivain en France sont généralement accueillies avec déférence par la presse. C'est grâce à celle-ci que Jean-Paul Sartre et Simone de Beauvoir ont pu profiter d'une tribune durant plusieurs décennies. Aux États-Unis, un romancier peut obtenir une très grande visibilité par la presse, mais toujours à titre de romancier, beaucoup plus rarement à titre d'intervenant dans les affaires publiques.

Le rôle de député ou de sénateur comporte nombre de traits qui relèvent de la culture. Les attentes des électeurs à l'endroit de leurs élus varient d'une société à une autre, tout comme les électeurs des villes n'ont pas les mêmes exigences que ceux de la campagne. La présence à une noce du sénateur ou du député est bien vue sinon attendue en province, elle l'est beaucoup moins dans les grands centres. Les rôles ne sont pas tout à fait les mêmes, et les rites non plus.

Les travaux sur la culture en science politique se sont surtout concentrés, comme nous l'avons vu, sur les dispositions du citoyen. L'étude d'Almond et Verba s'inscrit dans cette orientation où l'analyste s'interroge sur les attitudes de la population à l'égard de ses représentants. Le citoyen se sent-il efficace, impuissant ou résigné face à eux ? A-t-il confiance en eux ? Éprouve-t-il le désir ou le besoin de participer ? Les travaux d'Inglehart s'en tiennent également au niveau des dispositions de l'individu, mais, cette fois, en fonction d'une ouverture plus grande, puisqu'il l'interroge sur des projets de société.

Outre l'horizon proprement électoral, il y a l'univers plus vaste des dispositions du citoyen face à l'État et à sa propre société d'appartenance, qui est souvent la nation. Appartiennent à la culture les dispositions générales à l'endroit du régime et des appareils qui lui donnent corps. L'État peut être facilement l'objet de sentiments contradictoires (ou du moins en apparence), il est souvent sollicité et vilipendé à la fois. Il n'est pas exclu que le citoyen éprouve à la fois un désir de privilèges et un goût pour l'égalité. Deux dispositions que seule l'autorité étatique peut satisfaire, mais séparément, bien sûr...

Il peut arriver que le régime suscite une division profonde de sentiments auprès d'une collectivité donnée. La société française a été longtemps partagée entre tenants de la démocratie libérale et tenants de régimes plus autoritaires, de droite ou de gauche. On peut affirmer que, de la Révolution de 1789 aux années 1970, se sont déroulés des débats constants sur la légitimité des nombreux régimes qui se sont succédé durant cette longue période. Dans ce cas, on ne parlera plus de culture mais d'idéologies, comme nous le verrons plus tard. Avec l'acceptation de l'État libéral et donc de l'*esprit* de la règle du jeu dite démocratique, il semble bien que se soit établi un large consensus qui relève désormais de la culture. Auparavant, l'ensemble des Français s'entendait sur l'idée d'un État, comme idée abstraite, mais non sur les règles premières de son fonctionnement. Par contre, l'attachement à la nation étant très fort, et cultivé par une socialisation massive, grâce à l'école (unique, laïque, gratuite et obligatoire) et au service militaire pour les jeunes gens, les divisions à propos du régime n'ont pas entraîné de remises en question de l'État ou de la nation.

Toutes ces considérations conduisent à nous rendre compte de la grande étendue que peut couvrir la notion de culture. Mais elle n'est pas sans offrir certains dangers.

Il y a lieu de se prémunir contre les jugements globalisants sur l'ensemble d'une société. Autrement, on risque de verser dans des jugements inspirés du sens commun, comme autrefois on parlait de l'âme ou de la psychologie des peuples. De même doit-on éviter d'imaginer la culture comme embrassant l'ensemble des valeurs en circulation dans une société. La tentation est parfois grande d'apercevoir la culture à la manière d'un emboîtement de sous-cultures et de sous-sous-cultures. Ainsi on peut concevoir la culture italienne comme englobant la sous-culture toscane, qui, à son tour, engloberait la sous-sous-culture florentine et ainsi de suite jusqu'aux quartiers, faubourgs et rues de cette ville. Or, les cultures dites nationales sont de plus en plus traversées de cultures religieuses, professionnelles et autres qu'on ne peut ramener à un pareil emboîtement. D'autant plus que la variété des ethnicités occasionnée par l'immigration vient brouiller cette apparente homogénéité.

Enfin, il ne faut pas voir la culture comme un simple facteur statique. Elle comprend par définition des éléments de conservatisme, mais elle peut être ouverte ou fermée au changement. Certaines cultures véhiculent en elles-mêmes des valeurs d'innovation et d'autres pas. Une culture sensible à la participation incite ses membres à imaginer des formes de plus en plus originales ou audacieuses de démocratie.

Cela étant dit, nous nous trouvons à revenir à notre point de départ, et c'est à ce stade-ci qu'on peut le mieux évaluer les problèmes que suscite cette notion de culture. Il semble y avoir consensus parmi les analystes à vouloir la ramener à des proportions de plus grande opérationalité analytique ; autrement, elle risque de n'avoir plus aucun sens. Les premiers anthropologues ont considéré la culture comme une catégorie descriptive dans laquelle devaient se retrouver toutes les créations sociales : institutions, manières, objets, etc. À partir du moment où l'observation s'est voulue explicative, elle a dû recourir à des modes d'identification plus rigoureux. Pour ce faire, elle a tenté d'opérer des découpages qui ont évidemment varié selon les disciplines et les écoles.

Le simple fait de qualifier de politique le concept générique de culture, c'est déjà faire un découpage qui d'ailleurs ne prend son sens que par rapport à la signification accordée au terme politique. Il n'y a là rien d'étonnant. Comme nous l'avons déjà fait observer, les concepts n'ont de véritable portée analytique que dans leur relation avec d'autres concepts du même discours théorique. La culture politique correspond donc à un découpage qui est largement conditionné par la démarche analytique de l'observateur et par l'usage que ce dernier veut faire de ce concept. Puisqu'en science politique il y a plusieurs démarches, ainsi doit-il y avoir plusieurs manières d'insérer la « culture politique » dans une réflexion théorique. Dans le présent ouvrage, nous l'avons mise en relation avec les concepts déjà retenus d'influence, de contrôle, de conflit, etc. Il va de soi que la notion de « culture politique » est susceptible d'être posée bien différemment dans un autre contexte analytique.

La socialisation politique

La **socialisation** est *le processus par lequel les valeurs culturelles sont transmises et intériorisées par une population donnée.* Elle met d'abord en évidence les agents qui l'accomplissent, et qu'on appelle agents socialisateurs ; puis, les modes de transmission, à savoir la famille, l'école, les mass media, etc. ; et enfin le type de message transmis. La tradition anglo-saxonne préfère l'identifier plus immédiatement à l'apprentissage des divers rôles nécessaires à l'intégration de l'individu à la société. Elle voit dans la socialisation l'ensemble des connaissances, habiletés, croyances, valeurs et dispositions qui permettent à une personne de fonctionner à l'intérieur d'une collectivité donnée. L'accent est mis sur les éléments requis pour une action bien adaptée aux normes sociales.

L'adjonction de l'épithète « politique » est récente. Elle date de la fin des années 1950. L'intérêt pour la socialisation politique surgit à une époque où, comme pour la culture politique, on s'interroge, surtout aux États-Unis, sur la socialisation nécessaire à la stabilité politique en démocratie. Comment, se demande-t-on, les individus acquièrent-ils des orientations relativement durables envers le système politique ? Et pour ce faire, on optera pour une étude psychologique de l'évolution des perceptions politiques.

Les études dans le domaine ont tôt fait de convenir que les attitudes fondamentales acquises dans l'enfance sont susceptibles d'être les plus durables. On s'est donc appliqué à tenter d'en découvrir la progression. La démarche était souvent inspirée des travaux du psychologue Jean Piaget sur le développement psychologique de l'enfant. C'est ainsi qu'au fil de nombreuses observations, on a pu dégager des stades ou moments propices à la prise de conscience d'aspects qui relèvent de l'autorité étatique.

Le premier contact avec une autorité autre que celle des parents est généralement celui de la présence policière qui voit à l'observance de règles extérieures et supérieures à l'entourage immédiat de l'enfant. C'est un peu plus tard que se manifeste le sentiment d'appartenance à une nation dont le drapeau sert de premier insigne. Puis l'autorité étatique prend progressivement forme. L'enfant passe par un stade de personnalisation puis d'idéalisation de l'autorité. C'est, aux États-Unis, le président, avec comme second, le Congrès qui, dans l'imagination enfantine, sert d'auxiliaire. Le même rapport de subordination se retrouve en Grande-Bretagne entre, d'une part, la reine, dont l'ascendant est déjà renforcé par les contes pour enfants et l'apparat des cérémonies, et, d'autre part, son premier ministre qui est réduit à un rôle d'aide. Il semblerait, selon les recherches, que les enfants de milieux ouvriers, en Angleterre, ont tendance à accentuer cette subordination du premier ministre, et mettraient plus de temps à se départir de cette imagerie. Enfin, vers l'âge de douze ans apparaîtrait l'identification partisane. Ce n'est que plus tard que l'adolescent ou le jeune adulte perçoit clairement l'ensemble de l'univers institutionnel environnant, avec des personnes accomplissant des rôles prescrits par des règles. Cette perception se situe à un niveau d'abstraction inaccessible à l'enfant. Les observateurs n'ont pas noté de différences notables entre les sexes dans l'évolution de ce processus d'identification.

On aura remarqué que jusqu'ici la lecture de ce processus fait peu appel à des explications d'ordre sociologique. Le propos s'en tient à examiner l'évolution psychologique de l'enfant dans son appréhension des réalités politiques. C'est un mode qui ne tient pas compte des facteurs d'influence et de contrôle de la communication dans l'apprentissage vers la vie adulte.

La socialisation s'effectue dans un milieu social donné. Qu'elle se déroule à la ville ou à la campagne, dans un milieu ouvrier ou bourgeois, selon une tradition musulmane, juive, protestante ou catholique, elle imprègne les jeunes de valeurs bien différentes. Pour ce faire, la socialisation, qui fonctionne à l'incitation et au mimétisme, a besoin d'agents pour opérer cette transmission. Ces agents de socialisation sont, en Occident, la famille, l'école, les mass media (la télévision, la musique « pop », le cinéma, etc.), le milieu de travail, les lieux de loisirs et autres formes d'activités collectivement partagées.

La famille impose, de par sa structure d'autorité qui peut être fort variable, une première forme d'organisation sociale susceptible d'influencer positivement ou négativement le futur adulte. Cette structure d'autorité offre plus d'intérêt lorsqu'elle correspond à un *pattern* ou, si on préfère, un modèle de comportement propre à une classe sociale, à un milieu déterminé ou à l'ensemble d'une collectivité. Il est alors possible d'observer la transposition qui peut s'opérer du modèle familial au comportement de l'adulte en société.

L'école, quant à elle, sert davantage d'agent intégrateur aux valeurs dominantes de la société. Elle est d'abord, pour la plupart des enfants, leur première expérience véritable d'un lieu public, d'une organisation sociale pleinement constituée où se trouvent des postes hiérarchisés, des niveaux d'autorité bien différenciés. Si l'enfant peut transposer, pour un moment, l'autorité du père ou de la mère sur un personnage public comme le président, aux États-Unis, ou la reine, en Grande-Bretagne, il trouve dans l'école un microcosme, un univers limité où se jouent des rapports d'autorité de natures fort diverses. Le poids de la hiérarchie pourra, dans certains cas, se faire sentir depuis l'État jusque dans la classe, par des références constantes aux exigences du programme et aux examens ou concours à venir. De même, l'organisation interne de la classe : la disposition du mobilier, la mise en situation spatiale du maître dans ses relations avec ses élèves, l'aménagement des rapports d'autorité, contribueront à constituer une première culture politique.

Le contenu de l'enseignement impose nécessairement un découpage du réel. Le choix des matières à dispenser constitue en soi un choix de société. Et à l'intérieur de ces matières seront véhiculées des opinions, des valeurs, sur la société et son fonctionnement. L'enseignement de l'histoire nationale, pour ne prendre que cette matière, a pour objectif d'imposer une lecture des événements passés en fonction d'une société prise comme centre quasi exclusif du monde. Il suscite la présence de héros et de traîtres ou de méchants qui, dans leur opposition, contribuent à mettre en valeur la nation.

La sociologie actuelle accorde, par contre, plus d'importance à la manière dont l'enseignement s'organise dans la classe que dans le contenu qu'il comporte. L'école est considérée comme lieu d'apprentissage d'attitudes et de comportements en regard de l'autorité. Aussi, selon le degré d'autonomie laissée aux élèves, on peut concevoir des univers pédagogiques plus libéraux que d'autres. Une école où la part d'initiative et de responsabilité confiée aux élèves est élevée devrait, en principe, permettre à l'élève de développer une plus grande confiance en lui-même et dans les autres. En revanche, un régime autoritaire et tracassier devrait avoir l'effet contraire. Telle est l'interprétation, toujours de nature psychologique, que l'on peut faire de la socialisation politique des jeunes, d'après leurs rapports avec l'école.

L'école peut fournir aux jeunes de l'information sur la gestion de l'État, sur la prise de décision, le fonctionnement de ses assemblées. Mais, comme on peut voir, elle fournit un cadre plus général de formation, et c'est pour cette raison que les autorités étatiques se soucient du contrôle qu'ils peuvent exercer sur ce mode d'influence.

Dans un ouvrage controversé intitulé *La Reproduction* (1970), Pierre Bourdieu et Jean-Claude Passeron ont soutenu que la socialisation, dans son ensemble, a pour fonction de perpétuer l'ordre établi, c'est-à-dire un ordre de rapports qui favorisent les classes dominantes. La socialisation parvient, selon ces auteurs, à rendre ces rapports légitimes auprès des jeunes grâce à la transmission de *schèmes* (ou, si on préfère, de formes) *inconscients*. Ce sont des dispositions socialement acquises qui reproduisent les rapports de domination : les dominants parvenant à maintenir, par la socialisation, des modes de comportement de subordination auprès des dominés. Ces dispositions sont appelées par ces auteurs *habitus* et correspondent à un « ensemble durable et transposable de schèmes communs de *pensée*, de *perception*, d'*appréciation* et d'*action* ». Ce sont des modèles qui, par la socialisation, sont inconscients mais également spontanés, réflexes. Ils donnent forme insidieusement, si on suit ce raisonnement, à une manière d'appréhender le réel, de le juger et d'agir sur lui. L'*habitus* affecte autant les comportements que les attitudes. Il ouvre l'horizon des dominants et réduit celui des dominés. De la sorte, il conduit à l'expression de préférences et à la manifestation de conduites correspondant au statut de chacun.

La perspective proposée par Bourdieu et Passeron est globale et unilatérale. La socialisation est entendue par eux comme massive et impérative. Dans une langue plus éloquente que rigoureuse, ils parlent d'une *violence symbolique* qui fonctionne à la dissimulation des rapports de force. Dès l'école, pour faire bref, les jeunes des classes dominantes assimilent des schèmes de comportement et de reconnaissance entre eux (par des codes et des manières) qui les démarquent des autres, les dominés, qui, eux, assimilent plutôt des schèmes de subordination. Or, ces schèmes ont, d'après les auteurs, la particularité d'être durables et surtout transposables. On retrouve ici l'idée d'une application des schèmes acquis à l'école dans tout le reste des activités sociales. Dominants et dominés ont chacun adopté des *habitus* au cours de leur enfance et de leur jeunesse, et en demeurent tributaires pour le restant de leurs jours.

Le propos de Bourdieu et Passeron n'a pas pour objectif d'apporter un éclairage spécifique sur la socialisation politique, mais, de par son ambition, il permet d'imaginer le prolongement des *habitus* dans l'arène étatique. En revanche, cette conception peut paraître un peu mécanique, en ce qu'elle laisse croire au caractère automatique de la transmission des schèmes.

Outre la famille et l'école, les mass media sont généralement retenus comme agents socialisateurs. Ils créent, on le sait, des héros, des mythes, mais également des manières d'apercevoir notre environnement social, incitant souvent à s'y conformer, parfois à agir sur lui. La télévision, par ses émissions de fiction et par les vedettes du music-hall qu'elle produit, contribue à constituer une certaine vision du monde. Et sa présence quotidienne perpétue une certaine façon de découper les événements. Les mass media contribuent en même temps à la socialisation politique. Ils fournissent en particulier des images qui établissent une certaine manière de percevoir l'exercice de l'autorité étatique et la façon de le contester. Autrefois, le personnel politique, c'est-à-dire candidats, députés, ministres, présidents ou monarques, ne faisait l'objet que d'une attention épisodique. Quelques photographies dans les journaux, quelques discours à la radio, une ou deux apparitions privilégiées dans la vie de chacun des citoyens constituaient le répertoire de l'exposition publique de la gent politique. Tel n'est plus aujourd'hui le cas où la télévision rend compte de sa présence au jour le jour.

Il reste, finalement, la socialisation par les pairs. Qu'ils soient voisins, camarades de classe, de contingent ou de travail, les pairs s'influencent mutuellement et créent, par le fait d'être ensemble un certain temps, une culture propre à leur état. Le même phénomène se retrouve auprès de jeunes du même âge ou du même sexe. À cet égard, la socialisation ne peut être perçue comme univoque. Famille, école, mass media et pairs constituent des lieux sociaux bien différents où les agents socialisateurs ne tiennent pas le même discours. Très tôt, l'enfant est mis en situation de choisir parmi ces voix discordantes.

S'il existe des agents socialisateurs, on peut également parler d'événements socialisateurs. Un même événement subi ou vécu par une collectivité donnée devient souvent une référence collective. Il s'insère dans ce qu'on appelle la *mémoire collective*. Ce terme sociologique est utile, mais d'un usage hasardeux. La mémoire, pas plus que la conscience, ne peut être collective. Il n'y a de mémoire et de conscience qu'individuelles. L'expression « mémoire collective » sert, par un habile raccourci, à désigner le rappel d'événements encore frais dans la mémoire de ceux qui les ont vus ou vécus, comme de ceux qui en ont entendu parler par la suite. On peut prendre pour exemple l'exécution de Louis Riel en 1885, au Canada, qui a eu pour effet de rayer le Parti conservateur (alors au pouvoir) de la carte du Québec pour 70 ans. Le cas de l'appel aux Français du général de Gaulle, le 18 juin 1940, est intéressant parce que fort peu l'ont effectivement entendu à l'époque. Il n'en a pas moins marqué les esprits.

Il est une manière d'aborder la socialisation politique qui repose sur la reconnaissance de générations d'individus en fonction d'événements majeurs ayant ponctué leur existence. Les guerres, les récessions sévères, les migrations massives de populations, les changements brutaux de régimes servent parfois à démarquer des personnes. Il y a ainsi ceux qui ont connu la dépression des années 1930, ceux qui par la suite ont subi la Seconde Guerre mondiale, ceux qui ont vécu la contre-culture de la fin des années 1960, etc. Ces événements servent non seulement de balises, mais aussi de référence à la socialisation d'un groupe entier qui se reconnaît en eux. Ces personnes sont susceptibles d'avoir des réactions, attitudes ou comportements, qui sont propres à ceux qui ont vécu tel ou tel événement.

Les études plus récentes vont dans le sens d'une observation de la socialisation comme processus continu jusque dans le vieil âge. Il faut dire d'abord que la notion de socialisation politique, telle que les analystes l'ont posée à l'origine, a été vite contredite par les faits. L'éclosion de la contre-culture a ébranlé les certitudes qu'on pouvait entretenir sur la stabilité et la persistance des orientations acquises en bas âge. Depuis, l'intérêt s'est plutôt porté vers le phénomène de la communication en général, tout en tenant compte des divers stades propres à l'âge. On entend désormais par socialisation toute acculturation ou encore toute adaptation à de nouvelles conditions sociales. L'introduction, par exemple, de l'ordinateur a modifié les comportements d'un grand nombre d'individus de tous âges. De même en a-t-il été avec l'avènement de la télévision : les gens de tous les âges (peut-être à des degrés divers) se sont faits à l'idée que le petit écran servirait désormais de principale tribune pour la défense d'opinions publiques.

Sans récuser l'effet important de l'enfance et de la jeunesse dans l'adoption de certaines orientations sociales, les plus récentes recherches s'intéressent tout autant aux stades plus avancés de la vie des individus. Le milieu de travail aussi bien que les relations avec une diversité d'associations volontaires assurent durant le cours de l'existence une socialisation continue dont il ne faut pas négliger l'effet.

La socialisation contribue à transmettre des manières d'apercevoir, d'opérer ou encore de subir l'influence ou le contrôle, tout autant que des manières de concevoir le conflit et la représentation des intérêts. Cette transmission n'a rien d'automatique. Elle se bute souvent à des conceptions nouvelles suscitées par les inégalités sociales et les idéologies, conceptions nouvelles que véhiculent, entre autres, les mouvements sociaux. On ne parle plus alors de socialisation, mais de mobilisation, dans la mesure où les acteurs interviennent cette fois ouvertement sur la place publique.

La mobilisation rend compte d'idéologies en conflit, situation suscitée par une interprétation divergente des inégalités sociales.

Bibliographie

Culture politique

ALMOND, Gabriel et Sidney VERBA (dir.), 1963. *The Civic Culture,* Princeton (N.J.), Princeton University Press.

ALMOND, Gabriel et Sidney VERBA (dir.), 1980. *The Civic Culture Revisited,* Boston, Little Brown.

BADIE, Bertrand. 1983. *Culture et politique,* Paris, Économica.

GIBBINS, John R. (dir.), 1989. *Contemporary Political Culture,* Londres, Sage.

INGLEHART, Ronald, 1977. *The Silent Revolution : Changing Values and Political Styles among Western Publics,* Princeton (N.J.), Princeton University Press.

INGLEHART, Ronald, 1990. *Culture Shift in Advanced Industrial Society,* Princeton (N.J.), Princeton University Press.

PATRICK, Glenda M., 1984. « Political Culture », *in* Giovanni SARTORI (dir.), *Social Science Concepts,* Beverly Hills, Californie, Sage, p. 265-314.

THOMPSON, Michael, Richard ELLIS et Aaron WILDAVSKY, 1990. *Cultural Theory,* Boulder (Colorado), Westview Press.

Socialisation politique

BOURDIEU, Pierre et Jean-Claude PASSERON, 1970. *La Reproduction. Éléments pour une théorie du système d'enseignement,* Paris, Minuit.

CRÊTE, Jean et Pierre FAVRE (dir.), 1989. *Générations et politiques,* Paris/Québec, Économica/Presses de l'Université Laval.

PERCHERON, Annick, 1985. « La socialisation politique, défense et illustration », *in* Madeleine GRAWITZ et Jean LECA, *Traité de science politique,* Paris, Presses Universitaires de France, tome III, p. 165-235.

SIGEL, Roberta S. 1989. *Political Learning in Adulthood,* Chicago (Ill.), University of Chicago Press.

RENSHON, Stanley A., 1977. *Handbook of Political Socialization,* New York, Free Press.

Chapitre 5

Expressions d'inégalité

Si la culture rend compte d'éléments communs à une collectivité, les inégalités soulignent leurs différences. Ce sont des différences qui suscitent des conflits à l'intérieur des collectivités : les uns demandent leur suppression ou leur atténuation, alors que d'autres légitiment leur présence comme inévitable ou encore même désirable. S'il y a représentation des intérêts dans l'arène étatique, c'est largement pour contrer, traiter ou encore gérer ces inégalités.

Il est bien sûr que l'égalité, dans son sens fort, n'existe pas entre les humains. Nous reconnaissons d'emblée qu'en nous comparant avec d'autres, famille, amis, collègues, rivaux, etc., il existe une multitude de différences qui nous avantagent et nous désavantagent par rapport à eux. Les dons, les habiletés, et les capacités physiques, psychologiques ou intellectuelles sont répartis de manière fort inégale. Mais au-delà de ces différences, il existe d'autres inégalités, celles-là d'ordre proprement social.

Les observateurs s'entendent pour reconnaître que les inégalités sociales sont présentes dans toutes les sociétés. Par inégalité sociale, on entend une distribution inégale d'avantages par rapport à un type de statut. Au niveau de la division du travail, le statut de médecin procure, en principe, plus d'avantages que celui d'éboueur ou de caissier. Par ailleurs, être une femme ou un homme représente, selon les sociétés, une position sociale bien distincte. Dans ce cas, la différence biologique entraîne des différences sociales dans la mesure où il y a inégalité de chances et d'avantages selon le sexe.

L'inégalité sociale est reconnue comme universelle, mais suscite des interprétations souvent opposées. Le clivage se situe entre ceux qui voient dans la société des rapports de *domination*, de *contrôle* ou de *conflit*, et ceux qui la considèrent comme un lieu de *coopération* et d'*harmonie* relative. Les premiers proposent une lecture qui met en présence des groupes dominants appelés *élites*, ou *classes*, où le conflit est toujours imminent ; les seconds, une lecture en fonction de *strates* qui assurent la cohésion de l'ensemble.

L'élite

La manière la plus simple d'interpréter l'inégalité sociale consiste à voir la société selon une coupure radicale entre une élite gouvernante et une masse gouvernée. C'est une interprétation qui se veut assez cynique et fataliste de la vie en société. Car, quel que soit le type d'autorité retenu, l'école élitiste vous répondra qu'on est voué à cette division irrémédiable.

Il revient à Machiavel d'avoir posé ce rapport en termes de gouvernants-gouvernés où les premiers s'imposent auprès des seconds grâce à leur *virtu*, c'est-à-dire leur capacité de manier la force et la ruse (lion et renard). La société est vue sous un jour exclusivement politique où seuls comptent les ressources dont disposent les gouvernants pour s'imposer auprès des gouvernés. La tendance est parfois grande d'attribuer à ces gouvernants des qualités d'énergie, de volonté et d'astuce, en somme des qualités morales, au détriment des circonstances sociales qui ont pu favoriser leur ascension et leur maintien au commandement.

Dans cette tradition dite machiavélienne (à distinguer de machiavélique, terme porteur d'une connotation péjorative), nous retiendrons deux auteurs représentatifs : Vifredo Pareto (1848-1923) et Gaetano Mosca (1858-1941). Ils ont en commun une vision dichotomique de la société où, à la manière de Machiavel, une minorité, l'élite, s'impose auprès d'une majorité, les masses. Pour Pareto, l'élite recouvre l'ensemble des individus qui ont atteint le sommet dans leurs professions respectives ; ce sont ceux qui ont réussi, que ce soit par leur mérite ou par chance. Et parmi cette élite du succès et de l'excellence s'en dégage une plus active, détentrice de l'autorité, l'élite gouvernementale. La distribution inégale des ressources fait, selon Pareto, que le petit nombre est toujours appelé à commander le grand nombre. L'action de cette élite gouvernementale consiste alors à convaincre les gouvernés qu'il est de leur intérêt et de leur devoir d'obéir aux gouvernants.

Si la thèse de Pareto est la mieux connue, celle de Mosca est plus intéressante, dans la mesure où elle fait appel à une conception plus sociologique de l'élite. Comme Pareto, il établit un rapport universel de subordination en vertu duquel toute société se compose d'une petite minorité qui, solidaire et bien organisée, poursuit des objectifs bien précis en sa faveur, et exerce le monopole du commandement. Elle s'impose auprès d'une majorité qui, inorganisée, dispersée, sans conscience précise d'elle-même, ne peut que s'y soumettre. La force de la minorité serait qu'elle traite avec chaque membre de la majorité individuellement, chaque particulier se sentant isolé dans sa relation avec l'autorité : « la force de la minorité est irrésistible en face de chaque individu de la majorité. » Cette minorité dispose évidemment de ressources pour parvenir à un tel contrôle, mais celles-ci varient, dans l'esprit de Mosca, selon l'évolution historique d'une société. À l'origine, c'est la force physique qui s'impose, la valeur militaire prévaut. Par la suite, la classe dirigeante, de militaire qu'elle était, devient propriétaire, et, de la sorte, les attributs de l'autorité se modifient au profit d'une aristocratie foncière. La progression se poursuit donc toujours et Mosca évoque la situation de sociétés plus avancées où la connaissance spécialisée domine, entraînant l'émergence de la bureaucratie.

Pour justifier cette autorité, quelle que soit sa forme, la minorité doit avoir recours à un discours que Mosca appelle la « formule politique ». Elle s'en sert pour légitimer son action. Ce sont, en gros, des principes juridiques qui servent de caution au régime. Ils ont pour objet de convaincre tant la minorité que la majorité du bien-fondé du monopole exercé par la première. La « formule politique » sera, bien sûr, différente selon le stade de développement historique.

Mais, pour se maintenir, la minorité dirigeante ne peut se contenter de l'idéologie, elle doit savoir se renouveler elle-même grâce au mécanisme de la *circulation des élites*. Laissée à elle-même, l'élite, comme le précise Pareto, s'amollit, perd sa vitalité et sa volonté de gouverner. « L'histoire, écrit-il, est un cimetière d'aristocraties », c'est-à-dire une succession d'élites qui, au fil des âges, se battent pour le commandement, l'obtiennent et ultimement le cèdent à d'autres plus vigoureuses. Afin de contrer cette déperdition fatale d'énergie, les dirigeants ont tout avantage à se revitaliser par l'apport des éléments les plus ambitieux et souvent les plus turbulents de la majorité. C'est pour l'élite dirigeante l'occasion à la fois de se ressourcer et d'affaiblir la majorité. Une élite relativement ouverte assure, de la sorte, un équilibre constant en assimilant la couche la plus active et revendicatrice de la majorité. Elle se maintient grâce à un accommodement constant avec ceux de la majorité qui ressentent le plus vivement leur exclusion du cercle sélect des gouvernants. Selon l'école machiavélienne, les principaux acteurs révolutionnaires se servent de la révolution pour promouvoir leurs intérêts. Autant les satisfaire avant d'avoir atteint des stades critiques irréversibles. Une élite fermée conduirait, en revanche, à la révolution de par la frustration croissante qu'elle provoque.

Il faut bien voir dans quel contexte historique se situe cette école. Elle emprunte à Machiavel et à une forme de darwinisme social qui permet d'imaginer la société comme soumise au principe de la sélection naturelle : il revient aux plus forts, aux plus énergiques de s'imposer auprès de l'espèce. De là les références fréquentes au vocabulaire biologique. On peut même parler de vitalisme ; les élites ont une vie ; elles naissent, croissent et meurent pour être remplacées par d'autres. Mais tout cet appareil se veut avant tout une réponse à la dictature du prolétariat et à la société sans classe annoncée par Marx. Le communisme ne saurait être, selon Pareto, qu'une élite intellectuelle qui parlera au nom du prolétariat.

L'histoire n'est alors qu'une reprise constante, d'après cette école, des luttes incessantes, manifestes ou larvées, entre une élite agissante et des masses inertes. Même lorsqu'il arrive à ces masses d'entrer en action, elles le font sous la direction d'une élite en gestation qui ne demande qu'à se substituer aux dirigeants en place. Pour ces auteurs, les peuples sont sans histoire, ce sont les élites qui la font. Une telle position a été interprétée comme un encouragement très clair en faveur du fascisme de Mussolini.

Tout en marquant son désaccord avec Mosca touchant la présence inévitable des élites, C. Wright Mills a proposé, il y a déjà quelques décennies, une thèse visant à démontrer qu'il existe bel et bien une « élite du pouvoir » (1956) aux États-Unis. Il s'agit encore ici d'une minorité, cette fois constituée d'une triade d'institutions interreliées dans l'exercice monopoliste de l'autorité : la grande entreprise, l'armée et l'État. Trois ordres, trois hiérarchies, aux sommets desquels est concentrée l'influence. Ces institutions fonctionnent, par leurs élites, en étroite concertation les unes avec les autres. Ainsi se trouverait assurée une coordination des affaires économiques, militaires et politiques grâce à un vaste réseau de relations personnelles que renforcent des positions interchangeables, les uns pouvant en tout temps occuper le poste des autres. Sans qu'il s'agisse d'une classe proprement dite, on pourrait néanmoins parler, selon C.W. Mills, d'une conscience de classe. Les membres de cette élite se reconnaissent entre eux et peuvent donc concerter leurs actions. Telle serait cette convergence d'intérêts que l'auteur identifie à un « capitalisme militaire » (p. 283). Nous sommes, à cette époque, en pleine guerre froide qui favorise la militarisation de l'économie.

Si, aux yeux de Mills, il n'y a ni complot, ni conspiration, il n'en demeure pas moins que l'élite, par le truchement des mass media, parvient à manipuler les masses. Car nous sommes, selon lui, en face d'une société de masse n'ayant plus pour seule référence d'appartenance que la société globale dans toute son impersonnalité. Cette situation de fragilité des individus permet dès lors aux médias d'inculquer, par l'évasion, une identité illusoire aux masses. L'objectif de la manipulation serait de faire croire au peuple qu'il prend les décisions auxquelles en arrive elle-même l'élite : méprise d'un jeu d'ombres.

Sans adopter tous les traits de l'école machiavélienne, l'argument de C.W. Mills fait siens le rôle concerté de la minorité, la réduction de la majorité à l'état de masse, et le recours à la manipulation pour gouverner. Une des grandes différences réside dans le statut accordé au peuple. Pour l'école machiavélienne, le peuple n'a aucune aptitude à l'action ; pour C.W. Mills, il est brimé et empêché dans les actions qu'il pourrait entreprendre.

L'école élitiste connaît encore de nos jours des adeptes. L'ouvrage de Michael Useem, *The Inner Circle* (1984) rend bien compte de la persistance du modèle, mais avec les adaptations nécessitées par la conjoncture. La thèse est assez simple : le capitalisme en Grande-Bretagne et aux États-Unis a atteint un tel degré d'institutionnalisation qu'il a suscité l'émergence d'une classe bien constituée au sein même du milieu des affaires. Cette classe très sélecte, le *inner circle*, définit les grandes politiques du capitalisme et parvient à exercer une influence significative sur les gouvernements.

Cette nouvelle élite se fonde, selon Useem, sur une double assise, l'une économique et l'autre sociale. Grâce, d'une part, à la concentration économique dans quelques centaines de grandes entreprises, et, d'autre part, au jeu des directorats *interlocked* auprès de ces mêmes entreprises, il s'est développé un réseau restreint de dirigeants qui établit pour l'ensemble du monde des affaires les grandes politiques communes. Organisation informelle, mais plus efficace parce qu'informelle, le *inner circle* intervient par le truchement de certains de ses réseaux : 1) auprès des organismes consultatifs des gouvernements ; 2) auprès des organisations à but non lucratif, entreprises philanthropiques qui soutiennent les arts et l'éducation ; 3) auprès d'universités auxquelles il apporte un financement appréciable ; 4) auprès des partis politiques et de leurs candidats, par le moyen du financement ; et 5) auprès des mass media pour influencer l'opinion publique.

Cette configuration d'influences correspond, aux yeux de Useem, à une mobilisation politique amorcée à la fin des années 1970 contre les contraintes étatiques imposées au patronat et pour une diminution des programmes sociaux ; ce, afin de redresser la tendance à la baisse des profits. Le double avènement de Margaret Thatcher en Grande-Bretagne et de Ronald Reagan aux États-Unis aurait été une manifestation de l'influence de cette élite.

Comme on peut le constater, cette thèse s'en tient à des propositions plus prudentes que celles de Mills. L'élite est toujours présente, circonscrite à une petite minorité agissante, mais sans qu'on puisse lui attribuer une influence absolument déterminante.

Les classes sociales

L'approche à partir de la classe sociale a été surtout développée par le marxisme. On entend par classe un groupe social objectivement constitué selon la *place* de ses membres dans le processus de *production*. Cette définition peut être dite objective parce qu'elle ne tient pas compte de la conscience des intéressés. Elle appelle un mode d'observation qui ne prend pas nécessairement en considération l'idée que les personnes se font de leur propre position sociale. Cette même définition établit un regroupement en fonction de la position que ces personnes occupent dans la division du travail. Elle tente de reconnaître qui, collectivement, à un stade historique donné, contrôle le capital, les moyens de production, l'exécution du travail, et qui en tire le produit, c'est-à-dire le revenu. Pas plus que la nation, la classe ne correspond à une réalité concrète, palpable. On n'a jamais vu et on ne verra jamais une classe sociale. On pourra voir ou en entendre des membres ou des représentants, mais jamais la classe elle-même. La classe, dans la tradition marxiste, ne saurait exister seule. Elle ne peut être conçue autrement que dans un rapport de lutte avec une autre classe. La présence d'une classe sociale s'établit en fonction de sa *position* dans un rapport de production ; cette position implique des intérêts propres à cette classe, qui la mettent en *conflit* avec d'autres. Dans la pensée marxiste, la division du travail est génératrice d'intérêts collectifs (de classes) en conflit. Classes et luttes de classes ont une existence concomitante : il n'y a pas de classes sans luttes de classes, la classe surgit dans la lutte. L'analyse marxiste pose les classes sociales en situation par rapport à d'autres. Elles doivent toujours, selon cette démarche, être mises en relation les unes avec les autres en termes de combats, d'alliances, de stratégies, etc. C'est cette lutte des classes qui fait l'histoire : la bourgeoisie renversant l'aristocratie, puis le prolétariat renversant la bourgeoisie...

Tout au long de ces antagonismes de classes successifs se développent des discours, des systèmes abstraits de défenses de classes que les marxistes désignent sous le nom d'idéologies. Celles-ci ont pour objet de légitimer la dominance d'une classe. D'origine économique, la supériorité d'une classe parvient alors à s'imposer au niveau idéologique et politique. L'exemple du capitalisme, selon la tradition marxiste, révèle combien la construction abstraite de l'État n'est qu'un instrument de la domination de la bourgeoisie, au nom de principes faussement universels. Au fond, l'État n'aurait pour toute utilité que d'assurer la pérennité du capitalisme selon les circonstances et les besoins d'une main-d'œuvre de plus en plus efficace. En d'autres mots, le personnel politique a pour fonction objective la défense à long terme du capital. Dans cette perspective, la classe dominante est en mesure d'imposer un projet de société qui correspond à ses propres intérêts. Cette vue très embrassante de la classe sociale a pour ambition de fournir une composante significative de l'évolution historique du monde.

Cette approche pose cependant deux problèmes, celui de ce qu'on appelle la conscience de classe et celui de l'identification des classes dans une conjoncture donnée.

Le problème de la conscience de classe a souvent divisé les marxistes, aussi bien les analystes que les militants. Il se présente dans les termes suivants : dans quelle mesure les membres d'une classe sociale doivent-ils être conscients d'y appartenir pour qu'on puisse affirmer qu'ils en sont ? En d'autres mots, un ouvrier spécialisé qui entretient des aspirations bourgeoises et croit aux bienfaits du capitalisme, peut-il être identifié à la classe prolétarienne ? Nous nous retrouvons ici plongés dans l'éternelle question des intérêts objectifs ou subjectifs.

L'analyste peut facilement engager une recherche en faisant *comme si* les acteurs qu'il observe se comportaient en conformité avec une certaine conception des intérêts de leur classe. Il s'agit alors d'une construction analytique qui peut être fort utile, mais qui n'a pas la prétention de cerner la réalité pour ce qu'elle est vraiment.

Le problème prend tout son sens auprès des activistes qui, organisant une quelconque action, doivent nécessairement évaluer le degré d'engagement de leurs troupes. Lénine, comme nous l'avons vu, estimait que les ouvriers, laissés à eux-mêmes, ne pouvaient atteindre la conscience révolutionnaire. Il leur fallait donc un parti, le Parti communiste, pour guider le prolétariat dans la poursuite d'une « politique juste ». Lénine considérait que Marx et Engels avaient été, de par leur situation sociale, des intellectuels bourgeois. On peut, évidemment, se poser la question : en vertu de quel principe des intellectuels bourgeois peuvent revendiquer une meilleure conscience des intérêts véritables de la classe ouvrière ?

C'est dans *Le 18 Brumaire de Louis Bonaparte* que Marx expose, en l'appliquant à la pratique, les règles d'identification des classes sociales. À cette occasion, il pose le problème de la conscience de classe, sans tout à fait le résoudre. Abordant la société française du milieu du XIXe siècle, il doit admettre l'importance prépondérante en nombre des paysans, mais ne peut leur accorder le statut de classe sociale dans le sens plein du terme. Les paysans de l'époque vivent isolés les uns des autres, dans une situation d'autarcie (autosuffisance) qui a pour effet, au yeux de Marx, de les marginaliser de la société. Dépourvus de liens sociaux et inconscients de la similitude de leurs intérêts, ils ne constituent pas une communauté comme telle, et, par le fait même, s'excluent des grands débats nationaux :

> Ainsi la grande masse de la nation française est constituée par une simple addition de grandeurs de même nom, à peu près de la même façon qu'un sac rempli de pommes de terre forme un sac de pommes de terre. (1969, p. 127.)

Selon Marx, la simple identité de situation sociale ne confère pas le caractère de classe sociale. Il faut, en plus, être conscient, collectivement, de ses intérêts communs (de classe) et avoir la volonté d'intervenir pour les défendre. Cependant, Marx pouvait difficilement affirmer que la très grande majorité des Français n'appartenaient à aucune classe sociale. Il se voit donc obligé de reconnaître que leurs conditions d'existence similaires, leur mode de vie et leurs intérêts communs les mettent en opposition objective avec d'autres classes, et que dans cette mesure, les paysans forment une classe. On voit ici les problèmes que soulève la notion de conscience de classe. On peut difficilement s'en passer, mais lorsqu'on la fait sienne, elle décuple les obstacles.

Certains auteurs comme Alain Touraine (1973, p. 167) considèrent que la conscience de classe n'a finalement pas à être réflexive ou claire. Souvent cachée, « aliénée », elle se révèle, selon lui, par des conduites communes qui traduisent la conscience d'une certaine position sociale plus ou moins bien définie. Suivant Touraine, les acteurs n'ont pas à percevoir leur situation en termes d'opposition de classes. Une simple perception d'identité commune devrait suffire.

Le second problème, celui de l'identification des classes dans une conjoncture donnée, appelle une distinction. Il faut savoir que les écrits de Marx les abordent de deux manières bien différentes, selon l'objectif poursuivi. Le Marx du *Capital* s'intéresse presque exclusivement à l'aspect théorique du phénomène observé. Il essaie de dégager, dans l'abstrait, les ressorts du capitalisme. À cette fin, il propose la notion de mode de production qui peut être, entre autres, féodal, capitaliste, socialiste ou encore communiste, selon le degré d'avancement d'une société. Ce sont là des constructions idéales qui permettent de poser, en principe, un nombre bien défini de composantes. On ne doit donc pas s'étonner de ne retrouver qu'un nombre limité de classes dans ce développement théorique. Marx y privilégie la bourgeoisie et le prolétariat parce qu'ils suffisent à sa démonstration.

Le 18 Brumaire, au contraire, a pour objectif d'aborder ce que les marxistes appellent une *formation sociale*, c'est-à-dire une société globale historiquement située, comme c'est le cas ici : la France du milieu du XIXe siècle. L'observation se veut alors plus concrète, elle tente d'identifier l'action des classes sociales en tenant compte d'abord de leurs intérêts, de leurs stratégies, puis, ce faisant, de leur diversité.

Depuis Marx, la réalité sociale s'est modifiée. À son époque, la société apparaissait naturellement étagée. Aristocrates, bourgeois, ouvriers, paysans étaient faciles à reconnaître. Déjà, cependant, les couches ou les classes moyennes l'étaient un peu moins. Le temps devait les voir augmenter en nombre et susciter de nouveaux problèmes. Chaque génération de marxistes est porteuse d'une nouvelle lecture des classes sociales. Cette adaptation constante est compréhensible puisque l'état même des classes sociales évolue et sollicite, par le fait même, une interprétation correspondante. Il faut dire que la problématique marxiste est un peu mise à mal par la proportion déclinante de la population ouvrière dans le monde du travail. Les analystes sont en quelque sorte mis en demeure de fournir des réponses à des problèmes que Marx n'avait pas pu prévoir. La ou les classes moyennes, qui étaient censées s'estomper, se sont au contraire imposées. Cependant, la notion même de classes moyennes est trop fluide et ambiguë pour offrir une quelconque prise théorique.

Des auteurs plus récents se sont attachés à rendre compte de cette nouvelle réalité propre au capitalisme avancé. Nicos Poulantzas (1974), théoricien dans la mouvance du marxisme de Louis Althusser, a tenté de situer ces agents salariés non ouvriers qui croissent en nombre et en diversité. Appelés « col blancs » ou « tertiaires », ils peuvent appartenir aux bureaucraties publiques comme privées, c'est-à-dire à l'État comme à la grande entreprise, ou encore au secteur commercial comme les « employés de commerce », vendeurs dans les grands magasins. On y retrouve à la fois l'ingénieur, le technicien, le petit instituteur, l'infirmier, etc. Cette nouvelle petite-bourgeoisie vient s'adjoindre à l'autre petite-bourgeoisie, traditionnelle et déclinante, celle des petits propriétaires, des petits commerçants et artisans. Il n'est évidemment pas question de rassembler ces acteurs dans un tout confondu.

Poulantzas fait observer, au départ, que s'il y a accroissement de la petite-bourgeoisie dans les économies plus développées, il y a également une augmentation de la classe ouvrière, si on tient compte, comme on devrait le faire, de l'ensemble de la division internationale du travail (1974, p. 321). Il importe néanmoins, pour l'auteur, d'établir un ordre de rendement de cette nouvelle petite-bourgeoisie. Dans son esprit, la polarisation occasionnée par la lutte de classes entre la bourgeoisie et le prolétariat demeure intacte. Il s'agit, dans ces conditions, de parvenir à situer les diverses « fractions » de la petite-bourgeoisie en fonction des intérêts dont elles se rapprochent le plus. Ainsi, de par l'exploitation dont elles feraient l'objet, les institutrices, les infirmières et les vendeuses des grands magasins se trouvent polarisées vers la classe ouvrière tout en n'y appartenant pas (1974, p. 337). Les alliances sont, par contre, toujours possibles entre ces fractions et le prolétariat.

Cette petite-bourgeoisie en accroissement absolu et relatif demeure néanmoins un problème pour l'école marxiste. Erik Olin Wright (1979) a tenté, à la suite de Poulantzas, de reconnaître dans la nouvelle petite-bourgeoisie un clivage entre les contrôleurs et les non-contrôleurs, clivage qui se situe à l'intérieur des appareils économiques, idéologiques et politiques d'une société. Il a, par la suite, modifié sa perspective au point d'y intégrer des éléments que d'aucuns ont assimilés à la pensée de Max Weber.

Il est à noter qu'un bon nombre d'analystes anglo-saxons contemporains ont tendance à puiser leur inspiration, en la matière, chez Max Weber. Celui-ci représente une tout autre option épistémologique, mais permet à certains marxistes un assouplissement de la position orthodoxe dans l'explication des aspects d'influence et de contrôle qui ne sont pas étroitement liés à la pratique économique.

Max Weber et les classes sociales

L'apport de Max Weber est important dans le débat sur les classes sociales, même si sa contribution, comme il lui arrive souvent, ne correspond qu'à un développement de quelques pages sur la question. C'est ainsi qu'un court exposé dans *Économie et société* pose les jalons d'un aperçu à trois niveaux : la classe, le statut et le parti.

Il ne faut jamais oublier que Weber a souvent Marx comme interlocuteur imaginaire. Bon nombre de ses propos se veulent des répliques au réductionnisme économique de Marx. Si, pour ce dernier, les conditions de production déterminent, pour une large part, la nature des rapports sociaux, pour Weber l'économie a certes une influence, mais il y a d'autres facteurs qui peuvent intervenir, comme la culture (dont la religion) et l'ensemble des conditions du jeu politique.

Weber pose la classe au strict niveau économique : elle regroupe des individus qui, par leur position sur le marché, ont sensiblement les mêmes *chances* d'exercer une quelconque influence sur ce dernier. Cette définition se fonde sur la notion de pouvoir (comme l'entendait Weber, c'est-à-dire comme virtualité) assigné aux individus disposant des mêmes ressources sur le marché : propriétés, biens, capitaux ou encore leurs seuls bras. Le principal clivage sépare, à ses yeux, les possédants des non-possédants. Les uns disposent d'un pouvoir que leur confère la propriété, les autres ne peuvent offrir que les services de leur propre personne. Il n'y a pour lui conflit de classes que lorsque les individus qui les composent deviennent conscients de leur communauté d'intérêts.

Outre la classe, qui se pose au niveau économique, il y a le groupe de statut qui, lui, évolue au niveau social. Il s'agit alors d'une communauté de gens qui se reconnaissent entre eux comme participant au même style de vie, aux mêmes manières d'être et aux mêmes rituels. Le groupe fondé sur le statut fonctionne à l'honneur, au prestige et, bien sûr, au privilège. Il forme un cercle fermé avec ses conditions d'accès qui peuvent être la naissance, l'éducation, l'ethnie, etc. Ce sont des monopoles plus ou moins fermés. Classes et groupes de statuts sont distincts, mais peuvent se chevaucher. Ainsi l'interdit d'accès à un groupe de statut peut avoir pour conséquence l'inaccessibilité à certaines fonctions d'ordre économique. De même, mais dans l'autre direction, il faut souvent des moyens pour tenir un certain style de vie. La classe permet alors le maintien du statut, sans nécessairement en assurer l'accès à ceux qui ne l'ont pas déjà. Ceux-là seront rangés parmi les parvenus.

Enfin, Weber identifie un troisième niveau, proprement politique, celui du parti. Le terme doit être saisi dans le sens de regroupement à l'intérieur d'un ensemble en vue de faire prévaloir des intérêts, c'est un groupe structuré pour combattre et s'imposer. On trouvera des partis autant dans des associations qu'auprès des institutions étatiques. Leur rôle est déterminant dans l'établissement des politiques gouvernementales.

Comme on peut le constater, la perspective de Weber contribue à montrer un univers plus diversifié et plus complexe des inégalités sociales. Selon lui, il n'existe pas qu'une base, soit politique comme chez les machiavéliens, ou soit économique comme chez les marxistes de stricte obédience, mais également une base sociale qui affecte les deux autres. Le pouvoir, pour reprendre son expression, s'exerce de manière pluraliste, à divers niveaux des relations sociales.

La stratification sociale

Il est une manière encore plus éclatée d'apercevoir les inégalités sociales. La stratification sociale permet de ranger des individus ou des familles selon des catégories fort variables comme la profession, le revenu, l'éducation, la propriété, la famille et ses relations, l'ethnie, la race, la religion, le domicile, etc. Ces critères ou indices peuvent être traités séparément ou regroupés pour constituer un statut global qui correspond à l'appréciation faite par autrui de chacun des individus observés.

Ce mode d'observation se fonde sur un certain nombre de présupposés. Premièrement, il s'agit, comme nous venons de le mentionner, de l'appréciation par les *autres* de l'individu, appréciation qui dérive des valeurs propres à une collectivité. À cet égard, la démarche n'est pas étrangère à Max Weber. Deuxièmement, cette approche est implicitement atomiste. Les intéressés sont pris un à un pour constituer un spectre continu qui va du statut le plus bas au plus haut. Au lieu de partir d'une globalité, comme l'aurait fait Marx, l'analyste considère le tout à partir de ses unités. Troisièmement, c'est une façon tout à fait nominale d'analyser. Il revient à l'observateur d'établir, en fonction de ses besoins, la typologie de son choix. Les strates sont conçues pour les fins de l'étude en cours et ne servent pas à décrire une réalité identifiable comme telle. Ainsi on pourra découper un spectre en cinq strates : classe supérieure, moyenne supérieure, moyenne, moyenne inférieure et inférieure. Mais rien n'interdirait de la décomposer en six ou huit strates. Elles sont posées en fonction de fins strictement analytiques. Il peut arriver qu'elles soient perçues comme réelles, soit pour l'interrogé (si on lui en parle) quand il s'agit d'entrevues, soit même par l'analyste. On a constaté, dans le passé, que les Américains s'identifiaient massivement comme appartenant à la classe moyenne, alors que le long d'un spectre de cinq strates, cette catégorie ne peut contenir que 20 % d'une population. Quatrièmement, la notion même de stratification sociale renvoie, comme on a pu le constater, à une conception libérale de l'inégalité sociale. Les individus sont traités un à un. Et grâce à ce qu'on appelle la mobilité sociale, les individus sont appelés à se déplacer d'une strate à une autre, soit par mouvement ascendant, en améliorant leur statut, soit par mouvement descendant, en l'abaissant.

Les notions de stratification et de mobilité offrent l'avantage d'une grande plasticité analytique. Elles se prêtent aussi bien à des études très globales qu'à des analyses très pointues. Non seulement elles permettent une observation de la société globale aux plus petits villages, mais elles peuvent mettre en évidence les clivages sociaux entre races, ethnies, religions, professions, etc. Il y a même des études qui parlent de stratification en fonction du sexe et de l'âge.

L'étude par stratification a été l'occasion pour certains auteurs d'expliquer les inégalités sociales en termes fonctionnalistes. Ces inégalités, selon eux, correspondent à une évaluation partagée par l'ensemble d'une collectivité. Elles dériveraient des impératifs de la vie en société. En d'autres mots, les compensations et les avantages propres à chaque rôle varieraient selon les besoins de la société. Ils seraient plus élevés pour les tâches les plus importantes et les plus exigeantes à la fois. À chaque rôle peut être attribuée, selon cette école, une *fonction*. Il lui apparaît donc normal que les rôles plus importants soient rémunérés en conséquence. Il y aurait consensus, ou au moins un accord tacite dans l'ensemble de la société. Cette vision des inégalités sociales est dite consensuelle ou encore intégrative parce qu'elle les envisage comme favorables à la cohésion de la société comme telle. Ce faisant, elle se situe en opposition avec les visions conflictuelles qui sont celles des écoles élitistes et marxiste.

Il n'est pas dit que toutes les analyses sur la stratification sociale appartiennent à l'école fonctionnalo-intégrative. Celle-ci a d'ailleurs fait l'objet de vives critiques, la plus importante étant que l'explication fonctionnaliste ne peut-être ni démontrée ni infirmée parce qu'en vérité il est impossible d'évaluer le degré de fonctionnalité d'une action.

Ralf Dahrendorf a tenté dans un ouvrage remarqué, *Classes et conflits de classe dans la société industrielle* (1957), de contrer la vision consensuelle du fonctionnalisme. Son objectif était de renvoyer dos à dos le marxisme et le fonctionnalisme, en proposant une vision qui, inspirée de Weber, devait apporter un éclairage nouveau. Dahrendorf a voulu réintroduire la notion de conflit, mais en des termes qui se proposent de dépasser la conception marxiste des classes sociales.

Pour Dahrendorf, le conflit est partie prenante de la vie en société, il lui est inhérent. Et s'il y a conflit, c'est parce que, dans toute société, il existe des relations *d'autorité* qui se situent à divers niveaux de l'activité sociale : économique, étatique et autres. Le conflit ne saurait, à la manière de Marx, se concentrer en une lutte entre deux seules classes. Dahrendorf s'applique à démontrer combien l'évolution du capitalisme a conduit à une complexification des rapports sociaux, et, par le fait même, à une diversification de fonctions, de compétences, de responsabilités et de prestige à l'intérieur des deux classes qu'avait retenues Marx, à savoir la bourgeoisie et le prolétariat. Au caractère plutôt homogène et non qualifié qui était censé être le propre de la classe ouvrière, s'est substitué, selon l'auteur, une très grande diversité de qualifications pour des postes fort variés et plus exigeants que jadis. La hiérarchie plus poussée des responsabilités a eu pour effet de faire éclater l'homogénéité d'intérêts à l'intérieur même du prolétariat. Pour Dahrendorf les dissemblances de fonctions et d'intérêts tant dans la classe bourgeoise que dans la classe ouvrière témoignent d'un éclatement des formes qu'avait retenues Marx. Quant à la classe dite moyenne, elle n'aurait vraisemblablement jamais existé parce qu'éclatée avant même d'avoir vu le jour (1972, p. 58). Il s'agirait, aux yeux de Dahrendorf, d'un concept fourre-tout dépourvu d'intérêt analytique.

Le concept de classe est néanmoins retenu par Dahrendorf, mais pour désigner, cette fois, une situation commune de participation ou non à l'exercice de l'autorité. Le rapport d'inégalité ne se rapporte plus à la simple possession ou non de propriété privée, mais à l'exercice ou non de l'autorité dans un certain nombre de domaines (1972, p. 138). Les conflits sociaux sont suscités par « l'inégalité de pouvoir et d'autorité inhérente à l'organisation sociale » dans son ensemble (1972, p. 66). L'inégalité d'autorité dans le champ de l'économie se présente alors comme *un* cas parmi d'autres. La différenciation de statuts, selon Dahrendorf, n'est pas près de disparaître. Il y a toujours des avantages de tous ordres à accorder... (1972, p. 72). Si bien qu'il existera toujours des conflits autour de la répartition de l'autorité.

Dahrendorf fait par ailleurs remarquer que les conflits, lorsqu'ils se présentent, sont de plus en plus institutionnalisés. Les tribunaux, les corps législatifs et les négociations collectives contribuent, selon lui, à les encadrer et ainsi à empêcher les débordements sous forme de grèves ou de révolutions.

Le débat s'est en quelque sorte poursuivi avec *The Class Structure of the Advanced Societies* (1973) d'Anthony Giddens qui, à l'encontre de Dahrendorf, a proposé de revenir au marché comme endroit de localisation des classes sociales. S'inspirant à la fois de Weber et de Marx, il envisage celles-ci en termes de capacités qui, en régime capitaliste avancé, sont de trois ordres : 1) la propriété des moyens de production ; 2) la possession de qualifications dérivant d'une formation universitaire ou technique ; et 3) une force de travail manuel (1973, p. 107). Ces trois se trouvent toujours réunis en une *structure* de classe qui forcément varie d'une société à une autre, elle est fonction du degré de fermeture qui empêche la mobilité d'une classe à une autre. Dans ce cas-ci, la classe moyenne a une place spécifique et intégrée à la dynamique de l'ensemble, même si son rôle est rarement significatif dans les situations manifestes de conflit de classes (1973, p. 288). L'intention de Giddens est de remettre en évidence le rôle déterminant qui doit être dévolu au marché comme lieu de constitution du système de classes et, partant, de la structure sociale en société capitaliste. C'est, poursuit-il, par ce système que se maintiennent les rapports d'exploitation et de domination. Le parti pris normatif est ici assez évident.

Comme on l'a peut-être déjà constaté, ces diverses écoles, quoique très distinctes quant à leurs fondements épistémologiques, ne sont pas, en pratique, irréconciliables. Les auteurs plus récents puisent souvent chez l'une ou l'autre, retenant seulement certains aspects , si bien qu'on arrive à des recompositions inattendues où, par exemple, Marx côtoie Weber ou encore les élitistes.

Cela dit, la tension entre la vision conflictuelle et la vision intégrative des inégalités sociales n'est donc pas près de s'atténuer. Leur accroissement au cours des dernières années dans l'ensemble du monde occidental peut laisser présager d'acrimonieuses tensions.

Il est intéressant de noter, au passage, que la manière d'aborder les inégalités sociales renvoie logiquement aux grands débats sociologiques sur la nature de la société. Pour les uns, la société est le fruit de la coopération entre les humains ; pour les autres, elle est plutôt le produit de la domination de certains groupes sur d'autres. Les uns perçoivent les rapports sociaux en termes d'harmonie, les autres, en termes de conflit. Ce choix relève d'une option épistémologique à laquelle le sociologue ne peut se soustraire.

Dans la mesure où la science politique reconnaît au moins le caractère conflictuel propre à la prise des décisions collectives, il y a lieu d'aborder le discours dont se servent les parties pour légitimer leur action : l'idéologie.

Bibliographie

CHERKAOUI, Mohamed, 1992. « Stratification », *in* Raymond BOUDON, *Traité de sociologie,* Paris, Presses Universitaires de France, p. 97-152.

DAHRENDORF, Ralf, 1972 (1957). *Classes et conflits de classes dans la société industrielle,* Paris, Mouton.

GIDDENS, Anthony, 1973. *The Class Structure of the Advanced Societies,* Londres, Hutchinson University Library.

GRABB, Edward, 1990 (1984). *Theories of Social Inequality. Classical and Contemporary Perspectives,* 2e éd., Toronto, Holt, Rinehart and Winston.

HINDESS, Barry, 1987. *Politics and Class Analysis,* Oxford, Basil Blackwell.

MATRAS, Judah, 1984. *Social Inequality, Stratification and Mobility,* 2e éd., Englewood Cliffs (N.J.), Prentice Hall.

USEEM, Michael, 1984. *The Inner Circle : Large Corporations and the Rise of Business Political Activity in the U.S. and U.K.* Oxford, Oxford University Press.

WRIGHT, Erik Olin, 1979 (1978). *Class, Crisis and the State,* Londres, NLB.

Chapitre 6

Expression du conflit : l'idéologie

L'idée même d'idéologie est entourée d'une aura négative. Marx l'identifiait à la conscience fausse. Dans son esprit, elle participait du discours propre aux classes dominantes, dont l'objectif est d'occulter la vraie nature des rapports sociaux : l'idéologie laisse croire à l'harmonie dans la société alors qu'en réalité cette même société n'est que conflit. L'idéologie, dans cette tradition, répond à un impératif de dissimulation pour légitimer un ordre social d'exploitation.

Plus récemment, le libéralisme, surtout américain, a vu également l'idéologie en termes péjoratifs. On la ramène à une forme de simplification intellectuelle à l'intention de ceux qui n'ont ni la capacité ni le temps de s'arrêter à la complexité des choses. Pour certains politologues, comme Almond et Powell (1966, p. 61), l'idéologie est un mode de pensée révolu ; il correspond, selon eux, à un refus d'accepter l'esprit de marchandage (*bargaining*) et de négociation propre à l'ère moderne séculière. Déjà, dans les années 1950, certains sociologues avaient sonné le glas des idéologies : la démocratie libérale, avaient-ils déclaré, ne connaîtrait plus de grands clivages idéologiques.

De droite ou de gauche, la critique de l'idéologie s'applique à mettre en relief son contenu irréel et indésirable. Bref, l'idéologie a mauvaise presse. Il en est cependant de ce concept comme de tant d'autres. Son usage peut être utile dans la mesure où on le dépouille de son acception négative. Nous pourrions toujours choisir un autre terme, mais plutôt que de créer un néologisme de plus, il nous apparaît préférable de le retenir en lui assignant un sens tout à fait neutre, c'est-à-dire sans parti pris sur le bien-fondé de ses représentations.

L'**idéologie** correspond à un **projet** collectif de société. C'est *un ensemble de signes et de symboles destiné à légitimer un certain ordre social*. Nous disons qu'il s'agit d'un projet collectif pour bien démarquer l'idéologie de l'œuvre du penseur ou du philosophe pris isolément ; elle est l'expression d'un groupe et non d'un individu. Nous disons également que l'idéologie est constituée de signes et de symboles, car elle peut aussi bien s'exprimer par un discours systématique (oral ou écrit) que par de la musique, des représentations et des manifestations de tous ordres.

L'idéologie apparaît en Occident au moment où on commence à penser qu'il serait possible de modifier l'ordre social. Il n'est pas question par exemple au Moyen Âge de réorganiser la société. L'idée même de *légiférer*, de faire de toutes pièces une loi, lui est presque étrangère. L'organisation de la société se fonde, à cette époque, sur des règles largement imposées par la tradition. L'exercice de l'autorité consiste surtout à l'interpréter, et le roi est le juge ultime. C'est avec les temps modernes que s'insinue l'idée, tout à fait novatrice, d'intervenir systématiquement dans le fonctionnement de la société. L'idéologie surgit au moment où l'État s'impose comme entité autonome et séculière, émancipé de la tradition et de la religion. Auparavant, le discours social relevait de la culture, donc de la tradition. Avec l'avènement de la pensée moderne séculière, ce discours trouve son ancrage dans la *raison*. L'idéologie est un produit de la raison qui propose une construction de la société à partir d'une conception de ce que doivent être les rapports sociaux. Elle est normative de par la nature même de son discours qui propose de nouvelles règles de justice.

Il ne serait pas indiqué, dans le cadre de cet ouvrage, de tenter d'inventorier toutes les idéologies qui ont cours ou qui ont eu cours. L'exercice serait trop long et ne serait pas plus éclairant pour autant. Jusqu'à tout récemment, il était possible de présenter les idéologies selon un spectre continu qui les abordait de gauche à droite, ou inversement. On pouvait commencer par les formes dites les plus à gauche, en passant par le communisme, le socialisme, puis parler du libéralisme, qu'on situait plus ou moins au centre ou au centre droit, pour atteindre, à droite, le conservatisme, le monarchisme et finalement le fascisme. Déjà, on se rendait compte des problèmes analytiques que posait une telle simplification : certains libéraux défendent des idées très conservatrices, alors que d'autres sont prêts à des audaces (comme la libéralisation de la drogue) que des communistes pourraient refuser, tout comme le totalitarisme du communisme et du fascisme fait jusqu'à un certain point se rejoindre ces deux idéologies.

Plutôt que de répertorier la totalité des idéologies possibles, il est préférable de retenir celles qui sont les plus représentatives. Le critère de sélection généralement retenu repose à la fois sur le caractère plus élaboré de leur construction théorique et sur le degré d'audience qu'elles parviennent ou sont parvenues à atteindre. C'est pour ces raisons que s'impose le *libéralisme* : première idéologie à s'être manifestée en Occident, elle demeure plus que jamais le discours dominant. En réaction, le *fascisme* et le *communisme* ont mobilisé des foules, contribuant, de la sorte, à légitimer des guerres et des révolutions qui ont marqué le XXe siècle. Cependant que, mise en évidence à la faveur de l'après-guerre, la *social-démocratie* a connu son heure de gloire avec l'édification de l'État-providence. Nous les traiterons dans ce même ordre, tout en tenant compte, en réalité, de leur présence concomitante.

Le libéralisme

Qu'on soit favorable ou non au libéralisme, force est de reconnaître, outre sa longévité, la qualité de ses assises philosophiques et sa fécondité théorique. Ses fondements sont résolument philosophiques, ils vont puiser chez John Locke, Jeremy Bentham, John Stuart Mill, et chez des penseurs comme Montesquieu et Alexis de Tocqueville, pour ne nommer que quelques classiques. Le libéralisme s'amorce à partir de la fin du XVIIe siècle, se définit au cours des deux siècles suivants, puis connaît des prolongements multiples au XXe siècle. Comme toute idéologie, le libéralisme se décline au pluriel. Il en existe plusieurs expressions. Entre Locke qui revendique pour la personne des droits naturels et Bentham qui les récuse, il y a deux univers où l'idée d'autorité n'a pas la même signification. Le libéralisme recouvre, dès ses débuts, une diversité d'options. Il ouvrira tout autant la voie à des formes innovatrices, comme l'État-providence, qu'à des formes figées comme l'anti-étatisme radical de Herbert Spencer. Et le débat perdure aujourd'hui entre les tenants d'un libéralisme bien tempéré et les tenants d'un libéralisme intégral. Les premiers se réclament d'un certain réalisme, les seconds de la logique la plus pure et parfois la plus dure.

Le recours au profil hypothétique est de rigueur dans l'analyse de toute idéologie. Discours collectif, l'idéologie ne peut être saisie que par une construction de l'observateur, car elle est multiple de par sa nature. S'il est impossible d'en dégager l'essence ou la structure unique, on peut toutefois en faire une reconstitution tout à fait hypothétique à partir d'un certain nombre de traits caractéristiques.

À l'instar de toute idéologie, le libéralisme est historiquement situé. Il vient, dans le temps, consacrer la légitimité de l'individu posée plus tôt par la Renaissance et la Réforme. La Renaissance marque déjà l'émergence de l'individualité comme valeur première. Le Prince de Machiavel incarne le personnage exceptionnel qui sait s'imposer. C'est la période des grands souverains : Charles Quint, François Ier, Henri VIII. Le tableau, par le portrait, souvent en pied, célèbre les individualités fortes et imposantes. Et pour marquer eux-mêmes leur griffe, désormais les artistes signent leurs œuvres. Bref, la Renaissance, avec la fin du Moyen Âge qui la précède, amorce l'exaltation de l'individu, même si, à ce stade, on s'en tient aux figures remarquables.

Avec le protestantisme, la conscience individuelle est mise à contribution. Ce ne sont plus seulement les grands et les célèbres qui sont appelés, mais l'ensemble des humains. (C'est dans les sociétés de tradition protestante que sont apparus et se sont maintenus avec le plus de vigueur les mouvements féministes : la femme comme l'homme ont même statut de personne.) La Réforme parle volontiers du sacerdoce des fidèles.

Le libéralisme fonde son discours sur la valeur absolue de l'individu qui constitue une fin en soi. Il introduit, ce faisant, une démarche d'observation qu'on appelle individualiste ou atomiste. La personne humaine devient, à la fois, la référence première et ultime. La démarche est élaborée en fonction de l'individu : de sa nature, de ses aspirations. Elle s'appuie d'ailleurs sur une conception bien arrêtée de la nature humaine. On peut voir ici l'idée dérivée de la physique invariante de Newton où la nature est ordre et régularité. Ainsi croit-on qu'il doit en être de la personne humaine, puisqu'elle participe de cette nature ; elle a des propriétés qui ne peuvent être que les mêmes auprès de tous les individus. Le libéralisme affirme ou postule, selon les auteurs, une propension naturelle des humains à rechercher leur plus grand agrément et, par voie de conséquence, à éviter le moindre déplaisir. On dira alors qu'ils poursuivent leur intérêt personnel (*self interest*) et leur intérêt pouvant aller jusqu'à tirer plaisir du plaisir des autres. Poussé à l'extrême, le principe de l'intérêt risque de conduire à un raisonnement circulaire ou redondant : toute action sera voulue par son auteur parce qu'elle va de son intérêt, et elle sera de son intérêt parce qu'elle est voulue par lui...

À ce caractère intéressé de l'individu, les libéraux couplent la faculté d'agir rationnellement, ou, plus spécifiquement, de faire des choix réfléchis à partir de calculs ou de délibérations. La raison de l'acteur est appelée à mesurer et à comparer le degré de plaisir ou de souffrance que procure une situation, de même que le coût des moyens pour la susciter ou, au contraire, pour l'éviter.

À partir de fondements épistémologiques très simples, cette démarche de l'acteur rationnel a donné lieu, par la suite, à des formalisations théoriques poussées qui alimentent encore les sciences économiques et l'école dite des choix rationnels, en science politique.

Cette option résolument tournée vers l'individu comme seule référence amène la pensée libérale à réduire la société à une agrégation de personnes. L'individu se présente comme seule donnée *naturelle*, alors que la société prend la forme d'un produit *artificiel*, d'un instrument voulu par les humains pour favoriser leur épanouissement. Cette lecture de la société conduit à affirmer que l'individu est *antérieur* au fait d'être avec ses semblables. John Stuart Mill est catégorique dans son *System of Logic* (livre VI, chap. VII) : le fait d'être ensemble ne crée aucune propriété qui ne puisse être dérivée des lois qui régissent les individus eux-mêmes.

On voit donc que le libéralisme conçoit la raison d'être de la société et de l'autorité qui la chapeaute, l'État, comme un simple moyen au service de l'individu. Cette option assigne des droits aux personnes, droits qui deviennent, en retour, des devoirs pour l'État.

Il revient à Locke d'avoir résumé en trois mots, presque un slogan, les droits du citoyen : la vie, la liberté et la propriété. Nous devrions ajouter : et surtout la propriété... car elle était sa première préoccupation ; préoccupation, à son époque, fort partagée. La propriété était alors légitimée comme fruit du labeur et incitation au travail. Dans l'esprit de Locke, la protection de la propriété inclut la propriété de soi, et constitue, dès lors, la fin même de tout gouvernement. Plus tard, au fil des générations, ces droits se préciseront : liberté de conscience, liberté d'expression, liberté d'association, entre autres. Il faut dire que Locke lui-même s'était déjà prononcé sur l'importance de la tolérance.

C'est avec le libéralisme que l'État est reconnu comme autorité souveraine. Il l'est certes au plan juridique : toute législation lui est possible en théorie, mais, en pratique, la pensée libérale entretiendra une constante méfiance envers lui. La situation du libéral classique est un peu paradoxale : il a besoin de l'État, mais il le craint à la fois ; il lui faut une autorité souveraine pour maintenir l'ordre dans la société, mais il en appréhende les conséquences possibles. Adam Smith (1723-1790) assignait au souverain trois ordres de fonctions, sans plus : 1) la protection des sujets contre la violence externe ; 2) la protection contre l'injustice ou l'oppression des citoyens entre eux, c'est-à-dire contre la violence interne ; et 3) l'exécution d'entreprises publiques qui ne pourraient être réalisées autrement, comme la construction des routes, l'émission de la monnaie, le service des postes, et, dans une certaine mesure, une forme d'éducation, non exclusive, pour contrer la superstition des masses. On retrouve ici, en excluant l'éducation, ce qu'il est convenu d'appeler l'État régalien : un certain nombre de services perçus comme indispensables au fonctionnement normal d'une société. Herbert Spencer (1820-1903) était encore plus restrictif : il estimait qu'au moment où l'État dépasse son rôle de protecteur du citoyen, il devient oppresseur. Cette conception assigne à l'État une fonction strictement négative : il empêche certaines actions, il n'en assume aucune. Il ne voit qu'à la sécurité des citoyens et au respect des contrats passés entre eux. Dans cette perspective, n'importe quelle intervention de l'État en faveur des faibles et des démunis équivaut à du paternalisme, et a pour effet de saper l'esprit d'initiative et de débrouillardise.

Toute une école soutient, de nos jours, que bon nombre de services communément dévolus à l'État, comme la police, les pompiers, les postes et autres monopoles, pourraient être plus efficacement assurés s'ils étaient confiés à des particuliers mis en situation de concurrence. Il existe un courant libertaire qui prône un dégagement quasi complet de l'État dans ses rapports avec la société.

Il faut dire que si tout aménagement d'autorité dans la société apparaît, aux yeux des libéraux, comme une construction artificielle (en opposition avec le caractère naturel de l'être humain), le marché, c'est-à-dire la libre concurrence, participe, lui, de la nature des choses. Dans la mesure où l'État n'intervient pas dans son fonctionnement, le marché, laissé à lui-même, s'ajuste, dit-on, tout spontanément, fournissant à l'ensemble un mieux-être qu'aucune intervention humaine ne peut parvenir à réaliser. C'est, pour reprendre l'expression d'Adam Smith, une main invisible qui intervient et fait que chacun en poursuivant son intérêt propre pourvoit à l'intérêt général.

On ne saurait cependant affirmer que le libéralisme est toujours hostile à l'État interventionniste. Il est vrai que la tendance actuelle renoue avec les formes plus classiques gagnées à l'idée de l'État minimal. L'importance accordée à l'individu comme tel a conduit, dès le XIXe siècle, à s'interroger sur les meilleures conditions de son épanouissement. Et c'est ainsi qu'on en est venu à considérer que l'État se devait d'intervenir pour maintenir un certain seuil considéré minimal des conditions de vie et des chances de réussite. Le travaillisme britannique dérive largement de ce libéralisme à préoccupations sociales. Il y a là toute une conception de la dignité humaine que n'aurait pu partager, par exemple, Spencer. Voici une variation parmi d'autres qui contribue à diversifier les formes que peut adopter le libéralisme.

Il en est de même de l'organisation des institutions étatiques. Y a-t-il lieu de rappeler que le libéralisme est né en opposition au régime monarchiste ? Il s'est d'abord élevé contre l'absolutisme royal, et, en contrepartie, a proposé ce qu'on convient d'appeler la démocratie. Puisque la démocratie, à l'état pur, n'existe que comme utopie, il faut toujours la regarder comme une construction. Il est intéressant, dans ce cas-ci, de constater la variété des règles que les divers libéralismes proposent.

Le principe en vertu duquel les gouvernants sont désignés par les gouvernés (majeurs) fait l'unanimité, en tout cas pour le moment. De même celui qui reconnaît l'État de droit, selon lequel la loi doit être adoptée et appliquée d'après des règles reconnues, quel que soit le statut social des personnes en cause. Quant au reste, les différences sont nombreuses.

Comme il peut donner des résultats fort variables, le mode de scrutin demeure un sujet d'âpres débats. Entre le scrutin uninominal à un tour et la représentation proportionnelle, il y a toute une différence de dynamique électorale et de conséquences dans la représentation des intérêts. Nous aurons l'occasion d'y revenir.

La différence est encore plus notable entre, d'une part, le parlementarisme à l'anglaise où la règle de la majorité permet, dans la plupart des cas, l'émergence d'un gouvernement stable, et, d'autre part, la séparation des pouvoirs à l'américaine où l'exécutif, le législatif et le judiciaire s'engagent dans un jeu de poids et contrepoids. Dans le premier cas, la règle du jeu répond aux impératifs d'un libéralisme à la manière de Bentham où la majorité doit satisfaire, comme il le dit, le plus grand bien du plus grand nombre. Dans le second cas, il est prévu, pour reprendre les termes de Montesquieu, que le pouvoir arrête le pouvoir. Conçu de manière à contrer tout monopole d'autorité, si fugace soit-il, le système américain fonctionne à la fragmentation de l'autorité : outre la séparation des pouvoirs, le fédéralisme, par un partage des compétences avec les cinquante États et une égale représentation de ceux-ci au Sénat, vient alourdir et complexifier la prise de décision. Ce système correspond à un libéralisme plus inquiet que le premier : il tente de rendre toute concentration de contrôles irréalisable.

Autre dispositif de freinage, les chartes de droits et libertés consignées de manière presque immuable dans les constitutions ont pour objectif de baliser, pour un avenir indéfini, l'aire d'intervention des gouvernements futurs. Introduite par les Américains il y a plus de deux cents ans, l'idée a été reprise en France avec la Déclaration des droits de l'homme (1789) qu'on retrouve parfois dans les constitutions ultérieures, mais, cette fois, sans avoir vraiment force de loi. Ce n'est que tout récemment, avec le retour en force du libéralisme classique, qu'a refait surface cette intention de se prémunir pour l'avenir. Il s'agit, pour le moins, d'une conception arrêtée des droits et libertés. C'est une manière de poser une fois pour toutes la nature des rapports entre gouvernants et gouvernés, et entre gouvernés eux-mêmes. On peut parler ici d'une vision anhistorique (hors de l'histoire) et pessimiste de l'avenir. Quoique triomphant, le libéralisme actuel a tendance à vouloir revenir à ses principes d'origine et les entériner dans des textes définitifs. La constitution canadienne a été dotée d'une telle charte en 1982. L'idée fait son chemin tant en Grande-Bretagne qu'en France.

Si le libéralisme apparaît aujourd'hui comme le mode de pensée dominant, il ne continue pas moins d'offrir une variété de perspectives qui en font d'ailleurs la richesse.

La théorie des choix rationnels appelée également individualisme méthodologique a rallié autour d'elle toute une école qui connaît elle-même des ramifications. Amorcé dans les années 1950, l'individualisme méthodologique s'est imposé progressivement en science politique. Nous aurons l'occasion, au moment opportun, d'aborder les apports d'Anthony Downs sur la logique respective des électeurs et des candidats lors de scrutins, de Mancur Olson sur l'action collective, et d'autres, plus récents, sur les règles institutionnelles. Inspirée de l'économie, cette démarche donne souvent lieu à des formalisations de plus en plus poussées et, par le fait même, moins accessibles. Néanmoins, il existe des ouvrages, comme ceux de Jon Elster, qui rendent bien compte des derniers développements tout en étant d'une lecture relativement facile. Nous avons à l'esprit *Nuts and Bolts for the Social Sciences* (1989) entre autres. Les travaux de Raymond Boudon, *Effets pervers et ordre social* (1977) et la *Place du désordre* (1984) s'inscrivent dans la même tradition. Chez Boudon, c'est une constante polémique avec la sociologie englobante de Marx et de Durkheim, qui traduit bien une opposition toute libérale.

Si on peut affirmer que l'individualisme méthodologique, et surtout l'école dite du *public choice*, s'inspire du patrimoine utilitariste légué par David Hume, Adam Smith, Jeremy Bentham et John Stuart Mill, où la morale est définie par son utilité (vue dans son sens large), d'autres auteurs, des philosophes, proposent un retour à la raison comme législatrice de la justice. John Rawls tente de dépasser la logique utilitaire qui voit le sentiment comme base de la morale, et opte pour une visée dans la perspective de Kant, où la justice est instituée par la raison dégagée des contingences de fortune, de classes ou d'autres intérêts. Il est amené dans un ouvrage important, *Théorie de la justice* (1971), à développer l'idée d'une raison hypothétique, antérieure au contrat social, capable d'instituer dans l'abstrait des principes de justice. Ceux-ci dérivent selon Rawls d'un choix rationnel, mais dans des conditions tout à fait idéales. Tandis que David Gauthier, dans un livre également remarqué, *Morals by Agreement* (1986), reprend la même intention rationnelle, mais cette fois en tenant compte de la situation réelle des acteurs en présence. Selon lui, il existe des principes strictement rationnels et impartiaux qui président aux décisions que les acteurs prennent dans la poursuite de leurs intérêts respectifs. Ce sont des contraintes morales, rationnellement établies, qui permettent la maximalisation de tous les intérêts en présence. Pour les besoins de sa thèse, Gauthier met à contribution les apports de la théorie des jeux (le dilemme du prisonnier) et autres constructions formelles qui étayent sa démonstration sur le caractère au moins implicitement contractuel de la morale. Les travaux de Rawls et Gauthier ont contribué à relancer la discussion sur l'éthique en fonction de préoccupations foncièrement libérales.

En contrepartie, toute une école de pensée qui se réclame d'une vision *communautaire* s'est appliquée, depuis les années 1980, à mettre en cause les fondements et les conséquences du discours libéral. Ils font valoir qu'au strict point de vue de la méthode, ce discours erre puisqu'il crée de toutes pièces un individu abstrait. Dans la réalité, soutiennent les communautaristes, la personne ne peut être considérée en dehors de son *appartenance* sociale, sinon elle est réduite à n'être qu'un objet fictif ou artificiel. Par voie de conséquence, ajoutent-ils, cette conception de l'individu conduit à faire fi du caractère désirable de la communauté et de l'idée de bien commun. Charles Taylor, Alasdair MacIntyre et Will Kymlicka, chacun à sa manière, sont représentatifs de cette école qui tente d'élargir la perspective en dépassant l'atomisme du libéralisme.

Nous sommes en mesure, au terme de cette brève excursion, de saisir la diversité de points de vue à laquelle le libéralisme a donné cours. Et le débat continue, mettant sur la touche certaines idéologies qui prennent aujourd'hui des allures surannées.

Le fascisme

Le fascisme comme tel n'offre, de nos jours, qu'un intérêt historique dans la mesure où il ne galvanise plus les grandes foules. Il est néanmoins impératif de le connaître parce que, sous d'autres formes, de manière plus sournoise, il peut toujours resurgir.

Le fascisme doit être d'abord compris comme une réaction radicale au libéralisme puis au communisme. Il s'oppose à l'individualisme, à la raison et à la démocratie. Dans son expression classique, le fascisme repose sur la fusion de l'individu dans la collectivité, au nom de la hiérarchie naturelle de la société. Il nie toute valeur à l'individu qui, lui, ne trouve son identité qu'en se fondant dans l'ensemble qui est tantôt la nation, tantôt l'État, ou encore l'ethnie ou la race. La société est alors assimilée à un organisme où chaque partie ou organe est hiérarchisé selon l'importance qu'on lui attribue dans le fonctionnement de l'ensemble. Seul un corps d'élite ayant à sa tête un chef comme le Duce ou le Führer est reconnu de par sa force et sa volonté à gouverner. Le fascisme n'attribue aux masses que des instincts que les dirigeants sont appelés à canaliser et à rassembler. La part d'intelligence dévolue aux gouvernants relève du calcul et de la prévoyance, mais n'est rien en regard de l'ardeur qu'ils doivent déployer dans l'action. Ainsi se trouve réalisée l'unité dite *organique* de l'ensemble.

Il faut bien comprendre que le fascisme, à l'instar de toute idéologie, offre une composante qui peut être séduisante pour certains. Ceux qui y adhèrent ne sont pas toujours en mesure de prévoir les conséquences de leur engagement. Le fascisme fait appel, à sa manière, à la générosité et à l'abnégation de ses membres. Il sollicite des dispositions qui sont en apparence élevées. Il propose une forme de don de soi qui représente toute une ascèse. Il y a là un aspect religieux, mystique même, qui, appliqué aux rapports en société, conduit à confier à quelques-uns ou à un seul l'exercice incontrôlé de l'autorité. Et davantage, il cautionne l'intervention systématique et arbitraire des acteurs étatiques dans tous les secteurs de la vie. Ce peut être au nom de l'État, de la nation, du parti, etc.

De par sa conception de la société, le fascisme est totalitaire. On dit qu'un régime est totalitaire lorsqu'il exerce son emprise sur l'ensemble (la totalité) des activités de ses sujets, qu'il abolit ou tente d'abolir toute notion de vie privée. La famille, l'école, l'Église, la commune, le syndicat, sont ramenés au statut d'organes de l'État ou du parti, tout comme les mass media et les groupes affectés aux divertissements ou à l'expression des arts et des lettres. L'univers totalitaire tente de pénétrer tous les rapports sociaux, au point, idéalement, de supprimer chez l'individu toute idée de pensée, de désir ou de volonté qui lui soit propre. L'encadrement par les groupes de jeunesse se propose d'assurer dès le jeune âge une assimilation intégrale aux valeurs communautaires du régime. Ce système de quadrillage intellectuel et moral doit parvenir à faire intérioriser par tous l'anéantissement de leur individualité. L'idéal c'est qu'ils ne pensent plus et soient soumis. L'opération doit conduire à l'atomisation des masses. À ce stade, l'individu, isolé de ses semblables, n'est censé connaître qu'un type de relation sociale : ses rapports avec l'autorité. Parler de masses, c'est parler de foules indifférenciées, d'ensembles où la personne humaine, dissoute dans le tout, est devenue réceptive à toutes les manipulations. Il ne reste plus de références familiales, amicales ou sociales qui permettent alors à l'individu de contrer l'influence massive en provenance des dirigeants. L'expérience a cependant démontré qu'en dépit d'une socialisation intensive et continue, la personnalité humaine n'était pas si facilement assujettie.

Pour renforcer cette adhésion totale à l'État, à la nation ou au parti, l'idéologie fasciste s'applique à susciter la présence réelle ou hypothétique d'ennemis. Le fascisme italien imaginait en esprit un état de guerre perpétuel afin de tenir constante la tension vers l'État comme entité de référence. Le nazisme pourchassait les Juifs en même temps qu'il revendiquait un agrandissement indéfini du territoire et une lutte aux races dites inférieures.

Le fascisme est foncièrement belliqueux. Son existence en dépend, puisqu'il se définit par et dans le combat. Il se veut conforme à une lecture de la nature selon laquelle celle-ci est une lutte constante des êtres pour leur survie : qui ne combat périt. Telle est, affirme-t-il, la loi des vivants, telle est censée être la loi des sociétés. À cette fin, on privilégie la jeunesse, elle est promesse de vitalité, et surtout une jeunesse combattante, les jeunes gens. La fonction de la femme dépasse rarement celui de la reproduction. Et pour encadrer cette jeunesse, on recourt à la milice, lieu d'endoctrinement et de dressage des esprits vers l'obéissance aveugle : chemises brunes (en Allemagne), chemises noires (en Italie).

Le fascisme, il ne faut donc pas s'en étonner, fonctionne à la violence et à la terreur. Pour le fasciste, il n'y a pas d'histoire, sinon des luttes éternellement recommencées. L'idée du progrès social par la raison qu'on trouve chez les libéraux classiques lui est étrangère.

Il y a plusieurs fascismes, celui de Mussolini n'a pas été celui d'Hitler qui fut foncièrement raciste, tout comme les propensions fascisantes de Franco et Salazar en Espagne et au Portugal ont été bien différentes. Et toute forme d'autoritarisme n'est pas automatiquement du fascisme. Il faut voir encore des possibilités de dosage ; un régime peut avoir des propensions fascisantes, ou avoir atteint certains stades dans cette voie. Cela dit, accuser tout régime autoritaire ou toute dictature de fascisme est une manière de méconnaître les prémisses les plus insidieuses de cette idéologie.

Toutes sortes d'interprétations ont été avancées pour expliquer l'avènement du fascisme. Certains y voient une pathologie que la psychologie sociale doit expliquer. D'autres, un produit de l'affaissement des valeurs morales traditionnelles. D'autres, enfin, un effet du capitalisme ou une révolte de la moyenne ou de la petite-bourgeoisie. De toutes les idéologies, le fascisme semble se prêter à une plus grande diversité d'interprétations qui contribue à rendre le phénomène mystérieux, en dépit du recul historique.

Le fascisme, en tant qu'idéologie, demeure une construction de l'esprit, donc rationnelle, en dépit de ses appels à l'irrationalité. Son interprétation des rapports sociaux est simpliste, de même que son argumentation. Il n'en demeure pas moins un projet, au même titre que les autres idéologies. Et comme elles, il rompt avec la tradition au profit d'un avenir totalement construit par les humains, même s'il fait appel à la présumée nature des choses. C'est, bien sûr, de toutes les idéologies, celle qui veut le plus taire la raison dans l'organisation de la société.

Contrairement au fascisme, le communisme, dans la tradition de Marx, se voudra fondé sur la raison, sinon la science, et posé en vue d'un dépassement historique du libéralisme.

Le communisme

Le communisme s'est voulu, dès ses origines, une réponse au libéralisme et plus spécifiquement à sa forme économique, le capitalisme. Il y a lieu de se rappeler que le communisme est antérieur au marxisme. Avant Marx, des auteurs comme Fourier et Proudhon, en France, s'étaient déjà imposés. C'est cette première tradition que Marx a tenté de contrer. Effectivement, sa pensée n'a eu une influence réelle en France que longtemps après sa mort. Il faudra presque attendre la IIIe Internationale (1919) pour la voir reconnue. Mais, à ce stade, il est déjà un peu trop tard, car l'œuvre de Marx sera aperçue en fonction de la lecture propre à Lénine.

Parler du communisme est toujours délicat puisque la référence à Marx est inévitable, même si elle ne lui rend pas nécessairement justice. Le marxisme, peut-on dire, est plus et moins que Marx. Il est plus que Marx, quand on se rapporte aux élaborations analytiques auxquelles son économie politique a donné lieu après lui. Il est moins que Marx, quand on considère une tradition exclusivement activiste à laquelle, au gré des besoins de mobilisation, se sont greffés des développements qui souvent le contredisent plutôt qu'ils ne le prolongent. Ses successeurs politiques ont souvent voulu, par le truchement de sa pensée, faire avancer une cause et prendre le pouvoir, sans se soucier pour autant des conséquences, ni de leur conformité avec les intentions du fondateur. Dans la trajectoire qui va de Marx en passant par Lénine et Staline jusqu'à Mao Zedong (exception faite de Gramsci et quelques autres), la réflexion s'assèche et se pétrifie. Contrairement au marxisme, le communisme marxiste-léniniste tel que l'ont développé les divers partis communistes, ne présente pas un intérêt théorique particulier. On se trouve surtout devant le succès de mobilisations opérées par des partis bien organisés et convaincus.

Le projet communiste est un projet généreux qui se propose d'abolir les formes fondamentales de l'exploitation par la propriété commune des moyens de production. L'agriculture comme l'industrie, le commerce et l'ensemble des services doivent se trouver soumis au contrôle de la collectivité. À son stade ultime, l'État est censé disparaître dans sa forme contraignante pour laisser place à une administration bienveillante qui verra à ce que chacun donne, en termes de travail, selon ses capacités, et, en retour, reçoive selon ses besoins.

Pour parvenir à ce stade, seul un parti bien organisé et des membres soumis peuvent permettre le passage de l'État capitaliste d'exploitation à la société sans classe. Dans cet esprit s'est élaborée une conception de plus en plus restrictive de la démocratie à l'intérieur des divers partis communistes, avec, bien sûr, un certain nombre de variantes. Lénine a conçu, dès le départ, la dynamique de son fonctionnement, en la résumant en deux mots : *centralisme démocratique*. Elle devait permettre l'expression des volontés de la base par le truchement de paliers successifs dans la hiérarchie du parti. Il était entendu que, après avoir entendu les vœux des membres, les dirigeants, au sommet, étaient appelés à trancher et à imposer, selon une discipline de fer, la politique du parti. Dans la pratique, il s'est agi d'un instrument efficace d'autorité où l'accent était mis sur le centralisme et la discipline.

Le communisme est rapidement devenu totalitaire de par son opposition, au niveau même des principes, à toute forme de contestation de son orthodoxie. Toute critique de la politique du parti par ses membres était immédiatement taxée de révisionnisme. Toute critique externe au parti était identifiée à l'idéologie bourgeoise ou réactionnaire. C'est ainsi qu'on en est vite venu à constituer un encadrement idéologique propice à la mobilisation permanente des membres. Elle se faisait par les rencontres fréquentes de cellules qui constituaient l'unité de base réduite où se retrouvaient quelques membres bien dirigés par leur secrétaire, représentant de la hiérarchie. On n'envisageait de se marier ou de faire vie commune qu'entre communistes. Le milieu de travail comme la vie familiale devaient être subordonnés aux exigences du parti. Les loisirs étaient littéralement organisés par le parti. En France, *L'Humanité* était le journal de référence, organe du parti. S'ajoutaient les associations sportives communistes, les fêtes, les kermesses, les pique-niques et même la vie littéraire, tous étroitement encadrés par le parti. Être communiste, dans le sens fort du terme, signifiait se soumettre non seulement aux décisions du parti, mais, davantage, à sa manière de penser le monde.

Il y a eu plusieurs communismes qui, à un moment donné, semblaient séduire une partie de l'Occident, comme l'Italie, la France, la Grèce, l'Espagne (avant Franco) et un bon nombre d'autres pays dans le monde. Au capitalisme largement représenté par les États-Unis s'opposait une conception qui prétendait le dépasser. Cette confrontation a présidé à ce qu'on a appelé la guerre froide. Puis s'est effondré le système imposé en Union soviétique et en Europe orientale. Avec cet échec, le communisme comme idéologie s'est comme inclinée devant le libéralisme, dans la mesure où c'est à celui-ci qu'on s'est adressé comme solution de rechange.

La social-démocratie

La social-démocratie, ou socialisme réformiste, constitue une idéologie distincte, mais aux composantes moins typées que les précédentes. Sans dire qu'elle se situe entre le libéralisme et le communisme, on doit reconnaître qu'elle puise auprès de l'un et de l'autre des traits qui lui confèrent un caractère hybride. Caractère qui lui attire périodiquement le sarcasme des idéologies mieux assises. Pour le communiste bon teint, la social-démocratie n'est qu'une forme de libéralisme bourgeois un peu amélioré, tandis que pour le libéral doctrinaire, elle n'est qu'un avatar adouci du communisme. Jugement excessif dans les deux cas, mais non dépourvu de tout fondement.

Dès l'origine, c'est-à-dire au cours de la première moitié du XIXe siècle, le socialisme s'est fondé sur une conception collectiviste du travail. C'est à ce premier stade qu'a pris forme l'idée d'une propriété commune des moyens de production, sans avoir nécessairement recours à l'État. Il est revenu au marxisme de prendre assez tôt la relève du mouvement en voie de formation, et de le doter d'un corps de doctrine résolument tourné vers le communisme révolutionnaire. Plus modérée, toute une tendance s'est simultanément affirmée en retrait du marxisme, sinon en opposition à celui-ci. C'est ainsi que, au début du XXe siècle, le socialisme se présente sous deux formes. D'une part, le communisme, axé sur une action révolutionnaire que la classe ouvrière est censée réaliser pour renverser le capitalisme au nom d'un idéal collectiviste ; d'autre part, la social-démocratie, tournée vers une réforme démocratique de la société dans son ensemble.

Les communistes ont eu, dès les débuts, l'avantage de disposer d'un corpus doctrinal unique et fondé sur la conviction qu'il s'agissait d'une interprétation rigoureusement scientifique du déroulement de l'histoire. En contrepartie, la pensée social-démocrate n'a jamais pu se réclamer d'un esprit fondateur de la trempe, par exemple, de Marx. Elle a pris forme à partir de mouvements dont les fondements ont varié d'un pays à un autre. Le terme même de social-démocratie vient d'ailleurs de la très vieille formation politique d'Allemagne dite *sozialdemokrat* qui, dans le passé, a eu à subir, en son sein, la tension entre communistes et réformistes. Si bien que parler de social-démocratie, c'est parler d'expériences diverses à propos desquelles on peut tenter néanmoins de dégager des traits communs.

Le trait fondamental qui caractérise ce socialisme, c'est sa préoccupation ouvertement morale. Alors que les marxistes-léninistes se réclament d'abord de la science, les sociaux-démocrates se revendiquent plus spontanément de la justice sociale, celle qui repose sur la dignité humaine comme critère de base. Ce socialisme affirme, de la sorte, une solidarité avec les plus humbles et les plus démunis, de même qu'une recherche d'égalité entre les humains. Son discours privilégie la solidarité entre humains plutôt que l'individu comme tel. Il s'adresse à l'ensemble des personnes désavantagées par l'organisation économique et politique de la société. On dit volontiers qu'en comparaison avec les libéraux, ces socialistes sont plus attachés à l'égalité et un peu moins à la liberté. Non seulement s'opposent-ils aux privilèges sous toutes leurs formes, mais aussi aux conditions économiques et sociales qui conduisent à une distribution inégale des revenus et à sa perpétuation. Ils tiendront longtemps le capitalisme en suspicion. Si bien qu'en France, par exemple, ils feront leur, pendant quelques décennies, le vocabulaire de la lutte des classes ; en cela, ils rejoindront la phraséologie marxiste, sans toutefois prôner la révolution violente. L'étatisation des moyens de production fera souvent partie de leurs programmes, mais sans remettre en cause la règle du jeu démocratique. On peut dès lors comprendre pourquoi les sociaux-démocrates auront à résoudre des tensions idéologiques consécutives à la composition hybride de leurs options.

L'idéologie social-démocrate s'est développée au sein de partis politiques qui se sont dits socialistes, comme en France ; travaillistes, comme en Grande-Bretagne ; ou franchement sociaux-démocrates, comme en Allemagne ou dans les pays scandinaves. Étant étroitement liée à ces formations politiques, la social-démocratie s'est trouvée à se définir en fonction d'impératifs stratégiques, impératifs souvent électoraux, propres à chaque société où elle a vu le jour. Ayant choisi la voie parlementaire pour accéder au pouvoir, à la différence des communistes qui privilégiaient la révolution, elle a dû s'adresser à un public d'électeurs qui débordait le cadre trop étroit de la classe ouvrière. La social-démocratie demeure donc tributaire des conditions politiques qui ont présidé à son émergence et à son maintien dans les pays où elle s'est installée. Elle sera bien différente en France et en Italie où, contrairement à la Grande-Bretagne, aux pays scandinaves et autres, elle n'entretiendra pas de rapports organiques avec un syndicat ouvrier. On parle volontiers en France de socialisme tout court, manière de se démarquer d'une social-démocratie parfois tenue pour trop modérée. Force est de reconnaître que, plus que les autres idéologies, la social-démocratie est multiforme. Il n'existe pas de modèle type de social-démocratie qui, de par son programme, la résumerait de manière intégrale, d'autant plus qu'avec le temps et l'expérience, les partis sociaux-démocrates ont adapté leurs programmes aux circonstances.

Marquée, dans ses débuts, par une aspiration plutôt collectiviste, la social-démocratie s'est d'abord définie par une intention bien arrêtée d'exercer un contrôle sur le fonctionnement du marché. À cette fin, elle a insisté sur l'importance d'une production rendue collective par l'appropriation étatique de secteurs de l'économie jugés stratégiques. C'est dans cet esprit qu'ont parfois été nationalisés des secteurs entiers comme les transports, l'électricité, les mines, la sidérurgie, les banques et autres industries ou services. Il s'agissait quand même d'une économie mixte, d'une économie où le secteur privé conserve un certain rôle en concurrence plus ou moins relative avec le secteur public. Sont venus se greffer à cet aménagement, des appareils gouvernementaux destinés à la planification de l'économie ; et cela, dans un certain esprit de partenariat avec les différentes composantes de la production : le patronat, le prolétariat et la paysannerie. Cette gestion concertée de l'économie se conciliait avec la régulation des cycles économiques que rendait envisageable la *Théorie générale* (1936) de John Maynard Keynes.

Toutes ces dispositions ont été conçues d'abord en fonction de la « classe laborieuse ». Comme on a pu le constater, la pensée social-démocrate s'est développée en ayant à l'esprit le sort réservé à cette classe, mais dans une perspective très large, qui dépassait de beaucoup les conditions de vie de tous les jours. On s'est néanmoins assuré, dans l'immédiat, de garantir la sécurité d'emploi ainsi que la sécurité au travail, une hausse des salaires, des congés payés et une humanisation des conditions générales de travail. L'objectif ultime dans ce domaine précis a été d'obtenir une participation des travailleurs à la gestion de l'entreprise.

Partant de la situation de l'ouvrier, la perspective s'est élargie pour embrasser un plus vaste public. De là est née l'idée de l'*État providence* (*welfare state*). La classe ouvrière demeure une référence, mais dans le cadre d'une vision agrandie à l'ensemble des citoyens, et, pourrait-on préciser, à l'ensemble des citoyens-électeurs et de leurs familles. L'État-providence, comme le terme l'évoque, consiste en une prise en charge des citoyens par l'État, et ce, comme on dit, du berceau à la tombe. Le programme vise, grosso modo, à assurer une qualité de vie par la garantie d'un appui financier aux diverses étapes de l'existence. Allocations familiales, garderies, établissements d'enseignement publics, assurance-maladie, congés de maternité ou de paternité, caisses de retraite, maisons pour personnes âgées, etc. font partie de cette vaste couverture conçue à l'intention de tous ; de là son caractère que l'on dit d'universalité.

Collectiviste et ouvriériste au début, la social-démocratie a intégré, avec le temps, certaines valeurs libérales qu'elle a poussées à leur logique ultime, en allant dans le sens d'une reconnaissance intégrale de la personne humaine. Une quête d'égalité et, cette fois, de plus grande liberté, l'a conduit à se porter à la défense des droits de la femme, des minorités ethniques et sexuelles. À cet égard, la social-démocratie se montre en constante recherche en vue de dépasser la justice sociale de son temps. Elle a parfois abandonné des volets entiers de son programme : qu'on pense à la vertu sacro-sainte qu'elle attribuait à l'entreprise nationalisée et qui est aujourd'hui oubliée. Il est vrai qu'un pays aussi social-démocrate que la Suède n'y a jamais totalement cru... Ce qui illustre le caractère évolutif et varié de cette idéologie.

En dépit de ses capacités d'adaptation, la social-démocratie doit aujourd'hui trouver de nouvelles solutions à un État-providence rendu onéreux aux yeux de bon nombre. Cet État qui naguère paraissait définitivement acquis est maintenant soumis à des assauts constants qui remettent en cause le principe même de son universalité. Ses adversaires s'empressent de sonner le glas, tandis que ses adeptes sont bien obligés de reconnaître la nécessité de certains réaménagements.

Et maintenant...

La fin du communisme marque, en apparence, la fin des grandes idéologies mobilisatrices. L'adoption du libéralisme économique (le capitalisme) prend l'allure d'un retour à la vraie nature des choses, si bien que l'intention de modifier ou encore d'organiser les rapports économiques apparaît comme une utopie. Les humains ne semblent plus appelés à faire leur histoire, mais à la subir. Notre ère se veut une ère de réalisme, ayant rompu avec l'idéalisme affirmé ou non des idéologies de masse.

Le libéralisme, le fascisme, le communisme et, à un degré moindre, la social-démocratie sont généralement présentés par les spécialistes comme des idéologies maîtresses. Il en existe cependant beaucoup d'autres comme le conservatisme qui peut devenir réactionnaire, à la manière de l'ultra-monarchisme ; ou comme le nationalisme qui de droite ou de gauche peut, à l'occasion, virer au totalitarisme fascisant ou communisant.

Les idéologies ne sont pas exclusives les unes des autres même si certaines combinaisons peuvent être considérées, en principe, comme incompatibles. Étant fondé sur le gouvernement par les représentants du peuple, le libéralisme a conduit, peut-être malgré lui, à susciter l'émergence du nationalisme, ne serait-ce que pour donner plus de consistance à l'entité « peuple » qui autrement serait demeurée une pure abstraction. Même si le libéralisme et le nationalisme peuvent coexister dans la réalité, leurs fondements demeurent en théorie peu compatibles : l'un s'en tient à l'individu comme première référence, l'autre à la nation ; ils relèvent de logiques opposées.

La dissolution des grandes idéologies de masse s'est trouvée à laisser le champ libre à l'expression d'engagements plus circonscrits, comme le féminisme et l'environnementalisme. L'ère actuelle est davantage tournée vers des objectifs qui touchent plus directement l'individu. On s'adresse désormais plus à lui et à ses intérêts qu'à la constitution de communautés d'intérêts comme autrefois la classe ouvrière. Aujourd'hui, on parle plutôt de mouvements mis en branle pour l'obtention d'avantages spécifiques et souvent immédiats.

Qu'elle soit mue par des intentions ambitieuses ou modestes, l'idéologie fonctionne au conflit. C'est en ces termes qu'elle doit être décrite et analysée. Pour être pleinement constituée, l'idéologie doit aborder trois niveaux d'observation. Un premier sert à reconnaître l'autre, l'ennemi ; c'est le rapport d'*adversité*. Une idéologie sans adversaires ne serait pas tout à fait une idéologie. Les libéraux reconnaissent leur ennemi dans tous ceux qui proposent ou exercent des formes de dirigisme. Les communistes identifient les capitalistes comme l'adversaire. Les fascistes vont plus loin : ils ont des ennemis réels, mais ils s'en confectionnent volontiers pour galvaniser leurs troupes et donner un sens à leur action qui, elle, se définit dans le combat. Le second niveau d'analyse porte sur le rapport à soi, la constitution du *nous*, *nous* les libéraux, *nous* les communistes. C'est le principe *d'identité*. Il permet aux acteurs de se reconnaître entre eux, comme tenus par un lien social, une solidarité. Ainsi, le cri de ralliement qui clôt le *Manifeste du Parti communiste :* « Ouvriers de tous les pays, unissez-vous », exhorte les prolétaires à rompre le *nous* national, l'appartenance au pays, au profit d'un nouveau *nous*, le *nous* des ouvriers que le parti est prêt à diriger. Le collectif de référence est par contre très lâche, pour ne pas dire inexistant, dans la pensée libérale. L'ensemble des individus visés ne constitue toujours qu'une agrégation de personnes que l'intérêt particulier motive. Aussi, le libéralisme mobilise facilement contre l'arbitraire de l'autorité, mais doit recourir au patriotisme ou au nationalisme pour trouver une quelconque identité à l'entité « peuple ». Enfin, le troisième niveau d'observation porte sur la nature de l'autorité qui doit coiffer le projet. L'anarchisme pur peut tout simplement proposer l'absence d'autorité. Les libéraux la veulent soumise à des règles précises. Les fascistes l'exaltent comme moteur de la société. Les communistes la vouent à la disparition, l'État devant se dissoudre lorsque le stade du communisme sera atteint.

Ces trois aspects du discours idéologique (rapport d'adversité, rapport d'identité et rapport d'autorité) ont une fonction *mobilisatrice*. Ils permettent de poser les composantes du combat : contre qui, avec qui, et pour quoi, pour quel régime, on lutte. Les grandes idéologies proposent des changements de régime. Des idéologies moins ambitieuses peuvent se porter à la défense d'objectifs plus circonscrits qui ne touchent pas aux rapports d'autorité proprement dits. Quelle qu'elle soit, l'idéologie est un discours polémique qui sert à légitimer une action collective, elle est l'instrument symbolique par excellence de la mobilisation.

L'idéologie a pour objet une modification dans les politiques suivies par les gouvernants et le plus souvent des changements dans l'organisation même de l'autorité en exercice. Elle vise l'État et ses agents, entités qui donnent lieu à une dynamique propre en fonction des règles du jeu qui lui sont également propres.

Bilbiographie

BOUDON, Raymond, 1986. *L'Idéologie, ou l'origine des idées reçues*, Paris, Fayard.

Libéralisme

AVINERI, Shlomo et Avner DE-SHALIT (dir.), 1992. *Communitarianism and Individualism*, Oxford, Oxford university Press.

GAUTHIER, David, 1986. *Morals by Agreement*, Oxford, Clarendon Press.

GAUTHIER, David, 1990. *Moral Dealing : Contract, Ethics and Reason*, Ithaca (N.Y.), Cornell University Press.

KUKATHAS, Chandran et Philip PETTIT, 1990. *Rawls, A Theory of Justice and Its Critics,* Stanford (Cal.), Stanford University Press.

LAVAU, Georges et Olivier DUHAMEL, 1985. « La démocratie », *in* Madeleine GRAWITZ et Jean LECA, *Traité de science politique,* tome II, Paris, Presses Universitaires de France, p. 29-113.

NOZICK, Robert, 1988 (1974). *Anarchie, État et utopie,* Paris, Presses Universitaires de France.

RAWLS, John, 1993. *Political Liberalism,* New York, Columbia University Press.

VACHET, André, 1988 (1970). *L'Idéologie libérale, l'individu et sa propriété,* Ottawa, Presses de l'Université d'Ottawa.

Fascisme

ANSART, Pierre, 1985. « Sociologie des totalitarismes », *in* Madeleine GRAWITZ et Jean LECA, *Traité de science politique,* tome II, Paris, Presses Universitaires de France, p. 160-197.

ARENDT, Hannah, 1972 (1951), *Le Système totalitaire,* Paris, Seuil.

FERRY, Luc et Évelyne PISSIER-KOUCHNER, 1985. « Le totalitarisme », in « Théorie du totalitarisme », Madeleine GRAWITZ et Jean LECA, *Traité de science politique,* tome II, Paris, Presses Universitaires de France, p. 115-159.

GRIFFIN, Roger, 1991. *The Nature of Fascism,* Londres, Pinter.

LAQUEUR, Walter (dir.), 1976. *Fascism, A Reader's Guide,* Berkeley, University of California Press.

Communisme

FURET, François, 1995. *Le Passé d'une illusion. Essai sur l'idée communiste au XXe siècle*, Paris, Robert Laffont/Calmann-Lévy.

GALLISSOT, René (dir.), 1984. *Les Aventures du marxisme*, Paris, Syros.

MALIA, Martin, 1980. *Comprendre la Révolution russe*, Paris, Seuil.

Social-démocratie

BERGOUNIOUX, Alain et Bernard MANIN, 1989. *Le Régime social-démocrate.* Paris, Presses Universitaires de France.

BLUM, Léon, 1982 (1919). *Pour être socialiste.* Paris, Jannink.

PRZEWORSKI, Adam, 1985. *Capitalism and Social Democracy.* Cambridge, Cambridge University Press.

DEUXIÈME PARTIE

LES COMPOSANTES INTERNES À LA GOUVERNE ÉTATIQUE

Introduction

La tradition a voulu que la gouverne étatique se pose comme la référence politique par excellence. Jadis on pouvait croire que la science politique se résumait *grosso modo* à la science de l'État. À partir de lui, on estimait possible de saisir l'ensemble des actions que sa présence suscite. Cette perception étroite s'est dissipée au point qu'il a fallu, au début des années 1980, réhabiliter l'État, tellement la discipline en était venue à banaliser son rôle. Cette mutation a été salutaire, dans la mesure où elle a été l'occasion, pour la science politique, de revoir l'État, mais cette fois, sous un jour tout autre que celui du juridisme de ses débuts.

L'exercice de l'autorité étatique se présente désormais sous formes d'arènes soumises à des règles du jeu plus ou moins contraignantes selon les régimes. Car c'est d'un jeu dont il s'agit, un jeu bien particulier, il va de soi, où les acteurs (parlementaires et membres du gouvernement) essaient de maximaliser les avantages de représentation qu'ils peuvent tirer, grâce à leur influence et aux contrôles que les règles (les institutions) leur confèrent. La représentation des intérêts est ici à son plus fort puisque ces arènes mettent en présence des acteurs qui se posent comme les porte-parole de l'intérêt général. Il revient à ceux-ci de définir cet intérêt général, entreprise qui se déroule presque nécessairement dans un climat de conflit, les représentants ne s'entendant pas entre eux dans l'appréciation des fins et encore moins dans la détermination des moyens.

L'État se présente sous deux aspects. Il est, en premier lieu, principe d'autorité dont la *légitimité* est reconnue par une *constitution* qui pose les règles fondamentales de la gouverne (chapitre 7). En vertu de ce principe d'autorité, se met en branle le jeu de la prise de décision ayant en vue ce qu'on estime être l'intérêt général. L'État constitue, en second lieu, la référence au nom de laquelle des acteurs officiels (président, premier ministre, sénateur, député, etc.), prennent des décisions au terme de tractations où se jouent l'influence, le contrôle et le conflit, relations sociales inhérentes, on s'en souviendra, à la représentation des intérêts (chapitre 8).

Chapitre 7

L'autorité étatique

La notion d'État introduit un principe d'autorité assez particulier. Et, pour cette raison, elle risque d'être porteuse de confusion sinon d'ambiguïté. Nous serons donc appelés à en préciser le sens dès le départ. Après quoi se posera, comme pour toute forme d'autorité, la question de ses fondements éthiques ou, plus spécifiquement, de sa *légitimité*. Celle-ci étant définie, nous verrons qu'elle se reconnaît dans une *constitution*, qui la confirme, et institue le type de rapports qu'entretiendront entre eux les gouvernants, selon que l'État sera *unitaire* ou *fédéral*, en régime *parlementaire* ou *présidentiel*. Ces dispositions, en apparence toutes techniques, établissent les droits et obligations dont disposent ces acteurs étatiques et qui se traduisent concrètement par des positions d'influence et de contrôle dans le processus de prise de décision. Au fond, l'intérêt que nous portons à l'État repose sur la dynamique d'ensemble engendrée par cette forme d'autorité. Elle peut être bien différente selon les règles auxquelles elle est soumise. De là l'importance de la saisir dans toute son étendue, mais sans l'élever au statut de mythe.

Le concept d'État sert à désigner, selon les disciplines et les auteurs, des entités bien différentes. Il peut renvoyer à une collectivité, à l'ensemble des gouvernants ou à une personne morale. Vu comme une collectivité humaine, l'État est parfois assimilé à la nation pour constituer ce qu'on appelle couramment l'État-nation. Le terme est employé dans ce sens lorsqu'il veut souligner le droit des peuples à disposer d'eux-mêmes dans leurs rapports avec d'autres peuples. Il est donc généralement utilisé à des fins normatives ou militantes.

L'anthropologie politique fait usage du terme, mais à des fins strictement analytiques. Elle désigne par société-État toute collectivité occupant un territoire précis, dotée d'une autorité distincte organisée et dans laquelle les rapports entre gouvernants et gouvernés (souverain-sujets) sont bien déterminés. C'est la présence d'une autorité centrale qui compte, autorité souvent renforcée d'une bureaucratie qui coiffe une collectivité où existe une division du travail et, par voie de conséquence, une stratification sociale. Du point de vue de l'anthropologie politique, les empires antiques de la Mésopotamie et de l'Égypte constituent déjà des sociétés étatiques. Le rapport entre gouvernants et gouvernés y est bien spécifique, il marque une rupture avec les formes plus élémentaires et diffuses d'autorité telles qu'on les note dans les sociétés tribales, ou encore chez les chasseurs-cueilleurs. Il s'agit toujours pour l'anthropologue d'une distinction analytique qui se réfère à des modes d'autorité aux dynamiques bien différentes.

Bien avant l'anthropologie, la philosophie a fait sien le terme d'État. Il revient à Hegel (1770-1831) de lui avoir conféré un statut analytique qui perdure aujourd'hui. Hegel conçoit l'État comme une réalité collective à mettre en rapport dialectique avec la société civile. Pour lui, la société civile réunit l'ensemble hétérogène des *individus* engagés dans la vie économique d'une collectivité donnée, c'est-à-dire axés sur la poursuite de leur intérêt propre ; alors que l'État, communauté organique et hiérarchisée, expression de la volonté commune (qui culmine dans le monarque) réalise l'unité rationnelle nécessaire pour donner un sens moral à cette collectivité, qui autrement ne serait que dispersion. De personne privée qu'il est dans la société civile, l'individu devient citoyen de par son appartenance à l'État.

Cette distinction entre l'État et la société civile a été reprise par Gramsci, qui a voulu montrer comment, dans une perspective marxiste, l'hégémonie de la classe dominante pouvait exercer un ascendant strictement intellectuel et moral (sans le recours à la force) sur l'ensemble des autres classes, c'est-à-dire dans la société civile elle-même.

La dialectique entre l'État et la société civile demeure vivante de nos jours (voir Carnoy, 1984). Elle offre néanmoins une grande faiblesse : celle de généralement réifier ces deux composantes au point de les traiter comme des entités réelles, quasi concrètes, plutôt que comme un découpage heuristique qui ne doit servir, en d'autres mots, qu'à faciliter l'analyse.

Suivant sa deuxième acception, l'État désigne l'organisation gouvernementale dans son ensemble. Dans le premier cas ce pouvait être l'État-nation, cette fois-ci, c'est l'État-gouvernement. Déjà le terme même de gouvernement est ambigu, car il embrasse facilement l'ensemble des gouvernants. Lorsque la langue courante s'insurge contre les ingérences de l'État, c'est à l'ensemble des dirigeants qu'elle s'adresse. L'anglais emploie le mot *government* pour désigner cette réalité, si bien que la perspective du *comparative government* vise la totalité des structures d'autorité. Des auteurs classiques, comme Montesquieu, parlent du gouvernement comme des dirigeants en général. Techniquement, le terme gouvernement renvoie plus spécifiquement aux responsables du pouvoir exécutif.

Dans son acception courante, l'État embrasse indistinctement le personnel politique, que ce soit le gouvernement et sa bureaucratie, les législateurs (députés et sénateurs) et même les juges. On comprendra qu'ainsi entendu, il soit d'un intérêt analytique fort relatif. L'observation méthodique commande un découpage plus rigoureux. Se référer à l'État en termes aussi vagues dessert souvent l'analyse puisqu'on ne sait de qui il est question avec suffisamment de précision. On y a bien recours lorsqu'en termes très généraux on veut faire référence à l'ensemble d'une politique ou à son esprit. On peut dire, par exemple, que l'État a négligé, à un moment donné, tel secteur de l'économie. Mais on est tout de suite amené, par la force des choses, à préciser quels ministères de quels gouvernements l'ont ainsi négligé.

La troisième acception nous apparaît la plus satisfaisante parce qu'analytiquement mieux circonscrite et d'un usage plus fécond. Elle relève du droit, où cette notion a été la mieux exploitée.

Dans son sens juridique, l'**État** *est une personne morale, c'est-à-dire une* ***abstraction*** *au nom de laquelle s'exerce une autorité souveraine.* Il est posé comme une idée, un principe d'autorité, de laquelle dérive la faculté d'engager des actions. L'État est une création juridique qui sert de fondement à l'autorité légale. Il a été inventé pour contrer l'exercice du pouvoir personnel. De la sorte, les gouvernants n'agissent plus en leur nom propre, comme c'est le cas pour les types traditionnel et charismatique d'autorité, mais au nom d'une autorité abstraite, l'État. C'est en son nom que les représentants de l'autorité établissent des règles, c'est-à-dire des lois, des décrets ou des jugements. Autrefois, l'autorité était personnifiée, elle s'incarnait dans le roi ou l'empereur. Et c'est afin de dissocier l'autorité de son titulaire qu'on a eu recours à cet artifice juridique. Les gouvernants passent, mais l'État demeure.

Pure abstraction, l'État ne doit pas être confondu avec la population ou le territoire, quoiqu'il faille une population et un territoire pour exercer l'autorité fixée par l'État. Ces deux entités ne sont que des conditions nécessaires de réalisation. L'État ne saurait non plus être confondu avec les institutions qui n'en sont que l'expression.

L'État est à l'origine morale de la loi, il lui sert de justification : dans la mesure où l'État est reconnu, la loi, qui en est l'émanation, l'est également. Les institutions comme le gouvernement, le parlement et la cour de justice sont des canaux par lesquels il s'exprime. Elles ne sont pas l'État, mais se manifestent à titre de représentantes de l'État. Leurs décisions obligent à cause de la faculté d'intervention qui leur est conférée.

Or, cette faculté d'intervention est souveraine, c'est-à-dire qu'elle ne souffre, dans l'*abstrait*, aucune limite. Le principe de la souveraineté appartient lui aussi au discours juridique et prend là tout son sens. C'est ainsi que, en regard du droit positif, l'État ne connaît aucune contrainte légale à l'exercice de son autorité. Il n'y a pas de droit naturel ou de justice objective qui tienne contre lui. La souveraineté de l'État est totale et absolue. Il n'y a pas d'instance supérieure habilitée à se prévaloir contre lui. S'il cède certaines compétences, il peut toujours, à la rigueur, les récupérer, comme c'est le cas pour les traités. Dans l'abstrait, l'État peut tout. Ceci ne signifie pas qu'en pratique il en soit ainsi. Le principe de la souveraineté de l'État ne fait que reconnaître *juridiquement* le caractère illimité des interventions possibles. Il est bien entendu que, dans les faits, les gouvernants sont soumis aux contraintes propres à l'exercice de toute autorité.

Cette notion d'État souverain doit être appréciée dans le cadre qui est le sien, le droit. Elle est féconde pour le juriste. Il est moins certain qu'elle le soit tout autant pour la science politique. L'analyse politique trouve un plus grand avantage à bien identifier les acteurs qu'elle se propose d'observer.

Max Weber l'a compris lorsqu'il a retenu de l'État son caractère abstrait tout en posant ses conditions d'existence en termes sociologiques. Il le pose comme « une entreprise politique de caractère institutionnel lorsque et tant que sa direction administrative revendique avec succès, dans l'application des règlements, le monopole de la contrainte physique légitime » (1971, II, p. 57). Il est bien entendu que ce monopole s'exerce sur un territoire donné. En dépit d'une phraséologie un peu tortueuse, on est à même de saisir la portée du concept. Il s'agit d'une forme d'autorité institutionnalisée : c'est, comme il le dit, une entreprise (terme abstrait) dont les représentants, ses administrateurs (gouvernements ou parlements), parviennent à imposer des règles auprès de gouvernés mis en situation d'appartenance obligée. La définition de Weber met en évidence l'autorité *exclusive* qui revient à des acteurs identifiables, auprès de subordonnés géographiquement situés.

Le fait de conférer à l'État une telle capacité d'intervention se répercute nécessairement sur l'arène où se joue la représentation des intérêts. Dans la société traditionnelle, la marge d'intervention des gouvernants est assez étroite : la coutume est prépondérante et les dirigeants ne font que l'interpréter. La dynamique est tout autre lorsque la règle du jeu permet, dans le cadre de l'État, d'intervenir là où les gouvernants le jugent à propos.

La légitimité

L'idée d'autorité renvoie à un droit d'imposer un certain ordre de contrôles. Comme tout droit, celui-là doit être reconnu ou, en d'autres mots, légitimé. Lorsque cette autorité s'impose à toute une société, elle trouve sa légitimité dans des valeurs qui relèvent de la culture ou encore de l'idéologie.

Comme l'exprime très bien Jean-Jacques Rousseau dans les premières pages du *Contrat social*, « le plus fort n'est jamais assez fort pour être toujours le maître, s'il ne transforme sa force en droit, et l'obéissance en devoir » (livre I, chap. III). Même les dictatures les plus rigoureuses ne peuvent fonctionner qu'à la force ou à la violence. David Hume faisait observer que tout gouvernement est fondé sur une « opinion », nous pourrions dire une croyance ou une adhésion, qui, quoique parfois limitée à quelques personnes, comme l'entourage d'un tyran, permet d'asseoir une forme d'autorité.

La notion de légitimité fait appel à la reconnaissance par les gouvernés du droit qu'ont les gouvernants d'exercer sur eux une autorité. Max Weber a conçu une typologie qui sert encore aujourd'hui de référence. Suivant le mode d'identification propre à sa sociologie compréhensive, Weber essaie d'imaginer les motivations qui peuvent conduire un acteur à se soumettre au commandement d'un autre. À cette fin, il recourt, comme on peut s'y attendre, à l'idéal type. C'est ainsi qu'il dégage trois types de légitimité ou, si on préfère, d'autorité : traditionnelle, charismatique et légale-rationnelle. Comme tous les idéaux-types, ce sont des constructions qui ont pour objet de nous faire *comprendre* les raisons sous-jacentes à la soumission dans l'abstrait, mais non d'expliquer un cas concret déterminé.

L'autorité de type traditionnel, comme son nom l'indique, repose sur la tradition. Le chef est désigné selon des règles transmises par la coutume. Cette légitimité relève d'une croyance en un ordre sacré, intangible, qui a toujours existé. L'oubli a fait son œuvre, il a effacé les origines réelles de l'autorité. Il n'en reste plus que les règles de désignation et les rites d'initiation. L'autorité est alors exercée par un titulaire bien concret, le chef en chair et en os. Il ne représente pas l'autorité, il est l'autorité. Les dirigés, à leur tour, ne sont pas membres d'une collectivité, il sont *sujets* du chef. Ils doivent obéissance et loyauté à sa personne. Lorsque, par exemple, Louis XVI, de « roi de France » qu'il était devient, avec la Constitution de 1791, « roi des Français », c'est-à-dire roi du peuple français, le rapport avec ses *sujets* est aboli, et, en même temps, la légitimité traditionnelle... Selon le mode traditionnel, la sphère de compétence est également déterminée par la coutume, tout en demeurant fort imprécise. Elle laisse place à toute une marge discrétionnaire et parfois arbitraire.

Le second type d'autorité, l'autorité charismatique, tire son origine sémantique du langage théologique. Le charisme est techniquement un don venu de la grâce divine. Ce type de légitimité se fonde sur le caractère exceptionnel du chef, doué d'une capacité supernaturelle ou surhumaine propre à le démarquer de tous. Il peut être comparé à la déférence dont le prophète ou l'oracle pouvait autrefois être l'objet. Les gouvernés s'inclinent et se soumettent totalement, subjugués en quelque sorte par ce personnage qui s'impose soit par sa sainteté, son héroïsme, sa force ou d'autres qualités exemplaires. Ils lui accordent une confiance aveugle et sont portés vers lui par un pouvoir d'attraction hors du commun. Ce mouvement d'abandon tout à fait irrationnel enlève toute limite à l'action que peut entreprendre le personnage charismatique. Il s'agit pour lui d'une mission qu'il se voit confier dans une relation d'autorité qui sort de l'ordinaire. Pour cette raison, son commandement rompt avec la tradition et toute autre forme d'institution ou de règles de jeu. Ce rapport entre le chef et les gouvernés lève, en principe, toutes les contraintes morales ou juridiques qui pourraient le gêner. Seuls comptent l'unanimité ou le consensus autour du chef.

L'histoire offre plusieurs exemples de personnages, qui, surtout à l'occasion de situations troublées, se sont imposées de la sorte : Churchill, de Gaulle et d'autres plus autoritaires.

Puisque, de par sa nature, le charisme sort de l'ordinaire, il ne peut se maintenir indéfiniment comme tel. Le problème se pose souvent au moment crucial de la succession, soit après le décès, soit après le retrait du personnage charismatique. Les disciples ou les continuateurs sont alors appelés à administrer le charisme, ou, plus précisément, ce qu'il fut, comme dans le cas du gaullisme. Ce faisant, ils engagent le processus que Weber appelle la routinisation du charisme. À cette occasion, l'autorité se traditionalise ou se rationalise ; elle se rabat sur le premier ou sur le troisième idéal type.

Ce troisième type, rationnel-légal, sert à désigner une légitimité qui repose sur l'accord réfléchi des gouvernés. L'autorité s'exprime en fonction de règles générales, abstraites et impersonnelles, s'opposant, par le fait même, aux règles plutôt spécifiques, concrètes et personnelles de l'autorité traditionnelle. Ces règles définissent les conditions d'accession des dirigeants, la durée de leurs mandats et l'étendue de leurs compétences. L'autorité rationnelle-légale prévoit, en somme, des postes précis auxquels sont attachées des fonctions précises. Elle se prolonge dans l'établissement de bureaucraties où toutes les compétences sont bien hiérarchisées et circonscrites.

Ces trois types de légitimité servent à identifier, dans l'abstrait, des cas purs de croyances. Car il s'agit bien de croyances, c'est-à-dire de formes d'adhésion de la part des *gouvernés* aux gouvernants. Elles illustrent les intentions qui peuvent amener des personnes à *consentir* à un type ou à un autre d'autorité. La légitimité revient, chez Max Weber, à exprimer la part d'adhésion qui ne relève ni de la force ni de la crainte. Weber admet volontiers l'effet de socialisation qui assure la pérennité de certains types d'autorité. Tout comme il est bien entendu que ces idéaux types ne se trouvent jamais à l'identique dans la réalité.

La typologie de Weber n'a pour objet que de mettre en évidence, pour des fins heuristiques, les motivations susceptibles de conduire un acteur à consentir, hors de la contrainte, à un type d'autorité. Ce consentement peut n'être, dans certaines circonstances, que l'effet de la socialisation ou encore le résultat fugitif d'une brève mobilisation.

On doit se rappeler que la légitimité, comme telle, n'est que présumée, rarement démontrée. La formule du référendum est retenue comme la meilleure, surtout lorsqu'elle permet l'expression d'un appui massif. Mais, il en est du référendum comme de toute autre consultation populaire : il enregistre le consentement à un moment donné. Il est alors possible d'affirmer que le résultat obtenu n'est que la conséquence d'une influence indue. La légitimité d'un régime étant capitale pour ses futurs gouvernants, elle donne nécessairement lieu lors d'une campagne référendaire à une mobilisation massive. Avec l'usure du temps, il est loisible de remettre en question cette légitimité acquise auparavant. En aucune circonstance peut-elle être reconnue comme définitive.

À tout prendre, la notion de légitimité appartient surtout à la philosophie (en particulier à la morale) et au droit. Elle permet, en morale, de s'interroger sur les principes du juste exercice de l'autorité, préoccupation autour de laquelle s'élabore la philosophie politique. En droit, la légitimité sert à fonder le discours sur l'État et sur l'étendue de son intervention. Et c'est en continuité de ce discours que se situent les constitutions comme instrument juridique qui, dérivant d'une certaine légitimité, habilitent un certain exercice de l'autorité.

La constitution

La **constitution** d'un État correspond à l'*ensemble des* ***règles fondamentales*** *qui régissent ses institutions*. Elle est, en général, consignée dans un texte de référence précis qui porte son nom, *la* Constitution, auquel se greffent souvent d'autres textes complémentaires et des coutumes non écrites. Très ancienne, celle de Grande-Bretagne se présente différemment, c'est-à-dire sous une forme éclatée, où ses composantes se retrouvent dans la tradition, dans certains textes fondateurs (la Grande Charte de 1215 et le *Bill of Rights* de 1689), dans des lois (touchant les élections, la Chambre des Lords), de même que dans des conventions très respectées. Les anciennes colonies anglaises, comme l'Inde, l'Australie et le Canada sont encore, en dépit de leurs propres constitutions, tributaires de ce droit coutumier anglais.

Quelle que soit la constitution, il s'y trouve toujours d'autres textes, des lois, des décrets ou des jugements pour en préciser le contenu. Viennent s'ajouter des conventions ou coutumes qui, avec le temps, s'imposent au même titre qu'un texte de loi, même si elles n'ont pas la même force que celui-ci. Rien, par exemple, n'est dit dans la Constitution américaine sur l'existence du cabinet qui sera une création de Jefferson.

Comment se présente alors une constitution ? D'abord, on y trouve un préambule. Il n'est pas juridiquement indispensable, puisqu'il n'a sur le reste du texte qu'un poids très variable. Ce préambule indique parfois les circonstances qui ont présidé à la rédaction du texte, puis généralement les intentions qui animent les constituants, car c'est bien d'un projet de société dont il s'agit. Et pour marquer le bien-fondé du projet, la toute première phrase sert souvent à préciser la source légitimatrice du document. La Constitution américaine s'ouvre sur le célèbre « We the People of the United States... », alors qu'en réalité, seule une faible minorité s'est exprimée en sa faveur. La Constitution de la Ve République commence par « le peuple français proclame solennellement... ». C'est à l'article 3 que la constitution de l'Union soviétique de 1936 fondait sa légitimité sur les travailleurs de la ville et de la campagne *mais* tels qu'ils étaient représentés par les soviets de députés. Tandis que celle 1977 stipulait que « le peuple exerce le pouvoir d'État par l'intermédiaire des députés du peuple, qui constituent la base politique de l'URSS » (article 2). C'était les députés et non le peuple...

Quelle que soit sa source, la légitimité du texte doit, en principe, être explicite, car c'est sur elle que reposent toutes les autres dispositions par la suite.

Le préambule a pour fonction d'établir la raison d'être de cette autorité que la constitution institue et habilite. Il confirme un *droit* et pose les *principes* directeurs qui sont censés donner un sens au document dans son ensemble. Le caractère contraignant de ses dispositions est fort variable. Le préambule de la Constitution de la IVe République (1946), repris dans la Constitution de la Ve, proclame, entre autres, le droit au travail, à l'emploi ; il faut voir là une intention plus qu'une obligation pour l'État.

Le corps d'une constitution, quant à lui, porte sur l'organisation de l'autorité. Il établit les règles qui régissent les rapports entre gouvernants et gouvernés, de même que le rapport des gouvernants entre eux. Il constitue de toutes pièces des entités, des structures organisationnelles, qu'on appellera : Parlement, Congrès, présidence, cabinet, etc., et précise les relations qu'elles auront entre elles. La constitution détermine *qui* peut être gouvernant, *comment* on le devient et pour faire *quoi.* C'est ainsi qu'elle fixe les conditions d'éligibilité à une fonction (par exemple, tout candidat à la présidence des États-Unis doit être américain de naissance) ; elle prévoit selon quelle procédure sont élus ou nommés les intéressés ; et enfin, elle assigne des compétences aux diverses fonctions de députés, ministres ou juges, en précisant la manière dont elles doivent s'exercer. En termes plus techniques, la constitution fixe le partage des compétences exécutive, législative et judiciaire, de même que les relations entre elles. Nous aurons l'occasion, un peu plus loin, d'identifier avec plus de précision ces compétences.

La manière d'aménager ces compétences donnera tantôt un régime parlementaire dans lequel l'exécutif exerce un certain contrôle sur le législatif, tantôt un régime présidentiel, ou de séparation des pouvoirs, dans lequel les compétences sont plus autonomes.

Outre ce choix entre régime parlementaire et régime présidentiel, l'organisation des champs de compétence doit également prévoir si l'État sera unitaire ou fédératif. L'État unitaire concentre l'exercice de l'autorité ultime dans un corps d'institutions unique : un seul parlement (avec une ou deux chambres) et un seul gouvernement qui lui est rattaché, comme la France et l'Italie. L'État fédératif prévoit, au contraire, une répartition des compétences en fonction de deux paliers d'autorité : celui de l'autorité centrale et celui des entités régionales qui varient en nombre selon les pays ; il n'y a, par exemple, pas moins de cinquante États aux États-Unis et que six d'importance très inégale en Australie. Ces deux paliers sont chacun pourvus de leurs propres institutions exécutives et législatives.

Outre l'organisation de l'autorité elle-même, la constitution d'un État établit souvent un répertoire de droits, sous forme de déclaration, de charte ou d'« amendements », qui sont posés comme des remparts contre l'arbitraire possible des gouvernants ou des gouvernés entre eux. Ce sont des limites ou parfois des obligations plus ou moins impératives imposées à l'action éventuelle des autorités. Les droits consignés dans une charte se veulent une protection pour les gouvernés. Ils peuvent se porter à la défense de l'individu dans sa liberté d'expression, de conscience, de mouvement, ou d'association, comme ils peuvent se dresser contre la discrimination entre citoyens eu égard au sexe, à l'âge, à la couleur, à la race, à l'ethnie, etc. Certains droits visent la protection de la propriété tandis que d'autres, économiques et sociaux, assurent le travail, un minimum vital de revenu, une sécurité sociale... Enfin, les droits juridiques, qui sont les plus anciens, garantissent l'égalité devant la loi (c'est l'État de droit), la protection contre l'arrestation arbitraire, l'instruction impartiale des procès. Peuvent également s'ajouter des droits collectifs comme le droit à l'autodétermination à l'intention de collectivités bien constituées.

Le respect de ces droits est susceptible de varier selon la tradition juridique dans laquelle ils s'insèrent. En France, la Déclaration des droits qui sert de préambule à la Constitution de la Ve République ne peut, pour le moment, être invoquée que lors de l'adoption d'une loi, et par certaines instances autorisées à le faire comme le président de la République, le premier ministre, les présidents de l'Assemblée nationale ou du Sénat, ou encore 60 députés ou 60 sénateurs. (Il revient à un corps spécifique, le Conseil constitutionnel, de statuer, comme il est appelé d'office à le faire, lors de l'adoption de lois organiques, constitutionnelles ou d'engagements internationaux.) Aux États-Unis, les dix premiers amendements constituent des obligations légales incontournables : aucune loi ne doit y contrevenir. Au Canada, l'article premier de la Charte des droits et libertés (1982) prévoit que ceux-ci ne peuvent être restreints que dans des limites raisonnables et conformes à une société libre et démocratique : c'est déjà un assouplissement qui permet une adaptation à l'évolution des mœurs et des mentalités. L'article 33 autorise même les diverses législatures à se soustraire à un grand nombre d'articles, à la condition qu'elles indiquent explicitement leur intention de les contourner (disposition qui doit cependant être renouvelée tous les cinq ans).

En dépit de ces restrictions, la Charte canadienne a introduit une dynamique nouvelle dans la représentation des intérêts au pays. Comme aux États-Unis où le citoyen se reconnaît dans la Constitution américaine, les citoyens se sont trouvés progressivement concernés par la Charte avec laquelle ils sont liés à titre d'individus, de catégories ou de communautés plus ou moins ouvertement reconnus. Les aborigènes y sont identifiés nommément (article 25), réhabilitation dont ils se servent depuis. L'établissement de catégories abstraites touchant la non-discrimination quant au sexe (article 28), à l'ethnie, à la religion, à l'âge, à la condition physique ou mentale, etc. (article 15) a suscité ou renforcé la présence de groupes qui se sont revendiqués d'une reconnaissance du moins implicite. Il est incontestable que la Charte, au Canada, a ouvert le champ à de nouvelles revendications par des acteurs qui désormais se fondent sur une légitimité nouvellement acquise.

L'insertion d'une charte des droits répond à une conception de l'autorité qui impose des principes immuables aux gouvernants. Elle balise leur champ d'intervention et les force à conformer leurs décisions à certaines règles. Ce faisant, elle diminue le contrôle du législateur sur le contenu des lois et augmente celui des juges. Ceux-ci sont appelés, lorsqu'il en sont saisis, à statuer sur la conformité des lois aux dispositions de la charte des droits. Ils se voient confier un rôle d'interprétation. La cour devient une arène élargie où sont soumis des litiges qui auparavant étaient largement l'affaire de la classe politique. Toute correction à la décision du judiciaire en matière de droits fondamentaux doit alors passer par le processus souvent complexe de la révision constitutionnelle.

Outre les dispositions qui touchent l'aménagement des compétences et la reconnaissance de droits, toute constitution doit prévoir une procédure de révision. Il y a presque autant de modes de révision qu'il y a de constitutions, parce qu'ils correspondent à des impératifs stratégiques dictés par les antécédents de chacune des sociétés concernées. Ainsi, avec leur longue tradition parlementaire, les Britanniques ne sentent pas le besoin de rendre difficile la modification des règles du jeu : une simple loi adoptée par la Reine en Parlement suffit à cet effet. Il n'y a pas en Grande-Bretagne de lois supérieures à d'autres, toute loi peut être modifiée par une autre dûment adoptée. Or, il est intéressant de noter qu'en ce pays, par tradition, les règles du jeu sont rarement remises en cause. Le mode de scrutin, par exemple, est demeuré sensiblement le même depuis des générations. À l'inverse, les Américains, marqués par des rapports difficiles avec leurs anciens gouvernants d'Angleterre, ont prévu un type de révision constitutionnelle qui interdit toute procédure expéditive, ce qui est une manière de se prémunir contre toute aventure en ce domaine.

Il y a donc des modes de révision souples ou rigides qui, pour fonctionner, doivent être accordés à un contenu constitutionnel auquel ils renvoient. À cette fin, on peut concevoir un tableau à double entrée qui met en présence des modes de révision accordés à des contenus souples ou rigides (tableau 2).

Dans le premier quadrant, le mode de révision souple assorti à un contenu souple correspond assez bien à la situation en Grande-Bretagne. Il repose sur une conception optimiste de la gouverne qui fait confiance à l'avenir, car toute majorité ferme à la Chambre des communes a la faculté juridique de modifier, en un laps de temps assez court, les règles fondamentales de la constitution. Le deuxième quadrant, mode de révision souple, contenu rigide, s'applique bien à la France où les dispositions constitutionnelles sont nombreuses, complexes et détaillées mais associées à un mode relativement souple de révision : *grosso modo*, trois voies sont possibles, la voie strictement parlementaire (l'accord des deux chambres séparément, et l'accord des trois cinquièmes des membres des deux chambres réunies en congrès), la voie parlementaire (accord des deux chambres) suivie d'un référendum, ou le recours direct au référendum (audace introduite par le Général de Gaulle, en invoquant l'article 11 de la Constitution). Le troisième quadrant sied bien à la constitution américaine dont le contenu n'est pas trop explicité, ouvrant la voie à des adaptations multiples, mais dont le mode de révision réclame, selon la procédure la plus usitée, l'accord des deux tiers de chacune des deux chambres et des trois quarts des États. Le quatrième quadrant représente une situation hypothétique et intenable à long terme, puisqu'elle aboutit à vouloir tout régler dans le menu détail avec peu d'accommodements aux circonstances à venir. Ce genre d'arrangement se trouve dans la constitution d'associations volontaires en émergence où l'inexpérience conduit à fixer des règles complexes de fonctionnement assorties d'un mode de révision exigeant des majorités irréalistes.

Tableau 2

		Contenu	
		Souple	*Rigide*
Mode de révision	*Souple*	*I S/S*	*II S/R*
	Rigide	*III R/S*	*IV R/R*

Outre le mode de révision, la constitution doit prévoir une instance juridique pour interpréter son contenu. Cette instance, qui est souvent la cour suprême de l'État, est particulièrement importante dans les régimes de type fédératif où de nombreux litiges mettent aux prises le gouvernement central et les composantes régionales. Elle a également un rôle significatif à jouer lorsque les citoyens sont habilités à la saisir sur l'interprétation de la loi en regard des droits reconnus par la constitution. Les causes qui ont la vedette à la Cour suprême des États-Unis portent sur l'interprétation du droit des citoyens en vertu des dix premiers amendements.

En Grande-Bretagne, toutes les lois (coutumières ou écrites) ayant, en principe, la même force, le problème de la constitutionnalité d'une législation ne se pose jamais. La cour n'est appelée qu'à statuer sur la *légalité* ou non d'une action. Une conduite sera jugée anticonstitutionnelle si elle contrevient à une loi qu'on estime constitutionnelle, de par son contenu.

L'interprétation de la constitution s'imbrique dans une conception d'ensemble, un esprit juridique déterminé. Si, aux États-Unis, le recours juridique est depuis longtemps la pratique d'interprétation courante de la constitution, tel n'est pas le cas en France où elle est récente. Auparavant, la constitutionnalité des lois ne faisait pas problème, dans ce pays, puisque le Parlement ayant servi de corps constituant conservait toute sa souveraineté.

Toute constitution, surtout écrite, se porte à la défense d'un projet collectif ; elle dérive d'une idéologie. Elle prononce comme légitime, à un moment donné, un certain type de rapports entre gouvernants et gouvernés, elle autorise et interdit certains *contrôles* des uns sur les autres, et réciproquement. Ce texte officiel affirme, par le fait même, la défense de certains types d'intérêts, et déclare qui peut exercer l'autorité et (généralement) en vertu de quel principe.

Il est toujours instructif de savoir en quelles circonstances et par qui la constitution a été rédigée, modifiée et adoptée. Elle est souvent conçue en réaction à une situation immédiatement antérieure. Réunis en 1787 à Philadelphie, les délégués-fondateurs de la Constitution américaine élaborèrent, pour leur part, un texte dont l'esprit de méfiance à l'endroit de l'État se traduit par de constantes dispositions qui ont pour objet de rendre difficile toute initiative unilatérale de l'exécutif ou du législatif. Il ne faut pas s'étonner, dès lors, si l'idée de programme ou de continuité législative est plus rare aux États-Unis.

De même en France, la constitution de la Ve République a été pensée en fonction des faiblesses de la IVe. Le Conseil constitutionnel, en France, a été largement conçu comme un corps d'interprétation susceptible de maintenir l'équilibre favorable à l'exécutif, en regard du régime antérieur qui, au contraire, penchait en faveur de l'Assemblée nationale.

Même si les constitutions sont élaborées en termes de grands principes gravitant autour de l'idée d'un intérêt général (qui ne peut être qu'une fiction), il faut voir en elles des règles qui, sous les apparences de la neutralité ou de l'objectivité, favorisent l'expression de certains intérêts au détriment d'autres. Les règles du jeu ne sont pas innocentes : elles imposent une dynamique que les auteurs, les constituants, croient pouvoir imposer. Il est rare cependant qu'ils parviennent à tout prévoir, car il y a place pour les effets pervers, qui vont dans le sens contraire de ceux qui sont attendus. Il arrive même que les règles du jeu se tournent contre leurs propres initiateurs. Par exemple, le mode de scrutin à l'anglaise (uninominal à un tour) favorise le maintien de deux (parfois trois) grands partis jouissant de l'appui populaire, et marginalise les autres ; si bien que tout parti au pouvoir le préfère, jusqu'à ce qu'il se retrouve dans l'opposition puis évincé par un tiers parti ; c'est le sort que connut le Parti libéral anglais qui fut supplanté par le Parti travailliste.

Qu'elle prévoie un régime parlementaire ou présidentiel dans un État unitaire ou fédéral, la constitution établit des règles du jeu qui correspondent à une conception de la prise de décision pour une société. En d'autres mots, elle reconnaît la *légitimité* et l'*exercice* de certains *contrôles* dans la *représentation* des *intérêts.*

L'État unitaire ou fédéral

Autant l'État unitaire se présente comme normal et naturel, autant l'État fédéral apparaît artificiel et fabriqué. Au fond, les deux sont le résultat de construits. L'un s'est développé avec le temps, l'autre est généralement la conséquence de tractations plus immédiates. L'État unitaire s'est constitué, de manière progressive, en réaction à la dispersion féodale qui freinait ce mouvement de concentration de l'autorité souveraine. L'État fédéral est plus récent et s'impose là où les constituants jugent que la formule unitaire ne convient pas. On peut affirmer que l'État unitaire est la règle, dans la mesure où sa raison d'être n'a pas à être démontrée. Tandis que l'avantage de la forme fédérale pour une entité sociale doit être démontrée. La forme fédérale a été adoptée au Canada en 1867 après qu'on s'est rendu compte de l'impossibilité d'adopter la forme unitaire, mais c'est bien cette dernière qu'on avait à l'esprit au départ. Dans certains cas, elle s'impose à l'esprit, surtout lorsqu'il s'agit de réunir des entités étatiques déjà constituées, comme les pays de l'Union européenne, si jamais elle se réalise plus totalement.

L'État unitaire offre l'avantage de structures institutionnelles simples. Il peut volontiers se dispenser d'une chambre haute qui, dans l'État fédéral, sert à la représentation régionale. La Norvège et le Danemark n'ont qu'une chambre, tandis que la Chambre des Lords à Londres n'a plus aujourd'hui qu'un pouvoir suspensif d'un an sur l'adoption des lois courantes.

Dans l'**État unitaire**, l'*exercice de l'autorité ultime est confié à une institution unique*, généralement un parlement d'une chambre ou deux. L'exécutif est également constitué d'une structure unique (qui peut être complexe, comme en France, avec les grands corps de l'État). Si bien que dans un État unitaire, il n'y a qu'un parlement et qu'un gouvernement.

Le parlement en État unitaire a la faculté de créer des entités qui lui sont juridiquement subordonnées. Ces entités peuvent jouir d'une très grande autonomie, qui est cependant *révocable* par l'instance ultime qui l'a autorisée, le parlement. Certains États, comme l'Italie, et la France à un degré moindre, ont institué des entités régionales en leur déléguant des compétences parfois importantes. Ils n'en demeurent cependant pas moins unitaires dans la mesure où ces compétences peuvent toujours être récupérées par le parlement. Ils sont unitaires au point de vue juridique, mais permettent néanmoins l'ouverture d'une dynamique régionale dans la représentation des intérêts. On peut alors parfois se rapprocher de la dynamique que suscite le jeu fédéral.

L'idée de l'**État fédéral**, comme mode d'organisation de la gouverne, a d'abord été posée en termes juridiques. Elle *consiste à établir deux paliers d'autorité autonomes dans des juridictions données*. Au lieu, comme dans l'État unitaire, de centraliser l'autorité dans une structure parlementaire unique, l'État fédéral prévoit l'établissement d'un premier niveau, le gouvernement central, auquel sont confiées les responsabilités qui relèvent de « l'intérêt général » comme la défense, la politique étrangère ; et d'un second niveau où des entités régionales (États, provinces, *Länder*, etc.) sont appelées à pourvoir à des besoins perçus comme d'intérêt plus local, comme la police, la santé, l'éducation. Il faut bien comprendre que ce partage de compétences est variable d'une fédération à une autre, et qu'il correspond à une certaine conception de ce qui est d'intérêt général ou local. On peut tout aussi bien considérer la santé et l'éducation comme étant d'intérêt général et non local. Il n'y a pas, en soi, de règle absolue, même si l'on convient parfois que certains services sont susceptibles d'être mieux assurés par un niveau de gouvernement plutôt que par l'autre.

La répartition des champs de juridiction rend compte des raisons pour lesquelles on a eu recours à la forme fédérale d'autorité : grande étendue du territoire, différences d'ordre culturel comme la langue, l'ethnie et la religion, expériences étatiques ou semi-étatiques (comme les États-Unis en 1787). Ce partage fait souvent à l'origine l'objet d'un marchandage qui est appelé à se poursuivre par la suite. La fédération canadienne est, à cet égard, l'exemple parfait.

Quelle que soit la répartition des compétences, l'État fédéral prévoit certaines dispositions essentielles à son existence. Chacun des deux paliers d'autorité doit jouir d'un statut autonome dans la sphère d'action qui lui est réservée. On dira qu'ils sont chacun souverains dans leurs champs respectifs de compétence, même s'il peut y avoir parfois des secteurs partagés. À cette fin, ils sont chacun pourvus d'institutions gouvernementales appropriées, auxquelles la constitution assigne des domaines spécifiques d'intervention et un partage des sources de financement. Elle précise d'ailleurs à qui reviendront dans l'avenir les compétences demeurées imprécises, c'est-à-dire les compétences résiduaires. Une constitution ne peut tout prévoir, mais elle peut préciser à qui sont attribuées ces compétences résiduaires. Aux États-Unis, par exemple, elles reviennent, en vertu du dixième amendement, aux unités régionales, les États. Enfin, l'État fédéral doit être pourvu d'un dispositif d'arbitrage, un tribunal suprême qui règle les litiges touchant les champs respectifs de juridiction. Les arrêts de la Cour suprême américaine viennent périodiquement préciser la nature des rapports entre les diverses juridictions aux États-Unis.

Cette manière toute juridique d'apercevoir le fédéralisme en termes de deux paliers plus ou moins exclusifs est appelée *dualiste* et correspond *grosso modo* à la conception qu'on s'en est faite jusque vers les années 1930. Cette perception s'est modifiée avec l'avènement de ce que l'on a appelé l'État-providence, c'est-à-dire un État disposé à garantir une sécurité économique et sociale à l'ensemble de ses citoyens. Sa réalisation a impliqué pour les États fédéraux une intervention du gouvernement central auprès des gouvernements régionaux et, par le fait même, une reconsidération du fédéralisme dualiste.

C'est aux États-Unis, dans les années 1950, que s'est développé un intérêt pour la *pratique* du fédéralisme qui allait au-delà de l'aspect exclusivement juridique. Si bien que, dans la foulée du behavioralisme en émergence, on s'est mis à s'interroger non plus sur les règles elles-mêmes, comme on le faisait auparavant, mais plutôt sur la manière dont elles sont appliquées, adaptées et parfois contournées. C'est à une époque où prennent forme des *programmes conjoints* à l'initiative du gouvernement central et qui avaient pour objectif d'établir, avec le concours des États, la gestion de projets économiques et sociaux. Du fédéralisme dualiste, on est passé alors au *fédéralisme coopératif,* concept qui sera repris au Canada. Il représente à la fois un constat de fait : c'est ainsi que se passent désormais les choses ; et un programme d'action : c'est ainsi également qu'elles doivent se passer. Il y a lieu de reconnaître ici son caractère normatif. Avec la politique de la « grande société » lancée dans les années 1960 par Lyndon B. Johnson, les interventions de Washington se sont multipliées au point où la prolifération des programmes d'aide a rendu caduque l'appellation de fédéralisme coopératif. On en est venu à parler tout simplement d'un *fédéralisme centralisé* où les États et les gouvernements locaux étaient réduits au statut d'exécutants. L'idée de fédéralisme perd en ce cas tout son sens, et dans les années 1970 on a parlé plus volontiers aux États-Unis de *relations intergouvernementales,* pour souligner la démultiplication des relations entre tous les niveaux de gouvernement : gouvernement central, États et municipalités. Dès l'administration du président Carter, il est apparu nécessaire de mettre un frein à ce système dont la complexité et les coûts allaient toujours en croissant. Il est revenu à Ronald Reagan de consacrer cette retraite sous l'appellation puisée au vocabulaire du président Nixon : le *nouveau fédéralisme.* En dépit de ses prétentions à la nouveauté, sa conception se ramenait à une tentative de revenir au fédéralisme dualiste classique, afin de diminuer les occasions de programmes sociaux entretenus par Washington.

Ce qu'il est intéressant de noter ici, c'est que toute forme de fédéralisme (comme toute forme d'État unitaire) *implique* un projet de société. L'aménagement des compétences entre les divers niveaux de gouvernement n'est pas innocent et ne dérive d'aucune essence ou nature que l'on pourrait imputer au fédéralisme. Il correspond plutôt à une conception qu'on se fait des ressorts respectifs du gouvernement central et des gouvernements régionaux.

L'intérêt d'aborder le fédéralisme américain repose sur l'étendue du spectre des possibles qu'offre son évolution. À travers elle, on découvre la grande variété de formes que peut adopter le fédéralisme. En forçant un peu la note, on pourrait affirmer qu'il y a autant de fédéralismes qu'il y a d'États fédéraux. Et ce n'est qu'en les comparant qu'on parvient à en relativiser le contenu. Tel fédéralisme apparaîtra centralisé par rapport à ses propres antécédents, mais fort peu en regard d'autres États ayant évolué davantage dans cette direction.

Les modes de fonctionnement sont d'ailleurs fort variables. N'étant composée que d'une dizaine d'unités constituantes appelées provinces, la fédération canadienne donne lieu à une dynamique qui met en valeur les gouvernements provinciaux. Ceux-ci engagent entre eux et avec le gouvernement central des rapports diplomatiques par le truchement de leurs exécutifs respectifs. Contrairement aux États-Unis où l'initiative du gouvernement central est plus pressante et les rapports entre composantes plus diffus, le fédéralisme canadien repose sur des négociations directes entre exécutifs, où les instances législatives et le public en général ne sont sollicités qu'au terme d'un marchandage tenu au sommet. Il faut dire que, dans le cas du Canada, les règles du jeu fédératif continuent à faire l'objet de discussions.

Étant une formule de gouverne relativement récente, avec les États-Unis (1789) comme référence, le fédéralisme ne peut donc se retrouver que dans des États de création nouvelle : les anciennes colonies, pour une bonne part, comme le Brésil, l'Argentine, l'Australie, l'Inde et quelques pays que la guerre a profondément secoués, comme l'Allemagne.

L'Union européenne présente le cas le plus audacieux de sociétés qui consentent à se regrouper sous l'autorité d'une entité commune pour former une structure d'aménagement qui se rapproche de plus en plus de la forme fédérale, avec son jeu diplomatique entre unités constituantes, incluant le sommet.

La diversité des fédéralismes et parfois la complexité de leur fonctionnement, comme dans le cas américain, contribuent à rendre l'analyse difficile. Jadis, l'observation s'en tenait à une lecture juridique que reflétait bien la conception du fédéralisme dualiste. Mais à partir du moment où elle s'est voulue plus explicative, elle s'est heurtée à un problème de systématisation des phénomènes observés. Dans l'ensemble, les études des quinze dernières années sur le fédéralisme suscitent une réaction d'insatisfaction. On se trouve actuellement à disposer d'une abondance de données obtenues dans le cadre d'analyses sectorielles (en fonction de programmes précis) où la description l'emporte sur les préoccupations d'ordre théorique.

Comme elle l'a fait dans d'autres domaines, l'école des choix rationnels a appliqué sa démarche en développant un cadre d'analyse qui met en valeur la *concurrence* des gouvernements régionaux (États, provinces, etc.) entre eux et dans leurs rapports avec les unités locales (communes, municipalités). Au lieu de se fonder, comme on le fait depuis déjà quelque temps, sur l'aspect coopératif du fédéralisme (à la manière de D.J. Elazar), ses défenseurs (A. Breton et T.R. Dye) proposent de l'envisager plutôt à la façon d'un *marché* où les divers gouvernements sont exposés aux préférences de l'*électeur* considéré comme *consommateur* de biens et de services publics. L'intention première est de briser le monopole qu'exercent généralement les gouvernants et, par le fait même, de les rendre plus à l'écoute du citoyen. Quatre-vingts mille gouvernements (aux États-Unis), se dit-on, sont mieux qu'un seul : par le jeu de la concurrence, les gouvernements sont mis en demeure d'offrir la meilleure brochette de services publics au moindre coût. D'autant plus que, dans pareil marché, l'électeur jouit d'une mobilité (toute relative) qui lui permet, dans une certaine mesure, de se déplacer vers les zones géographiques qui lui conviennent davantage. Les lois de l'offre et de la demande sont censées s'appliquer et, par conséquent, maximaliser la satisfaction de l'électeur-consommateur, tout en diminuant la propension naturelle des gouvernements à étendre leur empire et la bureaucratie qui les accompagne. Cette vision concurrentielle du fédéralisme correspond, on s'en doute bien, à une option politique au même titre que le mode proposé auparavant par les défenseurs du fédéralisme coopératif.

En revanche, les tenants d'une formule plus centralisée feront valoir que la décentralisation poussée à l'extrême favorise les petites unités riches qui peuvent toujours s'offrir des services publics de qualité, alors que les unités les plus pauvres demeureront démunies. L'État-providence et son effet de redistribution généralisée ont été favorisés, dans le passé, par une participation intensive des autorités centrales.

Même si, au fond, les analyses sur le fédéralisme comme telles ont été rarement à la hauteur des attentes, il y a lieu de prendre sérieusement en considération les conséquences qui découlent de cet aménagement à deux niveaux de compétence. L'organisation fédérale de l'autorité a, en tant que règle du jeu, des répercussions sur l'ensemble des arènes courantes (parlement, cabinet, mairies, etc.) en plus d'en créer d'autres (États, provinces, *Länder*, etc.). Elle a également un effet sur la dynamique des partis politiques, et, parfois même, sur le fonctionnement des groupes d'intérêts.

Enfin, l'étude du fédéralisme permet d'éclairer le fonctionnement des structures que les États unitaires établissent à divers niveaux (régional et municipal), et la part de compétences et d'initiative qu'ils consentent à leur accorder.

Le régime présidentiel/le régime parlementaire

Unitaire ou fédéral, l'État de type libéral, tel que nous le connaissons aujourd'hui, s'organise selon une des deux formes classiques suivantes : le régime présidentiel ou le régime parlementaire, avec quelques variations et même des emprunts de l'un à l'autre, comme l'État en France. Présidentiel ou parlementaire, le régime sert à désigner l'aménagement des trois fonctions reconnues de l'État : *exécutive, législative* et *judiciaire*.

La *fonction exécutive* est accomplie par le gouvernement et l'administration (la bureaucratie) qui l'entoure. Contrairement au sens que son appellation peut évoquer, l'exécutif fait beaucoup plus qu'exécuter. Bien sûr, il doit veiller à l'application des lois, et déjà, en les appliquant, il est appelé à les préciser par décret. Mais, plus globalement, l'exécutif a pour responsabilité de gouverner, c'est-à-dire prendre les initiatives que lui procurent les règles du jeu pour intervenir lorsqu'il le faut à l'intérieur comme à l'extérieur, pour proposer des mesures à l'approbation du législatif, et finalement pour administrer le plus efficacement les projets déjà mis en place. Les décisions prises par l'exécutif s'appellent *décrets, règlements, arrêtés* ou *ordonnances* selon le pays et la nature de la décision.

Assurée par un parlement, un congrès ou encore une assemblée, la *fonction législative* a pour objectif d'établir des règles selon une procédure donnée. Ces règles ou lois sont, en principe, de nature générale afin de donner à l'exécutif une certaine latitude dans leur application. De nos jours, ces règles émanent pour la plupart de propositions faites par l'exécutif. Le législatif garde toujours, dans l'abstrait, l'initiative des lois (à caractère non financier), mais, en réalité, il a pour principale fonction d'approuver ou de refuser des projets de lois. Il a, en outre, une fonction de surveillance de l'exécutif qui peut ultimement conduire à son renvoi. Les décisions prises par le législatif sont des *lois* (qui deviennent telles dès que le chef de l'État les a sanctionnées), lorsqu'il s'agit de poser des règles, ou des *résolutions* lorsque le législatif reconnaît un principe, fait une déclaration publique ou encore adopte un stade dans la procédure d'accomplissement de ses fonctions.

Enfin, la *fonction judiciaire*, dévolue généralement aux tribunaux, a pour objet de confronter la conformité de certaines conduites aux règles établies par la loi. Ses décisions peuvent être un *jugement*, un *arrêt*, une *injonction*, une *sentence* ou un *verdict*.

Selon le type d'articulation entre ces trois fonctions, on aura un régime présidentiel, un régime parlementaire, ou encore un régime mixte.

À certains égards, et en dépit des apparences, le **régime présidentiel** est le plus ancien. L'idée d'un président à la tête de l'État plutôt qu'un monarque peut laisser croire à une plus grande modernité. Mais ce n'est pas tout à fait le cas. Le régime présidentiel correspond à une conception un peu figée de l'autorité telle qu'elle s'exerçait au XVIIIe siècle, au moment où les Américains ont coulé dans le bronze leur constitution (1787). Ce régime *consacre ce qu'on appelle également la séparation des pouvoirs, ou encore la séparation des compétences*. Pouvoirs, compétences ou fonctions servent toujours à désigner cette même réalité triadique : l'exécutif, le législatif et le judiciaire.

On dit qu'il y a séparation des pouvoirs parce que chacune de ces entités institutionnelles jouit d'une autonomie assez grande. Le président, à la tête de l'exécutif, fait l'objet d'une procédure d'élection distincte des législatures. Même la durée de son mandat est souvent différente de celle des législateurs. De par son élection au suffrage universel, le président jouit d'une légitimité qui lui est propre : il est l'élu du peuple au même titre que les membres des législatures. D'une part, l'exécutif, ayant un mandat fixe, n'est pas tenu responsable devant les chambres (c'est-à-dire le législatif), il ne peut donc être renversé (à moins d'être destitué pour des dérogations graves à la loi, cas très rares) ; d'autre part, les chambres ne peuvent être dissoutes par l'exécutif. Chacun dispose d'une durée qui ne peut être écourtée, quelles que soient les impasses dans les relations entre l'exécutif et le législatif. Un président insatisfait des chambres est condamné, comme on dit, « à faire avec ».

Le judiciaire, par la voie de la Cour suprême, est appelé à baliser, au nom de la constitution, les actions engagées par l'un et l'autre.

Cela dit, la séparation des pouvoirs en régime présidentiel est loin d'être étanche. Qu'il s'agisse de l'adoption des lois, d'une déclaration de guerre, de la ratification de traités, de la nomination de membres du cabinet, de juges à la Cour suprême, l'accord des deux parties (législatif, exécutif) est nécessaire, et cela suivant des procédures variées. En outre, le législatif exerce dans ce régime un rôle de supervision sur l'exécutif qui n'a pas son pendant en régime parlementaire. Le législateur s'érige alors en enquêteur diligent qui scrute les agissements de l'administration.

Le régime présidentiel fonctionne au fractionnement des moyens d'intervention dont dispose l'État. Il repose sur le concours d'acteurs étatiques dont les intérêts diffèrent. Le président sera plus préoccupé de politiques globales alors que les députés veilleront davantage aux facteurs susceptibles de favoriser leur réélection... Le régime parlementaire, au contraire, force les députés à considérer l'ensemble.

Le régime parlementaire est le produit d'une évolution plus poussée. Les Américains étaient habitués avant leur indépendance (1783) à un système de séparation assez nette entre le gouverneur et les assemblées. S'inspirant de la pensée de Locke et de Montesquieu, qui départageaient nettement les fonctions de l'exécutif et du législatif, ils ont donc tout simplement adapté le système aux nouvelles conditions, après leur indépendance. Les Anglais, quant à eux, ont poursuivi une trajectoire toute différente. Les circonstances ont voulu, au XVIIIe siècle, qu'à la faveur d'un changement de dynastie (accession des Hanovre) et de l'émergence d'un homme politique de première envergure, Robert Walpole, le conseil des ministres se détachât de l'influence de la couronne pour devenir de plus en plus tributaire du Parlement. Walpole est effectivement le premier en lice à avoir porté le titre, en Angleterre, de premier ministre, titre qu'on lui attribua par dérision et que l'usage a consacré. Cette dépendance du cabinet ou conseil des ministres vis-à-vis en particulier de la Chambre des communes a conduit, un siècle après, à la reconnaissance de ce qu'on appelle la responsabilité ministérielle.

Qu'est-ce à dire ? *Par le principe de la responsabilité ministérielle propre au* **régime parlementaire**, *le gouvernement est dit responsable devant la chambre basse* (à la chambre haute également dans certains pays) : il doit, pour se maintenir, avoir la confiance de la chambre, en d'autres mots, avoir l'appui de la majorité présente, ou, au moins, ne pas avoir la majorité contre lui. Un gouvernement qui perd cette confiance est tenu pour défait et doit, soit démissionner et céder sa place à une équipe susceptible de rallier une majorité en sa faveur, soit encore dissoudre cette chambre et donc déclencher des élections en vue du renouvellement de cette assemblée. Dans le cas d'une défaite aux urnes, c'est-à-dire d'une incapacité d'obtenir une majorité de députés en sa faveur, un gouvernement n'a pas le choix, il doit démissionner.

On peut constater que le régime parlementaire introduit une symétrie dans les rapports d'existence entre le législatif et l'exécutif :

si le législatif a la faculté de renverser l'exécutif, le second, en retour, a la faculté de dissoudre le premier.

Il arrive rarement qu'un gouvernement soit renversé en Angleterre, dans ce pays où la règle de la responsabilité ministérielle est apparue en premier. Au fond, elle est importante de par l'influence que peut avoir son recours *possible* sur la conduite des acteurs. Elle permet ainsi au premier ministre et à son cabinet de forcer les députés à se conformer à une politique donnée, faute de quoi le gouvernement risque de perdre sa majorité en chambre, et de devoir déclencher des élections. Il pèse toujours une menace implicite de dissolution qui oblige les députés du ou des partis à se ranger à l'avis du ministère. De là une discipline de parti qui s'impose pour toute décision qui met en jeu la politique annoncée du gouvernement. Certains observateurs parlent volontiers de chantage exercé sur les députés de la majorité. Telle n'est évidemment pas la situation en régime présidentiel où les députés sont élus pour un mandat fixe et ne peuvent être menacés de dissolution. Il n'existe donc pas, dans ce cas, de discipline ferme de parti, mais seulement des tendances et des majorités flottantes qui se prononcent tantôt pour ou tantôt contre la politique du président, souvent selon les intérêts régionaux des députés.

Le régime parlementaire fonctionne avec l'accord constant du législatif et de l'exécutif qui, émanant en principe du législatif, garde, par la suite, la conduite générale des affaires publiques. La plupart des ministres, sinon tous, sont d'abord députés. Néanmoins, ce régime est de nature élitiste dans la mesure où le gouvernement conserve, en tout temps, l'initiative de la législation et la maîtrise de la procédure au Parlement. Contrairement au régime présidentiel où la responsabilité en matière législative est diffuse, le président accusant en cas d'échec le congrès et inversement, le régime parlementaire permet une meilleure saisie des responsabilités puisque le gouvernement dispose alors d'un contrôle incontestable sur l'adoption des projets en chambre. L'avantage du régime parlementaire sur le présidentiel, c'est qu'il permet l'adoption d'un programme intégré de législations au cours d'un mandat donné. Le président, en régime de séparation des pouvoirs, demeure à la merci des députés, et même de son propre parti ; tandis qu'un premier ministre, en régime parlementaire, a largement la faculté de les contraindre à respecter un programme donné.

La force d'un régime en fait également la faiblesse : en obligeant les députés à se conformer à une politique d'ensemble, le parlementarisme rend plus difficile l'expression en chambre des particularismes régionaux, comme peut le faire le présidentialisme. La séparation des pouvoirs, au contraire, met le député en situation de défendre les intérêts plus immédiats de ses commettants, avec les avantages et les inconvénients qu'un tel aménagement comporte.

Qu'il soit parlementaire ou présidentiel, le régime sert surtout à identifier la nature des rapports entre l'exécutif et le législatif, au même titre que la forme d'État unitaire ou fédéral sert à désigner les relations entre le gouvernement central et les régions. Ces deux types de paramètres se retrouvent dans toutes les démocraties libérales, selon quatre combinaisons possibles (tableau 3).

Tableau 3

	État unitaire *(unit.)*	***État fédéral*** *(féd.)*
Régime parlementaire *(Par.)*	*Par./unit.* *Grande-Bretagne, Danemark, Israël*	*Par./féd.* *Canada, Austrlie, Allemagne*
Régime présidentiel *(Prés.)*	*Prés./unit.* *Chili*	*Prés./féd.* *États-Unis, Argentine, Brésil*

Ces paramètres permettent de comprendre les principales règles du jeu en fonction de principes fondateurs posés préalablement. Selon la dynamique recherchée, elles se logent, avec parfois des accommodements, sous l'enseigne d'une des quatre combinaisons proposées.

Ce qui intéresse la science politique, ce n'est pas tant le caractère juste ou injuste des règles ainsi posées, que l'effet recherché et, ultimement, l'effet réel sur le jeu même de la représentation des intérêts. Au-delà de la description des institutions, étape néanmoins essentielle à leur saisie, c'est l'étude de leurs conséquences sur ce qui constitue l'objet privilégié de la science politique.

Bibliographie

BAKVIS, Herman et William M. CHANDLER, 1987. *Federalism and the Role of the State*, Toronto, University of Toronto Press.

BEAM, David R., Timothy J. CONLAN et David B. WALKER., 1983. « Federalism : The Challenge of Conflicting Theories and Contemporary Practice », *in* Ada W. FINIFTER (dir.), *Political Science : The State of the Discipline*, Washington (D.C.), American Political Science Association, p. 247-279.

BRETON, Albert, 1985. « Commentaires », *in Rapport, Commission royale sur l'union économique et les perspectives de développement du Canada*, vol. III, Ottawa, Ministère des Approvisionnements et Services, p. 554-600.

BURGESS, Michael et Alain-G. GAGNON, 1993. *Comparative Federalism and Federation, Competing Traditions and Future Directions*, Toronto, University of Toronto Press.

CADART, Jacques, 1990. *Institutions politiques et droit constitutionnel,* Paris, Economica.

CAIRNS, Alan C., 1992. *Charter versus Federalism*, Montréal et Kingston, McGill-Queen's University Press.

CARNOY, Martin, 1984. *The State and Political Theory*, Princeton (N.J.), Princeton University Press.

CROISAT, Maurice, 1992. *Le Fédéralisme dans les démocraties contemporaines*, Paris, Montchrestien.

DYE, Thomas R., 1990. *American Federalism. Competition Among Governments*, Lexington (Mass), D.C. Heath.

ELAZAR, Daniel J., 1984. *American Federalism. A View from the States,* 3e éd., New York, Harper and Row.

KENYON, Daphne A. et John KINCAID (dir.), 1991. *Competition among States and Local Governments, Efficiency and Equity in American Federalism*, Washington (D.C.), Urban Institute Press.

OSTROM, Elinor, 1986. « An Agenda for the Study of Institutions, » *Public Choice*, vol. 48, nº 1, p. 3-25.

PACTET, Pierre, 1989. *Institutions politiques, droit constitutionnel,* Paris, Masson.

PARINI, Philippe, 1991. *Régimes politiques contemporains*, Paris, Masson.

Chapitre 8

L'exercice de l'autorité

Les institutions de l'État correspondent à des *règles* d'organisation et de fonctionnement. Elles déterminent les conditions d'accession à divers postes, comme celui de député ou de ministre, et les conditions de leur exercice. Ce sont des rôles qui doivent être accomplis selon une certaine procédure. Les règles du jeu se trouvent à fixer des postes dont l'exercice comporte des *ressources* propres à la fonction (ressources financières, informationnelles, symboliques) et des *droits* d'intervention qui se traduisent par des *contrôles* auprès des autres gouvernants comme auprès des gouvernés. Ces règles balisent l'action des gouvernants en introduisant des contraintes : elles fixent le champ des actions obligées, des actions permises (donc laissées à la discrétion du titulaire de la fonction) et des actions interdites. De la sorte, elles se trouvent à établir des *arènes*, des lieux où se prennent des décisions dont elles fixent les modalités d'adoption. Dans ces arènes interviennent des acteurs qui, de par leurs statuts de députés, de ministres ou autres, ont la possibilité d'influer sur les décisions en cours.

Le partage classique de l'autorité étatique s'opère entre l'*exécutif* et le *législatif* selon des modalités que prévoient, de manière bien différente, les régimes présidentiel et parlementaire. Chacun de ces régimes aménage donc une dynamique interne à la gouverne qui n'est pas sans répercussions importantes sur la manière dont les groupes sociaux, mouvements ou associations, se constituent et engagent leurs actions mobilisatrices. Les fonctions exécutive et législative s'ajustent et se conjuguent pour constituer un mode de fonctionnement distinct.

L'exécutif

Autrefois, la fonction exécutive était assumée en totalité par le monarque. Il s'entourait de conseillers nommés ministres dont il tirait les avis qui lui convenaient avant de prendre une décision. Avec le temps, les ministres en sont venus à représenter les désirs, et aussi les intérêts, du parlement, tout en s'imposant auprès du monarque. Ils se sont trouvés à constituer un groupe distinct ayant à sa tête, par la suite, un premier ministre, que l'on a été amené à désigner comme *chef du gouvernement* pour le distinguer du *chef de l'État* qui était le monarque.

Cette distinction est retenue de nos jours dans tous les régimes parlementaires. On y trouve toujours un chef d'État, qui sera le roi ou la reine, dans les monarchies constitutionnelles, ou le président, dans les républiques parlementaires. Il est bon de noter que la simple présence d'un président à la tête d'une république ne confère pas à cet État un régime présidentiel. La plupart des républiques parlementaires étaient antérieurement des monarchies qui, au gré des circonstances, ont dû prendre congé du monarque, comme en Italie, ou en Grèce, alors que d'autres l'ont perdu et récupéré comme en Espagne.

Le statut du chef d'État n'est pas sans soulever un problème depuis que s'est imposée la fonction de premier ministre. Le chef de l'État représente d'abord la continuité de l'État dont il est le garant. Il est censé se poser au-dessus de la mêlée, se tenir hors des querelles partisanes. Son rôle est, en temps normal, un rôle de représentation. Il est plus important là où les changements de gouvernements se font nombreux, comme en Italie où il a une part d'initiative à prendre. Par contre, surgit-il un événement inattendu mettant en cause le fonctionnement normal de l'État, le chef de l'État doit alors intervenir pour rétablir la situation. Par exemple, il a le devoir de démettre et de remplacer un premier ministre qui sciemment et sans raison d'urgence dépenserait les fonds publics en dépit d'un refus essuyé au parlement. Sans être contradictoires, les attentes à l'endroit du chef de l'État, en régime parlementaire, sont assez particulières. On lui demande d'être effacé, de remplir un rôle de représentation purement diplomatique, mais en situation de crise, on attend de lui du courage et même de l'audace et de l'imagination. C'est une fonction virtuellement exigeante, mais la plupart du temps sans histoire.

La monarchie anglaise sert souvent de prototype : la reine assure les fonctions d'apparat tant à l'extérieur qu'à l'intérieur. La référence en Grande-Bretagne n'est pas à l'État mais à la couronne, comme symbole. La souveraineté n'est pas non plus exercée par l'État, mais par la reine en Parlement. Cette symbolique est mythique, et n'entrave en rien l'autorité exercée par les élus.

Même mythifiée, la fonction du monarque demeure fragile. Bon nombre de pays d'Europe l'ont supprimée à l'occasion de guerres ou de révolutions. La popularité de la famille royale anglaise est relativement récente, c'est la reine Victoria qui, au siècle dernier, a mis un terme (provisoire ?) à la très mauvaise réputation de la maison de Hanovre (devenue Windsor par la suite). On peut croire que l'avenir de cette maison n'est d'ailleurs pas assuré... Le principe de l'hérédité dans la transmission du titre est une contrainte de taille.

La formule républicaine n'est pas non plus une solution tout à fait satisfaisante. Nommé par le gouvernement ou par le corps des parlementaires, le président, en régime parlementaire, émane, hormis exceptions, de la gent politique qui s'applique, règle générale, à désigner des personnes inoffensives et en fin de carrière. Les présidents ont souvent les cheveux blancs, quand ils en ont encore... L'Allemagne a eu la main heureuse dans plusieurs de ses choix, tandis que les Italiens ont eu droit en 1991 et 1992 à un président qui, en fin de mandat, a bien montré qu'il ne voulait pas se contenter d'inaugurer les chrysanthèmes : il s'est appliqué à pourfendre les mœurs de la classe politique devant une opinion publique lasse de la succession des cinquante gouvernements en moins d'un demi-siècle.

Quelques pays comme l'Irlande, le Portugal et l'Autriche soumettent l'élection du président au suffrage universel. Ce peut être une manière de pallier une trop grande complaisance entre membres d'un même sérail. La formule n'a pas empêché, en 1986, le choix en Autriche de Kurt Waldheim, ancien lieutenant dans l'armée allemande, associé aux atrocités nazies commises sous son autorité durant la Seconde Guerre mondiale. Dans ce cas, la sanction ne s'est pas faite attendre : à défaut d'une rebuffade de ses électeurs, il a été mis au ban par le milieu diplomatique international.

Le président en régime présidentiel

Le régime de la séparation des pouvoirs prévoit nécessairement l'élection du président au suffrage universel pour un mandat fixe, élection distincte des législatures, même si le scrutin se déroule le même jour. En outre, il assigne au président les fonctions de chef de l'État et de premier ministre, lesquelles se trouvent, en quelque sorte, fusionnées. La formule est apparue d'abord aux États-Unis qui, comme nous l'avons mentionné, connaissaient un système de séparation des pouvoirs sans la présence de premier ministre. Cette dernière fonction commençait à s'imposer en Grande-Bretagne, lorsque les treize colonies américaines se sont dissociées de la métropole. On retrouve donc concentrés les deux rôles que le président doit assumer pleinement : tantôt être le symbole de l'unité nationale et se poser au-dessus de la mêlée partisane, tantôt s'imposer comme chef de gouvernement et aussi chef de parti engagé dans les débats qui agitent l'opinion.

Le système américain est celui qui sert toujours d'illustration. Et la raison est assez simple : il a servi de modèle à toutes les autres sociétés qui ont adopté le régime présidentiel ; c'est le cas pour la presque totalité des pays latino-américains.

En tant que chef de l'État, le président américain assure la fonction de représentation, comme tout autre chef d'État en régime parlementaire, président ou monarque : il reçoit la dinde traditionnelle que les producteurs lui offrent à l'occasion de la *Thanksgiving,* il allume l'arbre de Noël à la Maison-Blanche, etc. Bref, il représente l'État auprès de l'ensemble des citoyens. Il en est de même à l'externe : il reçoit officiellement les ambassadeurs et fait l'objet, à l'étranger, des égards rendus à un chef d'État ; il a dès lors, préséance sur les chefs de gouvernements, c'est-à-dire les premiers ministres. Il est bien entendu que le président est susceptible de jouer, de par ses fonctions, sur tous les tableaux à la fois. Visite-t-il une région du sud dévastée par un ouragan, il accomplit alors son devoir, comme le ferait un monarque ; mais il s'assure à la fois une visibilité qui a des retombées sur son rôle de chef de gouvernement, et même de chef de parti. C'est inévitable, et souvent les citoyens ne veulent pas en être dupes.

En tant que chef de gouvernement, le président a l'entière responsabilité de l'Administration c'est-à-dire de l'ensemble des ministères, appelés départements, et des organismes relevant de l'État. Il lui revient, lorsqu'il entre en fonction, de pourvoir à un nombre considérable de postes qui relèvent du système des dépouilles, le parti au pouvoir ayant la faculté de décapiter l'administration précédente.

Il est responsable de l'ensemble des politiques proposées et mises en œuvre par les divers ministères qui lui sont d'ailleurs immédiatement subordonnés. À ce titre, son champ d'intervention touche tous les domaines ; des affaires étrangères et de la défense aux problèmes internes d'éducation, de santé, de transport, d'environnement, etc.

Pour assumer l'ensemble de ces fonctions, le président américain dispose, au sommet, d'un dispositif de gouverne à deux niveaux : le cabinet des ministres et le bureau du président.

Le cabinet réunit l'ensemble des ministres, appelés aux États-Unis secrétaires. Ils sont nommés par le président avec l'accord, pas toujours assuré, du Sénat. Ils sont révocables en tout temps par le président. Contrairement au régime parlementaire où les ministres appartiennent étroitement à la classe politique et sont députés pour la plupart, le régime présidentiel permet au président de s'entourer de gens de son propre choix. Ce sont des spécialistes du domaine qui correspond à leurs ministères respectifs. Le secrétaire à l'agriculture vient presque nécessairement du milieu agricole dont il représentera les intérêts, et ainsi de suite. Il ne faut donc pas s'étonner, lors de leur nomination, qu'ils soient inconnus du grand public.

Puisqu'il n'existe pas de responsabilité ministérielle ni de solidarité obligée entre les secrétaires, le cabinet est redevable seulement au président, qui lui fait jouer le rôle qu'il veut bien. Chacun de ses membres n'a à répondre qu'à lui et lui seul. Les secrétaires n'ont pas d'obligations entre eux, à moins que le président ne leur en impose.

Suivant son idéologie, sa déformation professionnelle et sa psychologie propre, le président est susceptible de modifier l'organisation de son cabinet en fonction de deux types d'autorité : l'une se fondant sur la responsabilité individuelle des ministres, l'autre sur une responsabilité plus collégiale.

Bon nombre de présidents depuis l'après-guerre ont opté pour la première formule en vertu de laquelle chaque secrétaire se présente comme un seigneur responsable de son fief. C'est le système qu'ont préféré Kennedy, Johnson, Nixon et Carter. Il privilégie le rapport direct entre le ministre, en tant qu'individu, et le président. Très préoccupé de détails, le président Carter trouvait la formule idéale pour satisfaire sa conception de la gouverne. Il va de soi qu'avec pareille organisation le cabinet est rarement réuni puisqu'il n'a pas de tâche collective à réaliser.

Le second type, le cabinet selon une conception collégiale, fonctionne comme une équipe. Les réunions ont lieu à intervalles réguliers et se déroulent suivant un mécanisme de délibération qui permet la prise de décision au terme de la discussion. C'est le système qui a eu la préférence de Eisenhower et de Reagan. Le président Reagan l'a poussé au point d'instituer une structuration du cabinet qui comportait la présence de comités interministériels. Ces comités, comme il en existe en régime parlementaire, ont pour objectif d'harmoniser les politiques entre ministères *avant* qu'elles soient soumises à l'attention du cabinet. Il ne s'agissait pas d'une innovation, mais d'un retour à la conception qu'on se faisait jadis du cabinet.

Quelle que soit la formule adoptée par le président, celui-ci demeure seul maître à bord. Les décisions du cabinet sont *ses* décisions. On rapporte souvent le propos de Lincoln qui, au terme d'un tour de table, avait déclaré : « sept non, un oui, les oui l'emportent. »

À un niveau supérieur au cabinet se situent les services de la présidence appelés également bureau du président (*Executive Office*). Ces services recouvrent un ensemble d'agences sous la direction immédiate de la présidence. Se trouve inclus le secrétariat de la Maison-Blanche (*White House Office*) qui rassemble les aides immédiats. Il y a ceux affectés au courrier, aux discours, à l'emploi du temps, et aussi ceux qui conseillent le président sur son programme législatif et sur les stratégies de politiques générales. Le secrétariat contrôle l'accès de l'information et des personnes auprès de la présidence.

Autour du secrétariat gravitent des agences comme le Conseil national de sécurité qui, s'occupant de la politique extérieure, se trouve souvent en situation de tension avec le Secrétariat d'État (ministère des affaires étrangères) ; la CIA *(Central Intelligence Agency)*, service d'intelligence à l'étranger ; le Bureau de l'organisation et du budget, responsable de la politique budgétaire et fiscale du gouvernement.

Contrairement au premier ministre, en régime parlementaire, le président dispose d'une expertise immédiate directement rattachée à sa fonction. Elle permet une contre-expertise par rapport à l'information acheminée des divers ministères qui très souvent n'est orientée qu'en fonction des intérêts propres à chacun d'eux. L'ensemble des services à la présidence renforce l'autonomie et aussi la solitude de la fonction.

De par la séparation des pouvoirs, le président a les coudées assez franches dans l'organisation de son administration. Il peut, comme nous venons de le voir, ne pas utiliser le cabinet des ministres comme lieu de décision. De même, au niveau des services à la présidence, il lui est loisible d'aménager à sa guise ses rapports avec l'ensemble des conseillers. Les styles varient, de manière sensible, selon les présidences dont les idiosyncrasies sont rendues plus apparentes qu'en régime parlementaire où la prise de décision est plus collégiale. Eisenhower et Nixon préféraient la forme hiérarchique qui filtre l'information et ne permet l'accès qu'à un nombre restreint de conseillers supérieurs. En revanche, Kennedy, Johnson et Carter préféraient que tous les conseillers, quel que soit leur statut, aient accès à la présidence ; ils estimaient qu'une telle flexibilité les tenait mieux informés.

Cet aménagement de l'exécutif en régime présidentiel américain est concomitant à un déplacement du centre d'intérêt qui, localisé jadis au Congrès, s'est progressivement porté vers la présidence. C'est avec Théodore Roosevelt, au début du siècle, que la présidence commence à être jugée selon sa capacité en tant qu'initiatrice des lois. Elle devient, par la suite, responsable des prévisions budgétaires (1921) autrefois dévolues au Congrès. Avec la longue présidence de Franklin D. Roosevelt (douze ans), l'exécutif s'impose définitivement et verra avec ses successeurs un renforcement de la fonction par rapport au Congrès. Cette tendance s'observe également en régime parlementaire où, comme partout ailleurs, l'exécutif s'impose auprès du législatif.

Le chef du gouvernement en régime parlementaire

Nommé premier ministre, le chef du gouvernement est, en régime parlementaire, le premier responsable de l'administration dans son ensemble. Il est, en principe, le député leader du parti majoritaire en chambre. Dépendant largement des modes de scrutin, la représentation à la chambre basse appelée Assemblée nationale, Chambre des communes, Knesset ou autrement, est concentrée à raison de deux partis importants ou d'un nombre plus élevé qui, dans certains cas, peut dépasser la vingtaine. Là où le mode de scrutin permet de dégager une majorité absolue de sièges en faveur d'un parti, comme en Grande-Bretagne et au Canada, il est aisé pour le chef de l'État de désigner le premier ministre, puisque le choix va de soi. Il en est de même lorsque des coalitions majoritaires apparaissent presque spontanément. Ainsi en est-il des coalitions très stables de partis qu'on retrouve souvent en Suède, en Norvège et en Allemagne. Là où les partis sont nombreux et idéologiquement démarqués, comme en Italie, en Israël et en Belgique, la désignation du chef du gouvernement exige parfois plus d'initiative de la part du chef de l'État, à qui il revient ultimement de trouver un chef de gouvernement capable de rallier autour de son nom une majorité à la chambre basse.

Le gouvernement dit de coalition est la forme la plus courante en régime parlementaire, puisque le parti disposant du plus grand nombre de sièges en chambre ne parvient généralement pas à obtenir la majorité absolue. Deux possibilités se présentent alors aux intéressés : soit former un gouvernement minoritaire avec l'espoir de se maintenir quelque temps, grâce à des coalitions ou abstentions passagères en chambre ; soit, et c'est le mode le plus fréquent, former un gouvernement de coalition, c'est-à-dire un gouvernement qui réunit plusieurs partis afin de s'appuyer sur une majorité absolue de députés. Prendre part à une coalition répond à une stratégie de deux types. Les dirigeants d'une formation politique peuvent accepter d'y participer par conviction ou par simple intérêt. Dans le premier cas, ils le font parce qu'ils estiment qu'en étant présents au gouvernement, ils seront en meilleure posture pour en influencer la conduite : ils pourront voir à l'adoption de politiques dont ils sont les défenseurs. Dans le second cas, les dirigeants de partis y consentent parce que leur intention profonde est tout simplement de « faire de la politique », en d'autres mots, de se retrouver au gouvernement et de garantir une plus grande visibilité en vue du scrutin suivant. Cette décision de participer est étroitement liée à la distribution des portefeuilles.

Aussitôt désigné, le premier ministre doit voir à la composition de son cabinet, lequel sera constitué de députés et parfois de quelques membres de la chambre haute. Le choix qui s'offre à lui est donc assez restreint, puisqu'en plus il doit respecter certaines règles courantes. Selon leur loyauté à sa personne, leur ancienneté et leur influence dans le parti, parfois leur sexe, leur ethnie ou leur religion, leur tendance idéologique, leur région de provenance et, bien sûr, leur compétence, certains députés sont mieux placés que d'autres pour être sélectionnés comme ministres. Lorsqu'il y a coalition, la répartition des maroquins doit de surcroît respecter les conditions de l'entente préalable entres les partis. Un parti agrarien tiendra au ministère de l'agriculture, tandis qu'une formation plus à gauche préférera le ministère du travail. Viendront, bien sûr, s'ajouter les ambitions et susceptibilités personnelles des participants. Contrairement au régime présidentiel où une expertise est recherchée en fonction des divers postes à combler, le régime parlementaire ne fait pas appel à des spécialistes. En témoignent les nombreux remaniements qui font passer les ministres d'un ministère à un autre.

Dans la tradition britannique il existe une filière, un *cursus honorum*. Le jeune député doit faire ses classes d'abord comme simple *backbencher*, simple membre de la Chambre des communes, puis il gravit éventuellement les divers échelons le conduisant à la fonction de *junior minister* puis de *senior minister*. Il y a toujours une hiérarchie dans la distribution des portefeuilles : être chancelier de l'échiquier ou ministre des finances ailleurs, a plus de poids qu'être ministre du tourisme. Au Canada, comme au Québec, les carrières sont plus rapides et souvent plus brèves. Pierre Elliott Trudeau est devenu premier ministre, en 1968, moins de trois ans après sa première élection comme député.

Si le premier ministre a l'entière responsabilité de nommer les ministres, il a aussi l'entière liberté de les démettre. Mais, comme nous venons de le voir, sa marge de manœuvre n'est pas illimitée. Margaret Thatcher a mis un certain temps avant d'obtenir un cabinet qui corresponde suffisamment à ses attentes. Au début, elle a dû se contenter de poster ses personnes de confiance à des ministères stratégiques, eu égard à la politique qu'elle désirait faire valoir.

Le premier ministre doit se rappeler qu'il est entouré de personnes dont l'ambition est, pour la plupart, le principal ressort, et qu'en conséquence un certain nombre d'entre elles visent sa succession. Alors que le président, en régime présidentiel, travaille avec des subordonnés, le premier ministre, lui, travaille avec des collègues ; ils sont tous également députés comme lui. Il doit composer avec des tendances, sinon des factions.

La *responsabilité ministérielle* oblige tous ministres les uns envers les autres. Toute politique officiellement annoncée est reconnue comme la politique acceptée par l'ensemble du cabinet. Le cabinet a pour fonction d'assurer la coordination entre les ministères et de permettre l'expression de politiques susceptibles de réaliser un certain consensus parmi les ministres.

À cette fin, le fonctionnement du cabinet donne lieu à une division du travail. C'est en comités du cabinet que se prennent la plupart des décisions. Sous Margaret Thatcher, en 1987, il en existait 135 : 25 dits permanents et 110 *ad hoc*. Les comités permanents y sont plus ou moins à demeure, comme celui des affaires étrangères, tandis que les comités *ad hoc* n'ont d'existence que pour l'étude d'une question précise.

Il revient au premier ministre d'en déterminer le nombre, la fonction et la composition. Ces comités sont constitués d'un nombre limité de ministres auxquels certains fonctionnaires peuvent être invités à s'adjoindre. De par sa position stratégique, le premier ministre a tout avantage à placer des personnes de confiance aux postes clés en leur assurant une majorité dans les comités importants et souvent la présidence, quand ce n'est pas lui-même qui l'assume. C'est ainsi que Mme Thatcher avait mis des personnes sûres dans les comités à vocation économique, c'est-à-dire des ministres qui partageaient son point de vue.

Les séances du cabinet, généralement hebdomadaires, sont présidées par le premier ministre qui en fixe l'ordre du jour et fait circuler l'information qu'il juge à propos. Il occupe une position privilégiée puisque, outre la constitution des comités où se fait l'arbitrage entre ministères, il détermine quels sujets seront abordés. Il a la faculté de parfois contourner le cabinet ou de l'informer à la toute dernière minute. Souvent, le premier ministre s'entoure de quelques ministres en qui il a particulièrement confiance et qui constituent ce qu'on appelle le *inner cabinet* ou cabinet restreint. Au Québec, il existe un comité qui coordonne en quelque sorte l'action des comités et fixe leurs priorités.

En principe, les décisions du cabinet ne font pas l'objet d'un vote. À titre de président des discussions, le premier ministre donne l'orientation à suivre. Il s'agit la plupart du temps de transmettre une décision déjà prise en comité et à propos de laquelle il est d'accord. Au terme de l'échange, qui ne doit pas s'éterniser, le premier ministre en résume l'esprit et dégage la décision à prendre. Il a toujours le droit d'intervenir dans la discussion et faire valoir son point de vue, mais au risque de se trouver minoritaire. Durant son premier mandat (1979-1983), Margaret Thatcher a dû céder devant un cabinet qui ne partageait pas son avis touchant les subventions à consentir aux entreprises nationalisées.

À la différence du président américain qui dispose de conseillers personnels lui garantissant une forme de contre-expertise, le premier ministre fait nécessairement face à des collègues mieux informés, qui ont à leur service une bureaucratie spécialisée propre à leurs ministères respectifs.

Au sujet du premier ministre britannique, on a souvent parlé d'un « monarque élu ». Il est vrai que les campagnes électorales se concentrent parfois sur sa personne, comme ce fut le cas de Mme Thatcher. Il faut bien reconnaître que, dans le passé, même au XIXe siècle, des personnages comme Disraeli et Gladstone misaient sur leur réputation pour faire campagne. Néanmoins, il y a une tendance à renforcer la position du premier ministre, tendance qui se traduit par l'établissement de services propres à la fonction. Les chefs de gouvernement, en régime parlementaire, tendent de plus en plus à s'entourer de conseiller susceptibles de servir de contrepoids aux avis émanant des divers ministères.

Qu'on soit en régime présidentiel ou en régime parlementaire, on note un renforcement au sommet de l'exécutif, indice d'une intention bien arrêtée de contrer le caractère jugé trop unilatéral de l'information provenant de la bureaucratie. C'est une manière de la court-circuiter afin d'obtenir une expertise externe, et, ce faisant, agrandir la marge de manœuvre par rapport à l'entourage ministériel.

Un cas hybride

La France constitue un cas intéressant de par la nature hybride de son régime. Mi-parlementaire, mi-présidentiel dans sa forme originelle, le régime a rapidement évolué vers un quasi-présidentialisme. Il est parlementaire en ce qu'il prévoit la présence d'un premier ministre responsable devant l'Assemblée nationale. Il est présidentiel en ce qu'il accorde au président des compétences beaucoup plus importantes que celles généralement confiées à un chef d'État en régime parlementaire. Élu au suffrage universel, le président est vite devenu le chef de la nation et le symbole de son unité. Il est le premier porte-parole du gouvernement. À ce titre, il nomme et, le cas échéant, révoque son premier ministre. Il n'est pas nécessaire d'ailleurs que celui-ci émane du parlement, il peut être parfaitement inconnu du grand public. La durée de son mandat excède rarement deux ou trois ans : les premiers ministres passent et le président (élu pour sept ans) demeure. Le président a même son mot à dire dans la désignation, le maintien et le renvoi des ministres.

Cette faculté d'intervention dans l'organisation du gouvernement dérive de l'initiative laissée au président de déterminer les champs dans lesquels il veut garder une certaine exclusivité. Les affaires européennes et étrangères, de même que la défense, lui reviennent presque d'office, mais on reconnaît aujourd'hui que la politique économique, les affaires sociales et l'environnement ne peuvent, en temps normal, lui échapper totalement. Lorsque le président et le premier ministre sont de la même tendance politique, l'ascendant de l'Élysée (palais de la présidence) sur Matignon (hôtel du premier ministre) s'opère selon des formes qui rendent le fonctionnement de cet exécutif bicéphale possible. Le premier ministre et ses ministres sont alors en situation de subordination relative par rapport au président. Celui-ci dispose de ses propres conseillers et entretient des rapports directs avec les divers ministères et les grands corps de l'État. De là des rapports d'information et d'influence qui lui sont propres. Il fixe l'ordre du jour des réunions hebdomadaires du conseil des ministres et les préside. À ce titre, il est en mesure de contrôler la nature des décisions à prendre. Les réunions se déroulent, on le sait, dans un climat de solennité qui favorise l'ascendant du chef de l'État.

Mais puisque le premier ministre est responsable devant l'Assemblée nationale, il arrive que le président soit obligé, pour respecter la majorité en chambre, de désigner un chef de gouvernement qui ne soit pas de sa tendance politique. Dans un tel cas, on dit qu'il y a cohabitation. Les relations entre le chef de l'État et le chef du gouvernement sont alors susceptibles de prendre l'allure d'une guerre feutrée où les coups fourrés sont plus fréquents.

Le fonctionnement des institutions en période de cohabitation se rapproche du parlementarisme classique. Le président dispose alors d'une marge de manœuvre plus étroite : sa faculté de nommer le premier ministre est limitée, sinon imposée par la majorité, surtout si elle est massive, et le renvoi inconsidéré du chef du gouvernement porterait un préjudice sérieux à l'autorité du chef de l'État. La désignation, par exemple, d'Édouard Balladur après l'élection triomphale de la droite en 1993 ne faisait pas de doute, tant le président Mitterrand, d'obédience socialiste, n'avait pas le choix. En selle, un premier ministre, dans une telle situation de cohabitation, est pratiquement indélogeable, à moins qu'il ne soit censuré par sa propre majorité en chambre. Ironie de la politique, un président a par contre tout avantage, en cohabitation, à laisser un premier ministre, devenu impopulaire, le soin de s'enliser auprès de l'opinion publique... Quant au droit de regard du président sur les affaires du gouvernement, il s'en trouve réduit dans la mesure où le premier ministre devient le maître d'œuvre de la politique dans son ensemble. Tout dépend, dans ce cas, du tempérament, des intentions et des assises d'influence du premier ministre.

Que les deux protagonistes soient de la même tendance ou non n'enlève en rien à la tension qui, dans ce système, s'introduit presque invariablement entre eux. Souvent, le premier ministre en arrive à nourrir des aspirations qui le posent comme dauphin du président, aspirations que le chef de l'État ne partage pas nécessairement.

Cet arrangement hybride, qui tient du présidentialisme et du parlementarisme, répercute ses effets surtout sur l'aménagement de l'exécutif. Il faut dire que ce régime est relativement nouveau. Il date de 1958 et a sensiblement évolué depuis. Il y a tout lieu de croire que la situation encore instable qui est la sienne est appelée à d'autres adaptations dans l'avenir.

La bureaucratie

Que ce soit en régime présidentiel, en régime parlementaire ou en régime hybride, l'exécutif s'appuie sur une bureaucratie pour accomplir les tâches qui lui reviennent. Cette bureaucratie se charge non seulement de la mise en œuvre des mesures relevant de la fonction exécutive, mais aussi de la préparation de ces mesures, qu'elles doivent être adoptées ou non par l'organisation législative.

Le recrutement des bureaucraties varie d'un État à l'autre. Aux États-Unis, ce recrutement est plus politisé qu'ailleurs. L'arrivée d'un nouveau président à la Maison-Blanche, surtout s'il est d'un autre parti que le précédent, entraîne, selon le principe du *spoils system* (« régime des dépouilles ») des changements à plusieurs milliers de postes importants dans la fonction publique. Ces changements sont beaucoup moins nombreux en Grande-Bretagne, en France et au Canada, à la suite de l'arrivée d'un nouveau gouvernement, même si, après quelque temps, la haute fonction publique a une composition assez différente de celle du gouvernement précédent (pour le Québec, voir Bourgault et Dion, 1991).

Pendant plusieurs années, les théoriciens du *public choice* ont prétendu que les bureaucrates étaient motivés ou bien par la maximisation des budgets qu'ils gèrent (Niskanen, 1971), ou par la maximisation de différentes utilités, dont les budgets (Migué et Bélanger, 1974). Des travaux plus récents, prenant en compte les contextes de restrictions budgétaires où se trouvent maintenant les bureaucraties, ont montré que le comportement des bureaucrates était plus complexe, et moins indépendant des décisions de l'exécutif (Blais et Dion, 1991).

La thèse de la technocratie est plus ancienne (voir Meynaud, 1964) et a encore aujourd'hui ses défenseurs. Selon cette thèse, le caractère de plus en plus complexe et de plus en plus technique des décisions rattachées à l'exercice de l'autorité entraînerait la domination des bureaucraties spécialisées sur le législatif et l'exécutif à la fois. L'étude empirique des politiques publiques, que nous présenterons plus loin, ne confirme que partiellement cette thèse. Les technocrates ont une grande influence dans les politiques de caractère technique et de nature administrative, mais ce ne sont pas généralement les plus importantes.

Par ailleurs, on a noté une tendance qui conduirait la classe politique à se rapprocher des positions défendues par les fonctionnaires, dans la mesure où les uns et les autres ont en commun les intérêts collectifs de l'État (Aberdach, Putnam et Rockman, 1981). L'administration publique apparaît alors beaucoup plus près des élus que les apparences peuvent parfois le laisser croire. Il s'agit, bien sûr, d'une mise en perspective qui ne fait pas nécessairement l'unanimité des observateurs. De toute manière, l'action législative conserve une certaine autonomie d'expression qui varie selon les régimes.

Le législatif

Qu'elle soit en régime parlementaire ou en régime présidentiel, l'organisation législative peut comporter une ou deux chambres, la forme monocamériste ou bicamériste. La première forme est peu fréquente, elle existe surtout dans des pays où le territoire est réduit comme Israël, la Nouvelle-Zélande, la Norvège et le Danemark.

Le bicamérisme est la règle. Dans les États unitaires, la chambre haute qu'on appelle Chambre des Lords en Angleterre, Sénat en Italie et en France, se légitime par la tradition et par la raison. Le cas de la Chambre des Lords est assez manifeste quant à son appartenance à la tradition. Voici une institution dont l'origine remonte au Moyen Âge, et qui, au gré des exigences démocratiques, a été progressivement dépouillée de ses pouvoirs originaux. Il y a, dans son maintien, plus de tradition que de raison. Elle appartient à la symbolique d'un parlementarisme de vieille souche. Le Sénat en France relève également d'une tradition, mais davantage guidée par la raison, qui est celle de conserver une chambre de réflexion entre les mains de notables.

L'intention de tempérer les excès populaires dont pourrait faire preuve la chambre basse se retrouve un peu partout. Tel a été le cas pour les États-Unis lorsqu'on a institué le Sénat ; outre sa fonction de représentant des intérêts de sa région, le sénateur, désigné à l'époque par la législature de son État, était censé se poser au-dessus de la mêlée électorale. Les choses ont évolué depuis, et le Sénat américain rejoint aujourd'hui les exigences du fédéralisme dont les États-Unis constituent le premier prototype.

La chambre haute est impérative dans les États fédératifs où elle assure une représentation plus étroitement liée aux régions constituantes. Le Sénat américain, par exemple, se compose de sénateurs élus à raison de deux pour chacun des États, grands ou petits. Le *Bundesrat* allemand, quant à lui, offre une particularité intéressante : ses membres sont nommés et révoqués par les gouvernements des *Länder* dont ils sont les représentants immédiats. Chaque *Land* a droit à un nombre de sièges correspondant à sa taille. Dans ces deux cas, comme dans l'ensemble des fédérations, l'objectif est d'intégrer à même les institutions centrales une représentation qui tienne compte du caractère fédéral de l'État.

Dans la plupart des États unitaires, la chambre haute n'a pas la faculté de s'opposer indéfiniment aux mesures votées par la chambre basse, surtout lorsque, comme en France, cette dernière a l'appui du gouvernement. En revanche, dans les États fédéraux, elle est généralement en situation de pouvoir bloquer les projets qui lui sont soumis. Ainsi en est-il aux États-Unis et en Australie.

Selon qu'elle s'insère dans une forme unitaire ou fédérative, selon également qu'elle participe de traditions, la chambre haute sera ou non une partie importante dans le jeu législatif. Il ne fait pas de doute, par exemple, que le Sénat constitue un élément important dans la dynamique législative aux États-Unis, alors que c'est beaucoup moins le cas en France.

Pour la plupart des États, la joute législative se déroule avant tout dans l'arène de la chambre basse. C'est auprès d'elle, qu'en priorité, sont soumis les projets de lois à teneur financière ou fiscale, et les mesures de première importance. Cette assemblée est censée pouvoir se réclamer de l'ensemble des citoyens. Pour cette raison, son mode d'élection fonde la légitimité de sa représentation.

Le système électoral

Le mode d'élection des membres de la Chambre basse et, dans certains cas, de ceux de la Chambre haute, ou encore du président dans un régime présidentiel, varie selon les systèmes électoraux qui sont en place. Il s'agit bien de systèmes au sens strict, étant donné que le mode d'élection est fait de plusieurs composantes liées entre elles : le découpage des circonscriptions, le nombre de siège qu'elles comportent, la façon de voter, la formule d'attribution des sièges aux partis ou aux candidats, etc.

Un **système** se caractérise en effet par *l'**interdépendance** entre ses composantes ainsi que par des influences qui viennent de son environnement*. Dans le cas des systèmes électoraux, l'environnement est constitué par d'autres systèmes, le système des partis, le système politique et la société en tant que système qui englobe les deux précédents.

On distingue généralement trois grands types de systèmes électoraux sur la base des modes de scrutin qui y sont utilisés : les systèmes *majoritaires*, les systèmes *proportionnels* et les systèmes *mixtes*. Ces trois types ne sont pas étanches, mais c'est un point de départ commode pour distinguer les principales façons d'organiser, à l'occasion des élections, la représentation des électeurs par des élus. Comme on le verra un peu plus loin, ces types reposent sur des circonscriptions territoriales ou autres dont le découpage est fonction, en partie tout au moins, de la nature du mode de scrutin.

Dans les systèmes *majoritaires* est élu le candidat ou l'ensemble des candidats qui a obtenu la majorité absolue ou la majorité relative des votes. On nomme parfois pluralitaires les systèmes où une majorité relative suffit. Par exemple, si A a obtenu 40 votes, B 35 votes et C 25 votes, A sera élu même s'il ne dispose pas de la majorité absolue qui est de 51 votes. Aux élections dites législatives, en France, les députés à l'Assemblée nationale sont élus selon un système majoritaire à deux tours. Au premier tour ne sont élus que les candidats qui ont obtenu la majorité absolue des votes dans leur circonscription. Au second tour sont élus ceux qui ont obtenu le plus de votes, que leur majorité soit absolue ou relative. Le système est donc majoritaire, au sens strict, lors du premier tour, mais seulement pluralitaire lors du second. Il en est d'ailleurs de même pour l'élection du président, sauf que, s'il y a un second tour, seuls demeurent en lice les deux candidats qui ont obtenu le plus de votes au premier tour, une restriction qui s'applique de façon moins stricte lors des élections législatives. D'un tour à l'autre, lors de ces élections, des alliances s'établissent entre les candidats restants (dits en « ballottage »). Elles sont le plus souvent commandées par les états-majors nationaux des partis et se traduisent généralement par le désistement des candidats moins bien placés, en vue du second tour, au profit des candidats mieux placés.

Les systèmes *proportionnels* obéissent à une autre logique. Ils supposent nécessairement qu'il y a plusieurs sièges dans une circonscription. Notons que cela peut se produire aussi dans un système majoritaire si l'électeur doit choisir entre des listes de candidats plutôt qu'entre des individus, mais ce sont là des situations exceptionnelles et aucunement nécessaires au fonctionnement des systèmes majoritaires. Les systèmes proportionnels, au contraire, exigent qu'il y ait plus d'un siège par circonscription, de façon à ce que les sièges soient répartis en fonction des votes obtenus par les candidats ou par les listes de candidats. En fait la proportionnalité n'est jamais parfaite. D'une part, les petits partis sont généralement exclus de la répartition des sièges, et d'autre part il n'est jamais possible d'arriver à une adéquation exacte entre les sièges et les votes, même dans les systèmes qui prévoient pourtant, par la technique de répartition des restes ou autrement, une proportionnalité la plus grande possible.

Pour cette raison et pour d'autres, il y a une grande variété de systèmes proportionnels. Ils se distinguent entre eux par les techniques de répartition des sièges, par le nombre de circonscriptions où se fait cette répartition et par le nombre de sièges que comportent les circonscriptions. Israël est un cas extrême à cet égard puisque le pays ne forme qu'une circonscription, aux fins des élections à la Knesset, et que les 120 sièges sont tous compris dans cette circonscription. Tous les partis ont la possibilité d'obtenir des sièges, même s'ils ont obtenu un très faible pourcentage de votes. À l'opposé, les 135 sièges régionaux du parlement danois, qui en compte 179 au total, sont répartis en 17 circonscriptions, d'autres sièges étant de nature nationale et servant à rendre la répartition des sièges plus conforme à celle des votes. Pour avoir le droit d'obtenir un ou des sièges nationaux les partis doivent remplir certaines conditions, dont celle d'avoir recueilli au moins 2 % des votes dans l'ensemble du pays.

Les systèmes *mixtes* allient, par définition, une composante majoritaire et une composante proportionnelle. Le mieux connu est celui de l'Allemagne. La moitié des députés à la Chambre basse sont élus à la majorité relative (ou pluralité) dans des circonscriptions locales ne comportant qu'un siège, alors que l'autre moitié est élue selon un système proportionnel. La composante proportionnelle a la particularité de venir corriger en partie les distorsions entre les pourcentages de votes et les pourcentages de sièges obtenus par les partis, lesquelles sont dues à l'application du système majoritaire à la moitié des sièges. Cependant, étant donné que les partis doivent obtenir au moins 5 % des votes ou au moins trois sièges locaux pour participer à la distribution des sièges alloués dans la composante proportionnelle, ce système mixte donne des résultats où la proportion des sièges obtenus est un peu différente de la proportion des votes recueillis. Ainsi, aux élections d'octobre 1994, le Parti chrétien-démocrate et son alliée, l'Union chrétienne sociale, ont obtenu 41,5 % des votes, mais 43,8 % des 672 sièges, alors que le Parti social-démocrate, avec 36,4 % des votes, a obtenu 37,5 % des sièges. Dans d'autres systèmes mixtes, la composante proportionnelle s'ajoute tout simplement à la composante majoritaire sans corriger les résultats obtenus à la suite de l'application de celle-ci. Le nouveau système électoral de l'Italie est de ce type. Les trois quarts des sièges sont attribués selon le mode majoritaire, et le quart selon le mode proportionnel, mais sans que celui-ci attribue les sièges de façon à corriger les distorsions dues à l'application de la composante majoritaire.

Ajoutons que, quel que soit le système électoral utilisé, les élections peuvent être tenues à date fixe, comme aux États-Unis et en France ainsi que dans les pays scandinaves, ou encore à la discrétion du gouvernement, mais à l'intérieur d'un délai maximum, comme au Canada et en Grande-Bretagne, où ce délai est de cinq ans. Les élections à date fixe sont une formule plus utilisée que l'autre et qui a d'ailleurs de nombreux défenseurs dans les pays où elle n'existe pas, alors que l'inverse n'est pas vrai. Là où les élections sont à date fixe, il n'est pas question d'adopter l'autre formule.

Le découpage de la carte électorale

Le découpage de la carte électorale est conditionné par le mode de scrutin et obéit à des impératifs différents selon que le système est majoritaire ou proportionnel.

Dans un système proportionnel, le découpage de la carte électorale a relativement peu d'importance. Une circonscription peut être plus populeuse qu'une autre à condition qu'elle comporte plus de sièges. Par exemple, la circonscription A aura 100 000 électeurs et 5 sièges, alors que la circonscription B aura 200 000 électeurs et 10 sièges. Si la population électorale augmente dans la première et diminue dans la seconde, on augmentera le nombre de sièges dans A et on le diminuera dans B, sans avoir pour autant à modifier les frontières des circonscriptions.

Dans les systèmes majoritaires où il n'y a qu'un siège par circonscription, il y a moins de souplesse, du moins si on veut imposer une certaine équité d'une circonscription à l'autre. Au Canada, sur le plan fédéral, et au Québec, sur le plan provincial, l'écart d'une circonscription donnée par rapport à la circonscription moyenne ne peut pas dépasser (sauf exception) 25 %. Si, par exemple, la circonscription moyenne est de 40 000 électeurs il ne doit pas y avoir de circonscriptions de plus de 50 000 électeurs ou de moins de 30 000 électeurs. La carte électorale devrait donc être redécoupée fréquemment, pour l'ajuster à l'évolution des populations, ce que prévoit d'ailleurs la loi. En fait, les gouvernements retardent le plus possible ces redécoupages, qui font des mécontents là où des circonscriptions disparaissent ou sont modifiées de façon importante.

Avant que l'établissement de la carte électorale soit soumise à des normes, des redécoupages ont donné lieu à du *gerrymandering*, c'est-à-dire à des tracés de frontières inspirées par des fins partisanes ou personnelles (pour le Québec, voir Massicotte et Bernard, 1985, p. 49-54). Cela n'est guère possible là où le redécoupage de la carte est confié à des organismes indépendants, comme c'est maintenant le cas au Canada et au Québec. Il demeure que le système majoritaire, tel qu'il se concrétise dans une carte électorale où le candidat qui a le plus de votes remporte toute la mise, est de par sa nature même « disproportionnel ». Pour s'en convaincre on n'a qu'à imaginer un cas, bien sûr extrême et hautement improbable, mais quand même révélateur. Un parti qui recueillerait dans toutes les circonscriptions 51 % des votes exprimés, contre 49 % à son adversaire, obtiendrait 100 % des sièges. De telles distorsions sont mathématiquement impossibles dans les systèmes proportionnels.

Les trois principaux éléments des systèmes électoraux

La classification des systèmes électoraux en systèmes majoritaires, proportionnels et mixtes demeure très générale. À l'intérieur de chacun des trois types de systèmes, il y a des variations importantes dues à des combinaisons différentes des éléments constitutifs des systèmes électoraux. Dans un livre très influent, Rae (1969) a établi que ces éléments étaient au nombre de trois : la façon de voter, l'ampleur des circonscriptions et la formule de répartition des sièges. Par exemple, dans le scrutin uninominal majoritaire à un tour, tel qu'il est pratiqué au Canada, aux États-Unis et en Grande-Bretagne, les électeurs ne votent que pour un candidat, chacune des circonscriptions a droit à un siège, et ce siège est accordé au candidat qui obtient la pluralité (ou majorité relative) des votes. Au contraire, aux élections fédérales en Suisse, les électeurs peuvent voter pour plus d'un candidat, les circonscriptions électorales comportent chacune plusieurs sièges, et la répartition de ces sièges se fait selon la technique d'Hondt. Elle consiste à diviser les votes des partis par 1, 2, 3, etc., et à attribuer les sièges disponibles selon les quotients les plus élevés qui sont ainsi obtenus. Si, par exemple, il y a trois sièges à attribuer et que les partis A, B et C ont obtenu respectivement 28 000, 20 000 et 12 000 votes, les trois quotients les plus élevés seront 28 000 (pour A), 20 000 (pour B) et 14 000 (pour A). A obtiendra donc deux sièges, et B, un siège. C n'obtiendra pas de siège car son quotient le plus élevé est 12 000, quand son vote est divisé par 1, ce qui est inférieur au 14 000 de A quand le vote de celui-ci est divisé par 2. Cette technique et d'autres, où les nombres diviseurs sont différents, sont dites de la plus forte moyenne en ce que les sièges sont attribués aux partis dont les votes moyens par siège sont les plus élevés. La technique dite du plus fort reste est différente. Suivant celle-ci, des sièges sont d'abord attribués aux partis dont le vote est supérieur ou égal au vote moyen par circonscription. Dans notre exemple, ce vote moyen est de 20 000, ce qui signifie que A et B obtiendront au départ chacun un siège. Le ou les sièges restants sont alors attribués aux partis dont le reste inutilisé de votes est le plus grand. Ce sera C dans notre exemple, puisque son reste inutilisé est de 12 000, ce qui est supérieur au reste de A, qui est de 8 000. On voit par là que la technique du plus fort reste favorise davantage les petits partis que la technique de la plus forte moyenne, à condition que le seuil nécessaire pour avoir droit à la distribution des sièges ne soit pas trop élevé.

André Blais (1988) a noté avec raison qu'il y avait deux dimensions dans le premier élément de Rae, soit la façon de voter. Premièrement, il y a le nombre de votes que peut donner l'électeur. Dans la plupart des systèmes majoritaires, le nombre est de un, alors que, dans beaucoup de systèmes proportionnels et dans tous les systèmes mixtes, il est de deux ou plus. En Suisse, aux élections fédérales à la chambre basse (le Conseil national), l'électeur dispose d'autant de votes qu'il y a de sièges à pourvoir. En Australie, qui a pourtant un système majoritaire à un tour, l'électeur dispose de plus de un vote en ce qu'il peut établir un ordre de préférence entre les candidats. Ce qui renvoie à la deuxième dimension distinguée par André Blais, soit le caractère nominal, ordinal ou numérique du vote. Le vote est nominal quand l'électeur choisit sans plus une ou plusieurs des options qui lui sont proposées, qu'il s'agisse de candidats ou de listes de candidats. Il est ordinal quand l'électeur exprime une préférence entre ces options, comme c'est le cas en Australie. Il est numérique quand il y a possibilité d'attribuer un poids en nombre aux options. Cette façon de voter est peu courante. On pourrait ajouter une autre dimension, celle du choix entre des listes ou des candidats, ou entre les deux à la fois.

Le deuxième élément de Rae consiste dans l'ampleur des circonscriptions, c'est-à-dire dans le nombre de sièges qu'elles comportent. Dans les systèmes majoritaires, l'ampleur est généralement de un, comme nous l'avons déjà indiqué. Dans les systèmes proportionnels et dans la composante proportionnelle des systèmes mixtes, elle est nécessairement supérieure à un, avec de grandes variations d'un système à l'autre, et même à l'intérieur d'un même système. En Israël, nous l'avons déjà mentionné, il n'y a qu'une circonscription dont l'ampleur est de 120 sièges, alors qu'en Suisse il y a autant de circonscriptions que de cantons, soit 26, le canton de Zurich comprenant 35 sièges, alors que les plus petits cantons n'en comprennent que quelques-uns. Ce deuxième facteur aurait lui-même, selon André Blais, deux dimensions : l'existence ou non de plus d'une circonscription électorale, et l'amplitude des circonscriptions. Ces deux dimensions sont toutefois très liées entre elles, l'amplitude étant fonction du nombre des circonscriptions. Toutes choses étant égales par ailleurs, l'amplitude est en effet d'autant plus grande que le nombre de circonscriptions est petit. Par exemple, s'il y a 200 sièges à pourvoir à la proportionnelle, l'amplitude sera plus grande s'il y a 10 circonscriptions que s'il y en a 20. Une plus grande amplitude entraîne généralement une plus grande proportionnalité. Pour reprendre encore une fois notre exemple des partis A, B et C qui ont obtenu respectivement 28 000, 20 000 et 12 000 votes, la répartition des sièges sera plus proportionnelle entre eux, étant donné une certaine technique de répartition, s'il y a dix sièges à distribuer que s'il y en a trois.

La formule électorale de répartition des sièges selon les votes constitue le troisième élément distingué par Rae. Il y a à cet égard des formules pluralitaires, des formules majoritaires (au sens de la majorité absolue) et des formules proportionnelles, comme nous l'avons déjà noté. Les formules proportionnelles sont elles-mêmes multiples, les unes reposant sur le principe de la plus forte moyenne et les autres sur celui du plus fort reste. Les formules proportionnelles se distinguent aussi entre elles selon le seuil en pourcentage de votes que doit atteindre un parti pour participer à la répartition des sièges, et selon l'existence ou non de sièges « nationaux » permettant par l'utilisation des « restes » ou autrement de produire une plus grande proportionnalité entre les sièges et les votes.

C'est la combinaison des différentes modalités que prennent les éléments qui compose un mode de scrutin particulier. Ainsi le système du vote unique transférable, utilisé en République d'Irlande et à Malte, même s'il appartient à la famille des systèmes proportionnels, présente une combinaison assez différente de celles des autres systèmes proportionnels. L'électeur vote pour des candidats et non pour des listes. Il peut en choisir plusieurs, entre lesquels il exprime une préférence ordinale. Les circonscriptions comprennent plus d'un siège, mais sont de faible amplitude. Sont élus les candidats qui atteignent le quota de votes requis, le surplus d'un candidat à cet égard étant reporté sur les choix suivants des électeurs qui l'ont appuyé, et ce jusqu'à ce que tous les sièges soient attribués (pour des exemples, voir Meynaud, 1970 ; Lemieux et Lavoie, 1984).

Notons enfin la nécessité de distinguer entre les éléments constitutifs d'un système électoral, visant à en faire un système majoritaire, proportionnel ou mixte, et les résultats effectifs produits par un système à l'occasion d'une élection ou d'une suite d'élections. Il peut arriver qu'un système majoritaire produise des résultats où la répartition des sièges entre les partis soit à peu près conforme à la répartition des votes entre eux. Les chances que cela se produise sont d'autant plus grandes qu'il n'y a que deux partis et qu'ils obtiennent à peu près les mêmes pourcentages de votes. C'est toutefois une situation très rare, étant donné que la formule pluralitaire, encore plus que la formule majoritaire au sens fort, accorde généralement une forte prime au parti qui obtient le plus de votes dans l'ensemble des circonscriptions. À la limite, comme nous l'avons déjà noté, un parti qui obtiendrait 51 % des votes dans chacune des circonscriptions, contre un autre qui en obtiendrait 49 %, remporterait 100 % des sièges. Il y a également des formules proportionnelles, dont celle du vote unique transférable, qui donnent une certaine prime au parti le plus fort, à cause surtout, comme Rae et d'autres l'ont indiqué, de la faible amplitude des circonscriptions. Il est facile de montrer que la formule proportionnelle a plus de chances de donner des résultats là où la distribution des sièges est proportionnelle à celle des votes, si l'amplitude moyenne des circonscriptions est de 20 que si elle est de 5.

Les avantages et les inconvénients des systèmes électoraux

Les avantages et les inconvénients des systèmes électoraux ont été et sont toujours beaucoup discutés. Les jugements portés varient selon que la priorité est donnée aux exigences de la représentation ou aux exigences de la gouverne. En démocratie représentative, un système électoral a pour fonction d'assurer la représentation des électeurs par les élus, mais il a aussi pour fonction de jeter les bases de la formation du gouvernement, du moins dans les régimes parlementaires. Ce qui est une autre façon de dire qu'un système électoral ne peut être isolé de son environnement et en particulier du système politique où il s'inscrit.

Les partisans des systèmes proportionnels se fondent surtout sur les exigences de la représentation pour en faire valoir les avantages. D'après eux, tous les partis qui ont reçu l'appui d'une proportion relativement importante d'électeurs doivent être représentés au parlement. La formation du gouvernement doit composer avec cela au lieu qu'une prime excessive soit accordée au parti qui a obtenu le plus de votes et que soient éliminés, pour des fins de commodité ou pour d'autres fins, ce qu'on nomme parfois les petits partis « de nuisance ». Les partisans des systèmes majoritaires ne manquent pas d'attaquer les systèmes proportionnels sur le terrain de la représentation. Ils prétendent que les systèmes majoritaires, qui produisent l'élection d'un député par circonscription (c'est-à-dire dont l'amplitude est de 1), permettent une meilleure représentation des électeurs par les élus que les systèmes proportionnels, qui impliquent l'élection de plusieurs élus dans une même circonscription. Cela demeure cependant à être démontré, avec tous les problèmes inhérents à l'entreprise, dont celui de définir des indicateurs de la représentation qui soient valables pour tous les cas étudiés. Ainsi la conception de la représentation n'est pas la même aux États-Unis qu'en Suède, où les élus ne considèrent pas qu'ils ont d'abord à représenter les intérêts particuliers de leurs électeurs.

C'est toutefois la stabilité gouvernementale qui est le principal argument des partisans des systèmes majoritaires. Ces systèmes sont en effet moins aptes à produire des gouvernements de coalition que ne le sont les systèmes proportionnels. Les gouvernements de coalition seraient, selon les opposants à la proportionnelle, synonymes d'instabilité gouvernementale. Là encore il s'agit de simplifications excessives : les gouvernements de coalition en Italie sont généralement instables, mais ils le sont très peu dans les démocraties scandinaves. Les défenseurs des systèmes majoritaires prétendent aussi que les gouvernements, quand ils sont de coalition, ne sont pas le résultat direct du vote des électeurs, mais plutôt le produit de négociations entre des états-majors partisans, ce qui interfère avec la volonté des électeurs. Les scrutins de liste, liés aux systèmes proportionnels, auraient aussi l'inconvénient de donner à ces états-majors un pouvoir excessif dans la constitution des listes et en particulier dans l'ordre selon lequel les candidats sont disposés sur les listes, ce qui peut faire la différence entre leur élection ou leur non-élection. À ces deux arguments les partisans de la proportionnelle répondent que les gouvernements majoritaires sont eux aussi le siège de négociations, décrochées des intérêts des électeurs, entre les représentants de diverses tendances à l'intérieur du parti de gouvernement, et que le choix des candidats peut être tout aussi démocratique avec un scrutin de liste que lorsqu'il n'y a qu'un candidat par circonscription. Tout dépend des procédures suivies et de la culture politique d'une société, ce que semble confirmer les quelques études comparatives sur la sélection des candidats (voir Ranney, 1981).

Il est aussi reproché aux systèmes proportionnels, surtout quand ils sont très égalitaires, de ne pas permettre aux électeurs de se défaire d'un gouvernement dont ils ne sont pas satisfaits. Ces systèmes sont peu sensibles aux variations dans les choix des électeurs d'une élection à l'autre et reconduisent ainsi d'une élection à l'autre des gouvernements à peu près identiques. Ce fut le cas en Italie jusqu'en 1994, avant que le mode de scrutin devienne mixte avec une dominante majoritaire. À l'inverse, les adversaires des systèmes majoritaires s'en prennent à la trop grande sensibilité de ces systèmes, qui fabriquent des majorités disproportionnées, de nature artificielle, qui donnent aux gouvernants l'illusion d'avoir à peu près toute la population derrière eux, alors que la répartition des votes est en fait beaucoup moins à leur avantage. Rappelons que la victoire supposément décisive du Parti québécois, en 1976, ne fut acquise qu'avec 41 % des votes exprimés, et celle de Margaret Thatcher, lors des élections britanniques de 1987, avec seulement 42 % des votes.

Deux faits ont été établis, par des mesures statistiques, à propos des systèmes électoraux. Les systèmes proportionnels sont associés à l'élection d'une plus forte proportion de femmes que les systèmes majoritaires, et la participation électorale y est en moyenne plus élevée (Blais, 1991). Il s'agit de concomitances et non de relations causales. Les systèmes électoraux sont influencés par les caractéristiques des systèmes politiques et des sociétés qui constituent leur environnement, mais ils le sont aussi par les interdépendances qui se développent à l'intérieur d'eux-mêmes. Ainsi, s'il y a plus de femmes qui sont élues là où existent des systèmes proportionnels, c'est parce que les systèmes politiques associés aux systèmes proportionnels font généralement une place plus grande aux femmes en politique, mais aussi parce que les stratégies inhérentes à la constitution des listes font que les femmes ont généralement de meilleures chances d'être élues que dans les systèmes majoritaires. Étant donné que les candidats les mieux placés sur les listes donnent à un parti son identité, tout en ayant les meilleures chances d'être élus, il importe, pour attirer le vote des femmes, qu'une ou quelques-unes d'entre elles soient en bonne position sur la liste.

Autrement dit, les principaux effets des systèmes électoraux tiennent à leur imbrication dans les systèmes politiques et les sociétés où ils opèrent, même s'il y a en eux des biais qui les rendent plus propices à certains effets qu'à d'autres. Cette valeur relative des systèmes électoraux ainsi que le bilan mitigé et toujours contestable de leurs avantages et de leurs inconvénients font qu'il est difficile d'affirmer que certains systèmes sont meilleurs que d'autres, même si de façon générale les systèmes proportionnels répondent mieux aux exigences de la représentation alors que les systèmes majoritaires répondent mieux aux exigences de la gouverne.

Le législatif et ses rapports avec l'exécutif

L'organisation et le fonctionnement des parlements sont amplement conditionnés par la nature des rapports qu'ils entretiennent avec le gouvernement. Les législatures, en régime parlementaire, ont des traits communs qui les distinguent des législatures en régime présidentiel. Il y a donc avantage à les aborder selon ce découpage qui met mieux en relief la variété des éléments qui les démarquent.

En régime parlementaire, le gouvernement a l'initiative presque exclusive des mesures soumises aux législateurs. Non seulement en a-t-il l'initiative, mais il contrôle l'ordre du jour et, jusqu'à un certain point, la durée des débats aux diverses étapes de leur adoption. Le régime parlementaire fait la distinction entre le projet de loi, mesure soumise par le gouvernement, et la proposition de loi, mesure soumise par un simple parlementaire. Dans la pratique, la quasi-totalité des projets de loi sont adoptés tandis qu'une très forte proportion des propositions sont écartées à un stade ou un autre de la procédure. Lorsqu'il y a coalition, les parlementaires sont susceptibles d'avoir une plus grande voix au chapitre, et surtout dans le cas où ils ne sont pas liés par un programme commun de gouvernement.

Le mode d'adoption des lois favorise nettement le gouvernement en régime parlementaire. Le projet, dans son principe, est d'abord étudié et adopté par l'ensemble de la chambre basse où, règle générale, le gouvernement dispose d'une majorité assurée. Son principe retenu, la mesure fait l'objet, par la suite, d'une étude détaillée par une commission de la chambre.

Toutes les assemblées délibérantes, en régime présidentiel ou parlementaire, ont recours à l'usage de commissions. Ce sont des regroupements de parlementaires qui, dans le cadre de leur assemblée, assurent une certaine division du travail. Plutôt que de confier ce travail de détail à la chambre entière (qui peut toujours se transformer en commission plénière, c'est-à-dire de l'ensemble), on préfère le remettre à l'attention d'un groupe restreint de parlementaires. Ces commissions sont plus ou moins spécialisées selon les parlements. La tradition britannique fait plutôt appel à des commissions permanentes mais non spécialisées même si, ces dernières années, on s'est adressé un peu plus à des commissions à vocation spécifique comme la défense, l'agriculture, l'éducation, etc. L'Assemblée nationale à Québec s'est plutôt dotée de commissions permanentes spécialisées, tandis qu'en France les commissions sont très réduites en nombre (six), elles ne permettent pas une concentration trop spécifique d'intérêts, comme ce fut le cas sous la IVe République.

Quels que soient leur nombre et leur degré de spécialisation, les commissions, en régime parlementaire de tradition britannique, ne peuvent s'attaquer aux principes directeurs d'une mesure puisque ceux-ci ont déjà été adoptés par l'ensemble de la chambre. Elles doivent se contenter de préciser ou de modifier certains aspects du projet, et toujours en respectant son esprit. Il est bien entendu que lorsque le projet revient en chambre, après étude en commission, le gouvernement a la possibilité, grâce à sa majorité, de faire adopter ou rejeter les amendements proposés.

Si l'opposition, c'est-à-dire la minorité des députés, s'avise de vouloir faire obstruction, grâce à des moyens dilatoires, le gouvernement a la faculté d'utiliser divers dispositifs de clôture qui ont pour effet de mettre fin aux débats et forcer la tenue du vote.

Dans la mesure où l'exécutif dispose d'une majorité stable en chambre (ce qui est la règle), il a l'avantage sur le législatif à tous les stades de la procédure.

Dans le cas d'une impasse par laquelle une majorité en chambre serait susceptible de faire obstruction, le gouvernement peut toujours demander la dissolution. Le régime parlementaire permet ainsi de mettre fin à une impasse entre le gouvernement et la chambre basse. En Grande-Bretagne, la décision revient d'office au premier ministre ; en France, le président, après consultation du premier ministre et des présidents des deux chambres (il ne s'agit que d'une consultation) peut dissoudre l'Assemblée nationale, mais n'a pas la faculté de le faire une seconde fois au cours de l'année qui suit cette élection. Il arrive, comme jusqu'à tout récemment en Italie, que la configuration des partis, de par leur nombre et les intérêts qui les séparent, de par également le mode de scrutin, ne parvienne pas à dégager une majorité ferme de parlementaires, en dépit d'élections successives. Une instabilité ministérielle s'installe où les gouvernements se succèdent au rythme des problèmes qu'ils doivent affronter.

Cela dit, il est des circonstances qui peuvent mettre à l'épreuve un premier ministre en apparence bien installé. Le cas du renvoi de Mme Thatcher est exemplaire. Voici un premier ministre qui aura été le seul depuis 160 ans en Angleterre à conduire son parti à la victoire pour un troisième mandat consécutif ; même Churchill n'y était pas parvenu. Or, saisissant l'occasion qu'offre le règlement de leur parti de remettre en cause le leader, les députés conservateurs en ont profité, en novembre 1990, pour signifier à Mme Thatcher son congé. Sa cote dans les sondages dégringolait, la célèbre *poll tax* (capitation) soulevait le mécontentement populaire, et sa politique dédaigneuse à l'endroit de l'Europe déplaisait à bon nombre. Sa chute a été aussi rapide que peu regrettée...

Si, dans l'ensemble, l'exécutif a les coudées franches en régime parlementaire, surtout de tradition britannique, tel n'est pas le cas en régime présidentiel où le chef de l'État, élu pour un mandat fixe, est en situation obligée de composer avec les deux chambres du Congrès, également élues pour des mandats fixes. Le Congrès américain, c'est-à-dire la Chambre des représentants et le Sénat, jouit d'une existence autonome, il est maître absolu de son ordre du jour et de sa procédure. Les lois proposées ne peuvent émaner que d'un parlementaire (qui, bien sûr, est souvent l'intermédiaire du président) et doivent être d'abord soumises à l'examen d'une ou de plusieurs commissions.

Or, ces commissions déjà spécialisées se fragmentent en quelques centaines de sous-commissions encore plus spécialisées. La législation se déroule dans le cadre de règles qui morcellent les arènes possibles. Les commissions et sous-commissions ont pour effet de démultiplier les obstacles qui empêchent les projets de revenir à la chambre. Ainsi ces projet sont abandonnés à un stade ou un autre de la longue et complexe procédure que comporte au Congrès l'adoption d'une loi. Au cours d'une législature (deux ans), plus de 20 000 projets sont proposés, dont moins de 5 % sont finalement retenus.

La présence de nombreuses arènes et l'imposition de stades multiples dans l'adoption des lois constituent autant d'occasions au marchandage dans les coulisses du Congrès. Les commissions et davantage les sous-commissions réunissent souvent des parlementaires (représentants ou sénateurs, selon le cas) dont les intérêts locaux ou régionaux sont impliqués. C'est dans ces petits groupes que s'amorcent les tractations qui conduisent, par la suite, à des jeux plus importants en vue de rallier une majorité en chambre.

Le système donne lieu à des opérations aujourd'hui bien identifiées. Il favorise, on le sait, l'expression d'intérêts locaux : soumis à la réélection à tous les deux ans, les députés de la Chambre des représentants doivent faire la constante démonstration de leur attachement à la circonscription qu'ils représentent. À cette fin, ils obtiendront des crédits ou subventions pour leurs commettants en retour de votes en faveur de causes chères à la présidence ou à d'autres parlementaires. Cette compensation s'appelle dans le jargon du Congrès le *pork barrel*. D'une autre nature, mais souvent lié à cette opération, le *logrolling* consiste à appuyer la mesure soutenue par un parlementaire avec l'assurance convenue ou tacite qu'il s'exprimera, à son tour, en faveur d'un projet qui vous est cher le moment venu. Dans les deux cas, il s'agit d'échanges de bons procédés qu'on trouve dans tous les régimes, mais qui sont plus accusés au Congrès, de par l'autonomie des parlementaires.

Il est plus difficile, dans un tel système où les appuis sont sujets à marchandage, d'arriver en bout de piste avec une législation absolument cohérente. De même est-il encore plus difficile d'y concevoir l'adoption d'un ensemble de lois répondant à un programme législatif donné. Le régime présidentiel, tel qu'il a été conçu et vécu aux États-Unis, vise à limiter les initiatives du gouvernement et les interventions possibles de l'État en général (que ce soit par le président ou par les parlementaires). On voit bien que, contrairement au régime parlementaire où le législatif est bridé par l'exécutif qui lui imprime une direction, la séparation des pouvoirs confère au Congrès une totale autonomie tant dans l'organisation que dans le fonctionnement des chambres.

Néanmoins, le président est jugé par sa capacité d'influencer le Congrès et de l'amener à adopter une législation conforme à ses vues, que les chambres lui soient idéologiquement favorables ou non. Comme contrepoids à cette autonomie du législatif, l'exécutif a la faculté de recourir au veto qui, pour être renversé, nécessite les deux tiers de chacune des deux chambres. Il a aussi, bien entendu, la possibilité d'amadouer, d'encourager ou même de menacer individuellement les parlementaires, dans la mesure où, en retour de bons et loyaux services en chambre, ils sont récompensés par la manne gouvernementale : subventions, achats ou autres compensations procurées à leur circonscriptions. Le président Lyndon B. Johnson était passé maître en la matière ; ayant occupé auparavant le poste de leader de la majorité démocrate au Sénat, il connaissait toutes les ficelles du Congrès. Dans ce régime de séparation des pouvoirs, la présidence, comme l'ensemble des ministères, est appelée à intervenir auprès des parlementaires au même titre que les groupes de pression. Le gouvernement doit se livrer au même exercice de *lobby* que n'importe quel acteur ayant l'intention d'infléchir la volonté du législateur.

En retour, le législatif a la faculté de demander des comptes à l'exécutif. Ce rôle est rendu manifeste en régime présidentiel où les commissions du congrès se livrent à de véritables enquêtes sur l'exécution des lois par le gouvernement. Elles ont alors le droit de sommer les membres (ou anciens membres) de l'exécutif de venir comparaître et de s'expliquer auprès des députés ou sénateurs au sujet de leur conduite dans la gestion de l'État. En régime parlementaire, les commissions conservent un tel rôle, mais de manière atténuée, puisque le gouvernement maintient un certain contrôle sur la majorité, par la discipline de parti, et use de son poids pour éviter toute exploitation de ses faiblesses par l'opposition. L'instrument le plus utilisé par celle-ci est davantage la période des questions qui, sur une base presque quotidienne, lui permet, lorsque la chambre basse siège, de soumettre le premier ministre et son gouvernement aux interrogations les plus embarrassantes, surtout lorsqu'elles sont inattendues.

De par la séparation des pouvoirs, le régime présidentiel se trouve à accorder au législatif une double autonomie : autonomie dans l'adoption des lois et autonomie dans la surveillance de l'action gouvernementale. C'est pour cette raison que l'on parle de contrepoids : le législatif est mis en situation de contrer la politique suivie par l'exécutif. L'opposition se forme à l'intérieur même de l'appareil législatif : dans les commissions du Congrès ; tandis qu'en régime parlementaire, elle jouit d'une existence externe, il existe un ou des leaders dont les partis politiques servent de lieu où s'élaborent les stratégies d'opposition. On voit très bien ici que l'aménagement des compétences exécutive et législative institue, par le fait même, des *arènes* où se joue la représentation des intérêts.

En constituant ces arènes où s'affrontent les représentants d'intérêts divergents, les institutions favorisent certains acteurs plutôt que d'autres. Comme nous l'avons déjà dit, il n'existe pas de règles absolument neutres. Elles avantagent toujours l'expression de certains intérêts au détriment d'autres. En régime parlementaire, la grande part d'initiative conférée au gouvernement le met en situation de créer des arènes de consultations auprès de groupes qu'il juge plus représentatifs à l'exclusion d'autres : les grandes options législatives sont prises dans les ministères et bien avant que les députés en aient été saisis. La situation est tout autre en régime présidentiel où une bonne part des débats se déroulent au Congrès et plus spécifiquement en commissions et sous-commissions, arènes où s'opposent de manière bien différente les intérêts en présence. Les représentants d'intérêts doivent ajuster leurs *stratégies* en fonction du type d'arène dans lequel ils évoluent. Une représentation auprès des fonctionnaires d'un ministère est bien différente de celle faite auprès d'une instance législative, même si dans les deux cas il peut s'agir d'un même type de requête. C'est en ces termes d'*arènes* spécifiques et multiples qu'il faut percevoir le jeu des *stratégies* auquel donne lieu la *représentation des intérêts.*

Bibliographie

BOGDANOR, Vernon et David BUTLER (dir.), 1983. *Democracy and Elections. Electoral Systems and Their Political Consequences,* Cambridge, Cambridge University Press.

BUDGE, Ian et Hans KEMAN, 1990. *Parties and Democracy,* Oxford, Oxford University Press.

CADART, Jacques, 1983. *Les Modes de scrutin de dix-huit pays libres de l'Europe occidentale*, Paris, Presses Universitaires de France.

COTTERET, Jean-Marie et Claude EMERI, 1970. *Les Systèmes électoraux,* Paris, Presses Universitaires de France.

LAVER, Michael et Norman SCHOFIELD, 1990. *Multiparty Government,* Oxford, Oxford University Press.

LIJPHART, Arend et Bernard GROFMAN (dir.), 1984. *Choosing an Electoral System : Issues and Alternatives*, New York, Praeger.

LIJPHART, Arend, 1994. *Electoral Systems and Party Systems,* Oxford, Oxford University Press.

MÉNY, Yves, 1991. *Politique comparée,* Paris, Montchrestien.

MEZEY, Michael L., 1993. « Legislatures : Individual Purpose and Institutional Performance », *in* Ada W. FINIFTER (dir.), *Political Science : The State of the Discipline II,* Washington (D.C.), American Political Science Association, p. 335-364.

RAE, Douglas, 1970, *The Political Consequences of Electoral Laws,* New Haven (Conn.), Yale University Press.

TAAGEPERA, Rein et Matthew S. SHUGART, 1989, *Seats and Votes : The Effects and Determinants of Electoral Systems*, New Haven (Conn.), Yale University Press.

Grande-Bretagne

BIRCH, Anthony H., 1990. *The British System of Government,* Londres, Unwin Hyman.

CHARLOT, Monica, 1990. *Le Pouvoir politique en Grande-Bretagne,* Paris, Presses Universitaires de France.

ROSE, Richard, 1989. *Politics in England,* Glenview (Ill.), Scott, Foresman.

États-Unis

LASSALE, Jean-Pierre, 1991. *La Démocratie américaine,* Paris, Armand Colin.

ORBAN, Edmond et Michel FORTMANN (dir.), 1994. *Le Système politique des États-Unis,* Montréal, Presses de l'Université de Montréal.

TOINET, Marie-France, 1987. *Le Système politique des États-Unis,* Paris, Presses Universitaires de France.

France

ARDANT, Philippe, 1991. *Le Premier ministre en France,* Paris, Montchrestien.

CHAGNOLLAUD, Dominique (dir.), 1993. *La Vie politique en France,* Paris, Seuil.

MAUS, Didier, 1988. *Le Parlement sous la Ve République,* Paris, Presses Universitaires de France.

QUERMONNE, Jean-Louis et Dominique CHAGNOLLAUD, 1991. *Le Gouvernement de la France sous la Ve République,* Paris, Dalloz.

SEURIN, Jean-Louis (dir.), 1986. *La Présidence en France et aux États-Unis,* Paris, Economica.

TROISIÈME PARTIE
LA REPRÉSENTATION DES INTÉRÊTS

Introduction

La représentation des intérêts, comme phénomène généralisé, met en relation les gouvernants avec les gouvernés et fait éclater, en même temps, le cadre plus étroit de l'arène étatique. La dynamique d'interaction ne se confine plus aux rapports internes que les gouvernants peuvent avoir entre eux, soit en chambre ou en conseil des ministres. Les acteurs sont appelés à évoluer dans d'autres arènes, officielles ou non, où les règles du jeu sont souvent autres.

Il est une arène publique qui fait largement concurrence aux assemblées parlementaires, et c'est tout l'univers des *mass media* (chapitre 9). Avec l'avènement de la démocratie, les affaires de l'État sont devenues de plus en plus exposées au regard du public. Petit à petit sont apparus des instruments de diffusion, comme le journal, qui ont contribué à élargir le lieu de discussion autour des décisions prises au nom de l'État. Avec le développement de la technique sont apparues la radio et la télévision qui ont renforcé cette appropriation progressive du lieu où se déroulent les débats. C'est désormais dans des conditions de rivalité que les arènes de l'État et celles des mass media fonctionnent aujourd'hui, influant, il va de soi, sur la manière dont se fait la représentation des intérêts.

Il faut bien reconnaître qu'outre une fonction d'information, les mass media sont étroitement impliqués dans la représentation des intérêts, puisqu'ils sélectionnent la nouvelle, la commentent et la jugent. De par leur diffusion étendue, ils incarnent probablement la forme de représentation la plus éclatée. Les mass media, pour la plupart, situent leur action au-dessus des groupes constitués. Ils se posent ou encore prétendent souvent se poser en arbitres, hors de la mêlée.

Intervenant tant dans l'arène étatique que dans l'arène médiatique, les mouvements et les groupes se présentent, au contraire, comme les éléments moteurs de la représentation des intérêts ; ils sont ouvertement engagés et alimentent la chronique par leurs interventions répétées pour l'obtention d'avantages au nom d'autres dont ils se disent les porte-parole (chapitre 10). L'aspect de représentation est ici manifeste ; les *mouvements* et les *groupes* en font leur raison d'être en vue d'intérêts relativement spécifiques.

Il en est différemment des *partis politiques*, qui eux aussi participent tout autant à la représentation des intérêts, mais, cette fois, en termes d'intermédiaires, et plus précisément en professionnels dans l'arbitrage de certains intérêts exprimés par les mouvements et les groupes (chapitre 11). Il se peut qu'une formation politique s'en tienne à la promotion d'un secteur d'intérêts bien circonscrit ; mais, en général, les partis se veulent plutôt rassembleurs d'intérêts. À ce titre, leur présence concourt à réduire le nombre des protagonistes dans l'arène électorale et, par le fait même, à permettre l'élaboration de programmes susceptibles de regrouper, autour d'eux, un nombre significatif d'électeurs.

L'identification de la diversité des intérêts et de leur intégration par les partis politiques nous ramène tout comme naturellement au seuil de l'État. Mais de l'État vu, cette fois, comme ayant des intérêts qui lui sont propres et que ses représentants s'appliquent à définir (chapitre 12). De partisans qu'ils sont au départ, les élus deviennent, par la force des choses, les porte-parole de l'intérêt général. La fonction les amène à réaliser les grands arbitrages qui se traduisent par ce qu'on convient d'appeler les *politiques publiques*.

La progression suivie procède, par conséquent, des modes les plus informels dans l'expression des intérêts aux modes plus formels.

Chapitre 9

Les mass media

Les institutions ont été conçues, comme nous l'avons vu, pour prévoir des arènes où se prendront les décisions au nom de l'État. Mais, outre ces arènes officielles, il en existe d'autres au caractère informel qui servent tout autant de lieux de débat ; ce sont, entre autres, les mass media. Nous disons entre autres, parce qu'outre les mass media, on reconnaîtra que l'Église, l'école, les partis politiques, de même que les associations de toutes sortes, servent, à des degrés divers, d'arènes plus ou moins institutionnalisées, plus ou moins reconnues, où les débats et prises de décision peuvent avoir indirectement une portée sur les politiques de l'État.

Les mass media assurent, on le sait, des fonctions multiples. La fonction de divertissement vient presque naturellement à l'esprit. Le cinéma comme la radio et la télévision sont d'abord perçus comme des instruments destinés à cette fin. Tel est moins le cas de la presse écrite à laquelle on assigne plus volontiers une fonction d'information, ne serait-ce que pour en savoir parfois davantage sur les derniers exploits d'une équipe sportive ou d'une star du grand écran. En tant que véhicule de communication, les mass media accomplissent trois fonctions qui sont parfois confondues : fonctions de divertissement, d'information et d'influence. L'information peut être divertissante tout comme elle peut servir aussi à influencer ; la meilleure forme de publicité n'est-elle pas celle qui réunit les trois fonctions à la fois ? Il est bien entendu que l'information est alors orientée et plutôt ténue.

Il est important de noter au passage que la **communication** sous-tend toute relation sociale. Pour qu'il y ait échange, influence, contrôle, conflit ou représentation des intérêts, il doit y avoir communication d'une nature ou d'une autre. Elle *s'opère par l'* ***échanges de signes*** *(écrits, images, sons ou gestes) qui, eux, renvoient à des codes permettant aux acteurs d'entrer en relation*. Le lecteur se rappellera d'ailleurs le rôle joué par l'information dans le déclenchement et le déroulement du conflit : il y a conflit parce qu'il y a absence d'information pour au moins une des deux parties en présence. De même, une bonne part de la réflexion en économie se fonde sur l'information plus ou moins parfaite. On peut dire que la communication est partie prenante dans toutes les relations sociales et qu'elle en est même la condition.

Les **mass media**, c'est-à-dire *les grands véhicules de diffusion à fort public, comme la télévision, la radio, le cinéma, la presse à grand tirage*, constituent, chacun à leur manière, un ***mode de communication*** qui, à cause de son rayonnement étendu et simultané, est susceptible d'effets rapidement démultipliés. Non seulement un grand nombre de gens sont-ils saisis en même temps d'un événement déterminé, mais ils sont appelés à en discuter entre eux dans de courts délais. La question se pose alors d'évaluer l'effet que peut avoir sur le public cette transmission massive et rapide de messages.

Des trois fonctions de communication, à savoir divertissement, information et influence, ce sont les deux dernières qui nous intéressent le plus. Tout le jeu de la prise de décision repose sur la transmission ou non de l'information et de l'influence. La part de divertissement offerte par les mass media n'est retenue que comme indice de diversion des deux autres fonctions. Ainsi, on peut dire des journaux populaires qu'ils divertissent plus qu'ils n'informent, les faits divers contribuant à laisser croire à une mise à jour de l'information. Leur influence n'en est pas moindre pour autant puisqu'ils contribuent à concentrer l'attention du grand public sur certains types d'événements plutôt que sur d'autres.

En tant que lieux d'information et d'influence, les mass media s'érigent en arènes où se tiennent des débats susceptibles d'influer sur la prise de décision des acteurs étatiques. Ces derniers y prennent volontiers part, ne serait-ce que pour légitimer leurs propres actions auprès d'un plus vaste public. De par l'étendue de leur rayonnement, les mass media se posent comme des arènes redoutables où peuvent se faire ou se défaire des réputations. Il en va, dans ces lieux, de la crédibilité des acteurs en présence qui sont, en quelque sorte, mis en scène par la télévision.

Cette idée de théâtralité dans l'expression publique des acteurs politiques n'a rien de nouveau. Dans toute société, l'autorité et ceux qui la convoitent s'entourent d'un protocole qui a pour objet de les mettre en valeur. Il va de soi que la mise en scène varie selon les époques et les sociétés. Le roi Louis XIV se produisait de manière bien différente du général de Gaulle. La rhétorique de tréteaux qui était courante jusqu'à l'avènement de la télévision devient aujourd'hui intolérable sur le petit écran, si bien qu'un orateur peut encore obtenir un succès de salle, mais, retransmise aux nouvelles télévisées, cette même prestation produira l'image d'une personne inutilement emportée. Les rites propres aux sociétés qui nous sont plus étrangères peuvent nous paraître relever de la mascarade. L'ouverture très protocolaire de la session parlementaire en Angleterre donne lieu à un étalage de costumes d'un autre âge que seul l'attachement à la tradition peut expliquer. Par voie de contraste, les *conventions* de partis politiques aux États-Unis ne semblent conçues que pour convaincre les Américains, car, vues de l'extérieur, elles se rapprochent plus de la foire que d'un mode de sélection du candidat au plus haut poste de la nation. Relevant de la culture politique, il n'y a rien d'étonnant à ce que ces rites soient parfois difficiles à décoder de l'extérieur. Tout dépendra aussi de la manière dont sera présenté l'événement. Car même dans leur fonction d'information stricte, la presse écrite et la presse orale construisent la nouvelle.

La nouvelle comme construit

Il en est de la nouvelle comme de toute observation du réel. Il n'existe pas de description exhaustive d'un événement, et vouloir trop s'en approcher n'est parfois qu'une illusion qui conduit à démultiplier les détails au détriment d'une saisie d'ensemble. La reproduction intégrale de la réalité est une impossibilité. Même une photographie ou une séquence filmée ne constituent que des tentatives de reproduction fort imparfaites ; elles demeurent des découpages se proposant de rendre compte du réel. Cette opération de sélection de certains aspects au détriment d'autres est de même nature que le travail accompli couramment par l'analyste ; mais à la grande différence que, surgissant de manière spontanée, ces découpages apparaissent autant aux yeux du journaliste qu'à ceux de son public comme des réalités disposant d'une nature qui leur serait propre. Le journaliste doit rendre compte de ce qu'on convient d'appeler des « événements ». Or, ces événements sont des construits, des manières de découper le réel, même s'ils ont toutes les apparences de la réalité à l'état brut. L'idée même d'événement renvoie, dans notre esprit, à une réalité bien circonscrite, que ce soit la guerre du Golfe, la dernière élection présidentielle aux États-Unis ou les résultats d'un sondage ; mais ce sont néanmoins des construits, des construits très utiles pour nous permettre de saisir le réel. Aménagés différemment, ils nous conduiraient à voir la réalité autrement. C'est précisément le rôle de l'analyste (politologue, historien, sociologue, économiste) de proposer de ces nouvelles lectures qui souvent remettent en cause les critères, conscients ou non, qui ont guidé les premiers découpages opérés par la presse.

Ces critères qui président à la sélection et au traitement de la nouvelle sont nombreux et relèvent de divers niveaux d'exigence. Dès les années 1920, le célèbre journaliste américain Walter Lippmann reconnaissait les limites qu'impose le journalisme quotidien, c'est-à-dire cette obligation de publier tous les jours et sans répit un compte rendu qui se veut fidèle de ce qui se passe dans le monde. Il était conduit à constater que la formule du journal a pour effet inhérent, de par la rapidité obligée de sa production, à imposer aux journalistes des modes de fonctionnement en dehors desquels il leur serait impossible d'opérer. De là la nécessité de recourir à une certaine standardisation, en d'autres termes, aux stéréotypes, et aux jugements routiniers, sans quoi le journal ne pourrait paraître. Il n'est pas exclu de concevoir une tout autre manière fondée sur une fréquence moins élevée, comme l'assurent jusqu'à un certain point les hebdomadaires. Il n'est pas dit non plus que, dans l'avenir, de nouveaux modes de transmission ne conduiront pas, en même temps, à de nouveaux découpages ou à une meilleure expertise dans les sujets traités.

La presse écrite ou parlée fonctionne à l'*inattendu*. Dans la mesure où une condition sociale, quelque insupportable qu'elle puisse sembler, demeure stable, elle ne fera pas la nouvelle ; au mieux y fera-t-on référence à l'occasion. Mais se produit-il un changement dans cette condition, en meilleur ou en pire, il devient alors un événement. De même la force ou la faiblesse d'un parti politique pourra faire l'objet d'une chronique épisodique, tandis qu'une modification subite de cet état fera la manchette. Les mass media ne se fixent pas pour mission première d'expliquer le monde social ou politique, mais les changements. Le lecteur ou le téléspectateur sont perçus comme avides de connaître les modifications dans leur environnement.

Cet environnement est présenté de manière étagée : tous les intervenants n'y ont pas la même importance. Dans toute société, certains acteurs ont un droit à la parole qui l'emporte sur d'autres. Il serait impossible d'enregistrer et de rapporter tout ce qui se dit et se fait dans une journée, même dans le plus petit patelin. Il apparaît normal que les représentants de l'intérêt général aient priorité sur les porte-parole d'intérêts particuliers. Et, à l'intérieur de ces univers, il apparaît tout aussi normal de privilégier les représentants officiels plutôt que les éléments de la base. Ceux-ci prennent de l'importance lorsqu'ils mettent en cause le statut de ceux-là. À ce moment il y a fronde, situation médiatique privilégiée. La perte de légitimité des représentants d'un groupe influent est nécessairement objet de nouvelle.

En somme, la nouvelle est censée relater l'inattendu qui se présente dans les lieux jugés significatifs de l'arène publique. Le journalisme est en quelque sorte mis en demeure de gérer cet inattendu. Il doit prévoir les moments importants sinon les créer. Il y a toujours l'inattendu absolu, comme, par exemple, l'assassinat d'une personnalité publique. Mais, dans l'ensemble, on peut dire que la vie politique se déroule de manière relativement continue. Bon nombre d'événements sont prévisibles parce que le cadre de leur déroulement l'est, sans qu'on en connaisse nécessairement l'issue. Dans ce cas, la presse y est présente d'office, comme lors des joutes électorales, de la période des questions en chambre, des congrès de nomination de partis politiques. Ce sont en quelque sorte des rites faciles à suivre. Il en est de même d'événements qui s'étalent dans le temps comme les campagnes électorales, les guerres, les grèves, les procès, les échanges diplomatiques. Ils relèvent du conflit de plus ou moins longue durée où l'attention est alertée depuis leur déclenchement.

Dans son ensemble, la presse se présente comme une machine à produire des événements nouveaux et à les perpétuer par la suite. Il est généralement admis que l'étape critique, pour un fait, est celle de franchir une première fois le statut de nouvelle. Dès lors qu'un événement est reconnu comme tel, qu'il a pénétré le champ de ce qu'on convient d'appeler l'actualité, il est par la suite exploité : commentaires, analyses et éditoriaux viennent s'y greffer, en attendant que de nouveaux développements, toujours recherchés, réalimentent le processus. Tout dépend du degré d'encombrement des nouvelles et de l'importance qu'on leur accorde respectivement. Certains événements passent inaperçus parce qu'ils ne peuvent concurrencer d'autres jugés plus significatifs, à un moment donné. Inversement, des faits divers feront la manchette dans des moments de calme relatif ; la période estivale y est souvent propice.

Cette machine à produire des événements est nécessairement soumise aux contingences propres à son fonctionnement ; il existe des contraintes financières, techniques et organisationnelles qui rétrécissent le champ d'observation de la réalité politique. Le journal écrit ou télévisé ne dispose pas de moyens financiers lui permettant de « couvrir » uniformément un territoire national donné. Où qu'on soit, les événements se déroulant dans la capitale obtiendront presque d'office une meilleure diffusion, ne serait-ce qu'à cause de la proximité des bureaux de rédaction et de l'accessibilité des appareils de transmission. Les campagnes électorales prennent souvent l'allure de combats entre des chefs de parti, non tant parce qu'elles seraient ainsi voulues par les protagonistes, mais parce que les media ne possèdent pas de moyens financiers et, par conséquent, techniques, pour rendre compte des activités des autres candidats, surtout lorsque celles-ci se tiennent à l'écart des grands centres. De nos jours, les chefs de parti en campagne tentent de vouloir laisser croire, par des déplacements multiples dans une même journée, à une omniprésence sur l'ensemble du territoire. Ils se trouvent, de la sorte, à suffisamment mobiliser la gent médiatique et l'amener à délaisser le rôle des acteurs secondaires.

Si de multiples facteurs interviennent, comme nous venons de le voir, dans la *sélection* de la nouvelle, il en existe tout autant dans son *traitement*. Qu'un fait soit retenu par la presse est une chose, la manière dont il est présenté en est une autre. Et c'est là que jouent tous les éléments contribuant à la *construction* de la nouvelle. Ces éléments sont d'ordre technique, culturel et idéologique.

La *technique* ouvre et ferme à la fois l'horizon médiatique. Chaque instrument de diffusion offre des avantages et des inconvénients qui, jusqu'à un certain point, lui sont propres. Il est évident, par exemple, que les nouvelles télévisées peuvent difficilement rivaliser avec la presse écrite en matière d'exhaustivité : elles doivent se contenter de quelques clips et commentaires. Par contre, elles sont en nette position de supériorité pour restituer l'ambiance ou le réalisme d'événements particuliers. Certaines séquences sont parfois reprises indéfiniment et font partie par la suite de l'histoire. Tout le monde ou presque a déjà pris connaissance, en direct ou en différé, du meurtre de l'assassin présumé du président Kennedy. Cet événement appartient désormais au patrimoine de l'imaginaire médiatique.

En dépit de ces aspects techniques qui distinguent les modes de diffusion, la transmission de la nouvelle quotidienne impose presque une *culture* propre aux mass media. Il existe, autrement dit, une manière assez répandue en Occident de traiter des événements dits politiques. On peut parler de *cadres* mentaux ou, si on préfère, de structures, ou encore de schèmes, à l'intérieur desquels se coule la perception de la réalité. Ce sont des façons conscientes ou non de saisir le réel et d'en rendre compte. Elles correspondent à des catégories qui s'imposent auprès des transmetteurs et qui prédéterminent, dans une certaine mesure, la manière d'appréhender les faits. En d'autres termes, elles influent sur le type d'information relevée, de même que sur la manière de l'aborder et de l'interpréter.

De par la contrainte inhérente de produire au jour le jour un compte rendu de leur univers de référence, les mass media sont conduits à découper la réalité en nombreuses capsules plus ou moins isolées les unes des autres. L'objectivité qu'on réclame d'eux les incite, pour plus de sécurité, à s'en tenir à des faits très circonscrits, à propos desquels ils pourront fournir l'information répondant à la question standard : *qui* a fait ou dit *quoi, quand, où, comment* et *pourquoi* ? Ces petits événements sont susceptibles, selon certains observateurs, d'être aperçus comme se suffisant à eux mêmes, abstraction faite des conditions sociales et politiques qui les ont occasionnés.

Ainsi découpés, les événements peuvent se prêter à une description plutôt narrative, à la manière d'un récit qui comporte un début, un nœud et un dénouement, plutôt qu'au développement d'une observation analytique. La réalité est présentée sous forme d'épisodes aux formes souvent dramatiques, où le conflit est mis en relief. Le propos du journaliste est susceptible de s'en tenir aux stratégies respectives des protagonistes plutôt qu'à leurs idéologies. La presse sert alors à enregistrer les bons ou les mauvais coups, s'appuyant sur les sondages comme révélateur du gagnant.

Cette conception narrative induit l'observateur, que ce soit le journaliste ou son lecteur, à personnaliser l'événement. On risque, pour rendre la situation plus intéressante, d'attirer l'attention exclusivement sur les responsabilités personnelles en dehors des facteurs sociaux qui ont pu la rendre possible. De la même manière, les médias peuvent être tentés, pour faciliter la compréhension du récepteur, de privilégier le porteur du message venant d'un groupe, plutôt que les intérêts qu'il représente. Dans ces cas, le contexte social et politique est mis en veilleuse au profit de personnages pris isolément.

Les traditions journalistiques ne sont cependant pas tout à fait les mêmes d'une société à une autre. La manière de capter l'événement, de le présenter, puis de l'interpréter, peut être fort variable selon que l'on est, mettons, aux États-Unis ou en France. Il est de règle, en milieu anglo-saxon, d'établir une nette distinction entre la nouvelle proprement dite, l'analyse ou le commentaire, et, s'il y a lieu, l'éditorial. Ce sont trois temps de l'écriture journalistique qui, en principe, ne souffre pas d'exception. Ce découpage très standardisé et, en apparence, très neutre n'est qu'occasionnellement respecté, puisque, pour être minimalement comprise, la nouvelle doit être située par rapport à d'autres qui l'ont précédée. Ce faisant, on se trouve à lui donner un sens, une orientation, qui va au-delà du simple compte rendu ; on est dès lors dans l'interprétation, quand ce n'est pas déjà dans le commentaire. Par ailleurs, il arrive souvent que le commentaire ou même l'éditorial fournissent des éléments d'information qui ne trouvent pas place autrement dans le journal. En revanche, le mode de rédaction en France se préoccupe davantage de situer d'abord la nouvelle, et donc, dès le départ, de lui donner une orientation. Le commentaire devient partie intégrante de la nouvelle.

Il n'en demeure pas moins que la formule même des nouvelles, comme elles nous sont actuellement présentées, c'est-à-dire en pièces détachées, pose un défi à l'individu qui veut vraiment comprendre son environnement. Elle favorise un aperçu dispersé, discontinu du monde extérieur, et, par le fait même, en rend assez difficile une saisie structurée.

Alors que la culture journalistique incline à une certaine dispersion, le biais idéologique peut contribuer, au contraire, à donner un sens au monde extérieur en exerçant une discrimination dans le choix des nouvelles. La manière de rapporter l'événement appartient alors à l'exposé didactique où la formation du lecteur selon certaines normes est perçue comme plus importante que son information. Le journalisme d'autrefois l'entendait ainsi et servait de tribune de combat. La presse faisait partie de l'arsenal des instruments symboliques de lutte idéologique. Tout parti politique qui se respectait se devait d'avoir au moins un journal porte-étendard. En France, *La Dépêche de Toulouse* défendait la cause du radicalisme, *L'Humanité*, plus tard, est devenu l'organe du Parti communiste français, tout comme, à l'extrême droite, *l'Action française* répandait sa prose jusque sur les rives du Saint-Laurent. *Le Devoir* lui a souvent servi de relais durant l'entre-deux-guerres. Au Québec, durant la même période, les libéraux, ministériels impénitents, disposaient d'une panoplie de journaux sympathiques à leur cause : *Le Canada* et *le Soleil*, quotidien à gros tirage à Québec, constituaient leurs porte-parole officiels, tandis que la grosse *Presse* populaire de Montréal, celle qu'Henri Bourassa (directeur du *Devoir*) appelait la p... de la rue Saint-Jacques, gravitait plus ou moins dans leur orbite. La tradition journalistique s'est sensiblement modifiée depuis. L'injure et le quolibet n'appartiennent plus au vocabulaire du journalisme contemporain, et la presse partisane ne trouve plus beaucoup de lecteurs.

Il n'empêche que l'idéologie peut être encore imposée par la politique éditoriale de son propriétaire, ou plus discrètement par un recrutement sélectif de journalistes bon teint. Pour des considérations parfois plus bassement pécuniaires, certains journaux excluent des sujets susceptibles de déplaire aux grands commanditaires : les pratiques commerciales des grands magasins sont rarement mises en cause par les quotidiens tributaires de leur publicité.

Qu'on le veuille ou non, l'idéologie trouve souvent à s'insinuer et le fait aujourd'hui de manière plus subtile, parfois même à l'insu du journaliste. Le libéralisme triomphant des temps présents est presque entré dans les mœurs ou, en d'autres termes, dans la culture. Ainsi, l'effondrement de l'empire soviétique a été interprété comme un retour nécessaire à la nature des choses ; c'est ainsi qu'a été comprise la libéralisation de l'Europe orientale. Tout projet de société est idéologique et doit être reconnu comme tel. Le lecteur se rappellera que le terme même d'« idéologie » ne comporte pour nous aucune connotation péjorative. Il renvoie tout simplement à un engagement en faveur d'une forme d'organisation sociale plutôt que d'une autre.

L'ensemble de ces facteurs, tant techniques que culturels ou idéologiques, participe à la reconnaissance de l'événement comme à sa confection. Il devient évident, en bout de piste, que la nouvelle est un *produit social* où les critères d'objectivité ou de vérité sont difficiles d'application. Il est plus prudent, pour ne pas dire plus juste, de parler d'une réalité produite ou, si on préfère, reconstruite par la communication. Il y a lieu de souligner que le même problème se pose en histoire, où la lecture du passé suscite les mêmes interrogations de découpage. L'historiographie a spécifiquement pour objet de rendre compte des débats successifs auxquels l'histoire est aux prises : confrontations de démarches tout autant que de méthodes.

L'effet des mass media sur le public

On a longtemps cru que l'effet des media sur le public était rectiligne, c'est-à-dire vertical, unilatéral et direct. Vertical, allant du haut vers le bas, cet effet s'imposait, pensait-on, de l'émetteur (le média) sur le récepteur (le public). Unilatéral, il n'impliquait du récepteur aucune réaction en retour. Et direct, il atteignait le récepteur sans intermédiaire. On a parfois assimilé ce mode de communication à l'action d'une piqûre par laquelle un émetteur injecte, en quelque sorte, un message à un récepteur qui le reçoit intégralement. Il faut dire que l'expérience de propagande massive entreprise en Allemagne nazie s'est trouvée à renforcer cette thèse. Les résultats apparaissaient alors probants. Mais dès les années 1940, on a commencé à mettre en doute cette manière réductrice d'apercevoir la communication.

Les temps étant favorables à la valorisation de l'individu, il ne faut pas s'étonner qu'aujourd'hui les chercheurs mettent tout en œuvre pour rehausser les qualités de discernement du récepteur. Celles-ci sont sujettes à varier selon l'âge, l'éducation, la profession et les divers groupes d'appartenance : famille, école, Église, syndicat, club social, etc. On s'est rendu compte qu'effectivement l'appartenance à des groupes sociaux avait pour effet de sensibiliser ou non à certains enjeux débattus dans l'arène des médias.

Tout comme il existe dans le public des éléments actifs qui se servent des mass media pour s'informer et donc exercent une certaine discrimination dans la réception des messages transmis, il en est d'autres qui, tout en demeurant relativement passifs, exercent néanmoins une sélectivité aux divers stades de la communication transmise par les médias. On reconnaît maintenant que, actif ou en apparence passif, le récepteur intervient consciemment ou non dans le processus de transmission du message. D'abord, son exposition au message est sélective : il se montre généralement attentif au point de vue qui correspond au sien ; puis, sa perception est également sélective, il va interpréter le message à sa manière, et finalement, sa rétention le sera tout autant, il se souviendra plus facilement des aspects lui ayant convenu. Même passif, le public ne peut plus être tenu pour une éponge prête à tout absorber.

La tendance actuelle, en communication politique, est d'attribuer de plus en plus de dispositions *rationnelles* au récepteur, ou encore de l'aborder comme s'il avait ces dispositions. L'acteur-électeur apparaît désormais comme calculateur dans l'acquisition de l'information véhiculée par les mass media. On dit volontiers qu'il est indépendant ou autonome : il développe par lui-même des *stratégies* dans la sélection de ses sources et dans la manière de se former une opinion. Cet électeur avisé, *reasoning voter* pour reprendre le titre de l'ouvrage de Samuel Popkin, adopte des raccourcis comme tout être rationnel doit en faire. L'argument part de l'évidence qu'on ne peut être renseigné sur tout et que, par conséquent, il est tout à fait normal de recourir à l'avis de personnes mieux informées que soi. Par le truchement d'une rationalité qui fonctionne à partir d'une information réduite, l'électeur est jugé en mesure de se former un point de vue sur les politiques, les qualités personnelles et la compétence des candidats, en se fondant sur les discours et commentaires que suscitent les campagnes électorales. Cette manière d'apprécier l'électeur moyen implique que celui-ci sait tirer profit de l'information diffusée et n'est pas l'objet d'une manipulation, contrairement à ce qu'on voudrait parfois faire croire.

Dans le même esprit, une autre école, celle-là inspirée des sciences de la cognition, estime que le citoyen moyen est dans une situation où il doit se faire une représentation fort simplifiée du jeu politique, jeu très éloigné de son expérience et de ses intérêts immédiats. Pour se retrouver, il doit réaliser des *économies cognitives* sous forme de *schèmes* mentaux qui, se fondant sur leur expérience antérieure, permettent une saisie mentale organisée et rapide devant le flux incessant de messages transmis par les mass media. De la sorte, le récepteur parvient, par lui-même, à sélectionner, découper, interpréter, évaluer et retenir l'information fournie par son environnement.

On voit bien que si l'émetteur qu'est le journaliste fonctionne à partir de cadres mentaux dans l'élaboration de son message — écrit, parlé ou illustré —, il en est sensiblement de même pour le récepteur qu'est le lecteur, l'auditeur ou le téléspectateur. Celui-ci est également appelé à gérer non pas l'inattendu comme tel, mais l'afflux de messages plus ou moins concordants à propos de l'inattendu. L'un et l'autre, émetteur et récepteur, tiennent pour importantes certaines données, certaines situations, certains événements ; encore faut-il savoir si ce sont les mêmes.

En tant que source d'information et arène où sont débattues ouvertement les politiques de l'État, les mass media se trouvent en situation d'influencer, ne serait-ce qu'en en parlant, l'importance que le public est susceptible d'accorder à ces questions. On appelle en anglais *agenda setting* cette faculté attribuée à tout acteur, mais de préférence aux mass media, de déterminer l'ordre d'importance des grands enjeux, à un moment donné. L'*agenda politique* est constitué de l'ensemble de ces objets de conflit retenus comme sollicitant une intervention de l'autorité de l'État. Il comporte, en tout temps, une bonne demi-douzaine de dossiers chauds qui défraient la chronique et qu'alimentent les mass media. La question est de savoir dans quelle mesure le public est influencé par cette hiérarchisation des enjeux imposée par les acteurs médiatiques. On s'accorde généralement pour dire que les mass media ne parviennent pas à déterminer directement ce que les gens pensent. En revanche, il est possible et même probable qu'ils puissent imposer auprès du public de *quoi* on doit parler. Ils arriveraient alors à induire le public à croire qu'il existe déjà un consensus dans l'opinion sur la pertinence journalistique d'une discussion publique sur un sujet donné.

Selon les recherches récentes, le public a plus tendance à suivre l'avis des médias quand il s'agit d'une question nouvelle, mais leur influence est plutôt faible sur des sujets plus familiers, comme, par exemple, le chômage, l'avortement ou la peine capitale. Dans de tels cas, les individus ont disposé du temps suffisant pour se former une opinion et se sentent en mesure d'en déterminer l'importance par eux-mêmes. L'influence des médias dans la hiérarchisation des enjeux serait encore moindre auprès de ceux que la question touche personnellement ou par personnes interposées. Par contre, s'il y a correspondance entre la condition d'un individu et le sujet proposé à l'agenda politique, on peut évidemment s'attendre à ce que l'intéressé y adhère plus spontanément que le reste de son entourage : le chômeur sera plus sensible aux propos tenus par les médias sur l'emploi, tout comme les personnes âgées seront plus attentives à ceux portant sur le régime de pension.

Outre les grandes questions, les médias sont mis en situation de se prononcer sur les personnes et les événements. Cet exercice d'évaluation relève de l'agenda politique puisqu'il met en cause l'importance de ces personnes et de ces événements dans la prise de décision étatique. On est donc autorisé à penser que le public n'y sera pas insensible, sans nécessairement faire sienne cette appréciation. Il est toujours possible que l'influence des médias sur le public aille au-delà et porte sur les *critères* appliqués dans l'évaluation des événements ou des personnes. Le public est alors conduit à juger les acteurs étatiques à partir de normes déjà établies par ces médias. Ainsi, un premier ministre sera apprécié selon sa politique étrangère ou selon sa politique sociale ou économique, ou encore selon sa compétence, son intégrité, suivant les critères d'évaluation qu'auront en quelque sorte imposés les mass media auprès de l'opinion.

On se rend donc compte combien l'effet des mass media est multiple. Sans être aussi direct qu'on l'avait pensé à l'origine, il demeure significatif et joue à des niveaux de conscience très variés.

Il s'agit toujours d'une arène où la plupart des règles sont informelles. En tant qu'instrument servant à faire des gains symboliques, les mass media donnent lieu à un jeu d'influences où les acteurs en présence tentent de forcer l'agenda politique en leur faveur. Pour bon nombre d'entre eux, le principal enjeu est d'obtenir une reconnaissance en tant que représentants légitimes d'une cause déterminée ; l'effet recherché est celui du *statut* d'interlocuteur valable auprès des médias, puis du public, et si possible, de seul interlocuteur valable. La plupart des manifestations publiques d'associations, mouvements et partis politiques sont précisément destinées à attirer l'attention des grands diffuseurs, surtout des diffuseurs d'images. Les mouvements sociaux de la fin des années 1960, aux États-Unis, ont dû leur succès aux médias qui leur ont servi de relais, les faisant se rejoindre du Pacifique à l'Atlantique. La rue, comme les vastes meetings de partis politiques, était jadis le théâtre, l'arène même, de la mobilisation auprès du public. Aujourd'hui, ces lieux n'ont de signification que lorsqu'ils sont relayés par la télévision ; ce sont des mises en scène en vue d'atteindre une plus vaste audience.

Pour les représentants au statut déjà établi, les mass media servent à le stabiliser ou le renforcer. Par la suite, tous ces acteurs en jeu de concurrence pour obtenir une exposition publique tenteront auprès des médias d'imposer ou encore de soustraire des sujets à l'ordre du jour. Ultimement, la représentation des intérêts passera tout naturellement de l'arène médiatique aux diverses arènes officielles de l'État.

Bibliographie

ALTHEIDE, David et Robert P. SNOW, 1988. « Toward a Theory of Mediation », *in* ANDERSON, p. 194-223.

ANDERSON, James A, (dir.), 1988. *Communication Yearbook 11*, Newbury Park (Calif.), Sage.

BÉLANGER, André-J., 1995. « La communication politique, ou le jeu du théâtre et des arènes », *Hermès*, 17-18, p. 127-143.

BENNETT, W. Lance. 1988, *News : the Politics of Illusion*, 2e éd., New York, Longman.

DENTON, Robert. E et Gary C. WOODWARD, 1990. *Political Communication in America*, 2e éd., New York, Praeger.

EDELMAN, Murray, 1988. *Constructing the Political Spectacle*, Chicago (Ill.), University of Chicago Press.

GRABER, Doris A., 1988. *Processing the News*, 2e éd., New York, Longman.

GRABER, Doris, 1993. « Political Communication : Scope, Progress, Promise », *in* Ada W. FINIFTER (dir.), *Political Science : The State of the Discipline II*, Washington, (D.C.), American Political Science Association, p. 305-332.

IYENGAR, Shanto et Donald R. KINDER, 1987. *News That Matters*, Chicago (Ill.), University of Chicago Press.

IYENGAR, Shanto, 1991. *Is Anyone Responsible ?* Chicago (Ill.), University of Chicago Press.

NEUMAN, W. Russell, Marion R. JUST et Ann N. CRIGLER, 1992. *Common Knowledge*, Chicago (Ill.), University of Chicago Press.

NIMMO, Dan et James E. COMBS, 1990. *Mediated Political Realities*, New York, Longman.

NIMMO, Dan et Keith R. SANDERS (dir.), 1981. *Handbook of Political Communication.* Beverly Hills (Calif.), Sage.

POPKIN, Samuel L., 1991. *The Reasoning Voter*, Chicago (Ill.), University of Chicago Press.

ROGERS, Everett M. et James W. DEARING, 1988. « Agenda Setting Research : Where Has It Been, Where Is It Going ? » *in* ANDERSON, p. 555-594.

SHOEMAKER, Pamela J., 1991. *Gatekeeping*, Newbury Park (Calif.), Sage.

SWANSON, David L. et Dan D. NIMMO (dir.), 1990. *New Directions in Political Communication*, Newbury Park (Calif.), Sage.

Chapitre 10

Les mouvements et les groupes

Comme l'échange, l'influence, le contrôle ou le conflit, la représentation des intérêts, en tant que relation sociale, se retrouve dans toutes les collectivités, grandes ou petites. Elle n'est pas exclusive à l'arène étatique, loin de là. De nos jours, toute grande entreprise fonctionne à la représentation des intérêts ; la direction, mandatée par les actionnaires, exerce l'autorité en leur nom. Souvent, ces actionnaires représentent des fonds de retraite gérés, à leur tour, au nom d'autres personnes. Les transactions entre firmes, ou encore les tractations entre patrons et syndicats, ne sont, la plupart du temps, que des échanges entre représentants dûment mandatés. Dans tous ces cas, il s'agit d'une représentation formelle où les représentants ont obtenu auparavant l'agrément des représentés. Il existe néanmoins nombre de situations où elle est beaucoup plus spontanée. C'est ainsi que se mettent en branle les grands mouvements sociaux.

La mouvance des intérêts, dans l'ensemble de la société, donne lieu à la mise en place d'une diversité d'arènes. Certaines, très formelles, comme les institutions de l'État, d'autres, beaucoup moins, comme les mass media. Les arènes informelles, qui peuvent même être la rue (par des manifestations de toutes sortes), présentent l'avantage d'une plus grande diversité d'expression. Le Parlement n'est réservé qu'à quelques privilégiés : députés, sénateurs ou représentants de groupes triés sur le volet ; tandis que, par exemple, les mass media offrent déjà une tribune élargie. Le Parlement, les mass media ou la rue sont des arènes, des lieux sociaux, c'est-à-dire des lieux de relations sociales, où les représentants d'intérêts jouent de l'influence selon des règles plus ou moins strictes liées à l'endroit choisi. Ce sont autant d'instances sélectionnées pour opérer une mobilisation auprès d'un public déterminé.

Aux fins d'exposition, nous aborderons d'abord les expressions plus éclatées de représentation d'intérêts que constituent les *mouvements sociaux*, pour s'approcher, par la suite, des formes plus institutionnalisées que présentent les *groupes de pression*.

Les mouvements sociaux

Les **mouvements sociaux** sont constitués *d'acteurs qui, partageant la même croyance au sujet d'un objectif social déterminé, engagent délibérément une action combative en vue de le réaliser*. Cet objectif social peut être très vaste et comporter tout un programme, comme la promotion de la femme ou de l'environnement. En revanche, il peut être spécifique comme l'opposition aux armes nucléaires ou à l'avortement. Ces mouvements sont susceptibles de se chevaucher, dans la mesure où les mêmes personnes, comme il arrive souvent, se trouvent à militer pour des causes relativement compatibles : la promotion de la femme peut aller de pair avec celle de l'environnement. En outre, certains mouvements sont sujets à s'emboîter : les féministes prolongeront généralement leur engagement dans des groupes favorables à l'avortement libre, mais l'inverse n'est pas nécessairement vrai.

La forme du mouvement social, telle qu'elle existe aujourd'hui, date du XIXe siècle. Les manifestations populaires antérieures adoptaient un mode strictement *défensif* d'expression. C'étaient des soulèvements de paysans, des jacqueries (ou, bien avant, des révoltes d'esclaves), qui n'avaient pour seul but que de s'opposer à ce qu'on considérait être des excès. Le plus souvent, il s'agissait de désordres suscités par des abus dans l'application des mesures de taxation. Ces mouvements populaires n'étaient porteurs d'aucun projet collectif et se contentaient de traduire un sentiment d'exaspération devant une situation jugée intenable.

Le passage de l'attitude négative à la résolution positive s'est opéré grâce à la combinaison de deux facteurs. Dans un premier temps, il y a lieu de se rappeler que l'idée même de projet à l'intention de la société dans son ensemble est antérieure au XIXe siècle. On peut tenir comme premier facteur cette conviction désormais acquise qu'il est possible intervenir dans l'organisation de la collectivité. L'élément déclencheur, deuxième facteur, a été la nationalisation des grands enjeux : le recours au suffrage populaire, même limité, a eu pour effet, au siècle dernier, d'ouvrir les débats publics à l'ensemble de la société, et, par conséquent, de favoriser la formation de mouvements nationaux. Désormais, l'action collective passe à l'offensive. Elle vise la réalisation de programmes plus ou moins étendus, et se pose de manière soutenue et organisée face à l'autorité.

Les mouvements sociaux participent, bien sûr, de l'idéologie et bon nombre y sont étroitement associés. Ainsi en a-t-il été, au siècle dernier, du mouvement ouvrier, vaste action collective qui a connu toutes sortes de ramifications, allant de l'engagement purement syndical aux formes les plus poussées du communisme. De nos jours, on parle plus volontiers de mouvements que d'idéologies pour désigner ces projets qui n'ont plus maintenant la prétention de réorganiser l'autorité de fond en comble. Leur visée demeure de nature idéologique, mais porte davantage sur une dimension des contrôles à introduire ou à supprimer. Les écologistes réclament de nouveaux contrôles dans le développement économique, tandis que les féministes revendiquent des réaménagements d'un tout autre ordre.

De par leur propension à étendre leur audience auprès d'un public élargi, les mouvements sont conduits à se désigner comme représentatifs des intérêts à la défense desquels ils se portent. Le mouvement féministe est constitué de personnes qui affirment défendre les intérêts objectifs des femmes. Plus embrassant encore, le mouvement écologiste peut se revendiquer de promouvoir les intérêts de l'univers entier, mais eu égard à une dimension seulement, l'environnement.

L'individu et l'action collective

L'analyse de ces expressions collectives a donné lieu, en sociologie, à des interprétations qui ont varié, comme on peut s'y attendre, selon la perspective d'observation. Il est encore assez courant, en Europe, d'apercevoir les mouvements sociaux comme des entités globales mues selon une dynamique qui leur serait propre. Le mouvement ouvrier a été longtemps posé comme emblématique ; c'était à lui qu'on se devait de se référer. Il se situait, croyait-on, dans le sens de l'histoire, tandis que, par exemple, le mouvement paysan faisait figure d'arrière-garde. Il existe encore toute une tradition qui voit les mouvements sociaux comme des totalités en marche dont il s'agit de dégager le sens profond et le rôle historique.

Il est arrivé aux États-Unis d'aborder certains mouvements, et en particulier le mouvement ouvrier, en termes de griefs sociaux globaux, mais la tendance générale a été, surtout à la suite de Ted Gurr, d'envisager l'action collective en fonction d'une perspective psychologique. On s'est alors appliqué à mettre en évidence le sentiment de privation qui conduirait des individus éprouvant la même insatisfaction à se grouper et à intervenir collectivement. Devenue très courante au début des années 1970, la démarche consistait à expliquer ce phénomène social à partir de ses composantes psychologiques, mode d'analyse fondé sur une compréhension du niveau micro pour saisir le niveau macro.

C'est bien à partir de préoccupations micro, c'est-à-dire au niveau de l'individu, qu'une nouvelle école va tenter de s'imposer, mais cette fois en excluant l'explication strictement psychologique. Elle estimera que l'insatisfaction est latente dans toute société et que, dès lors, le sentiment de privation ne peut être tenu comme le facteur explicatif dans l'émergence des mouvements sociaux. Ce sentiment existe, bien sûr, mais n'apporterait rien à la compréhension du phénomène. Il faudrait donc voir ailleurs. Et voilà qu'est apparue, à cette occasion, une application de l'individualisme rationnel à l'étude très globale (macro) des mouvements. Au lieu, comme il se faisait souvent auparavant, de traiter l'expression des mouvements sociaux en fonction d'indices d'anomie (absence de normes de conduite), de délinquance ou de déviance, l'observateur attribue à l'acteur une rationalité dans la conduite de son action.

L'analyse se fonde sur un calcul coûts-bénéfices auquel les acteurs se livreraient. Elle reconnaît d'entrée de jeu que l'insatisfaction est toujours présente dans la société, mais qu'il faut des circonstances favorables à son expression collective. Or, précisément, ce passage de la frustration individuelle à l'action commune fait problème.

Dans un ouvrage désormais classique, Mancur Olson (1978) a exposé les raisons qui conduisent tout individu rationnel à refuser une action collective lorsque les avantages envisagés seront partagés uniformément, sans égard à l'apport de chacun. Il est attendu qu'avant de s'engager avec d'autres, cet individu établira, pour lui même, un rapport entre les bénéfices probables et les coûts prévisibles, compte tenu des risques encourus. Il lui apparaîtra alors évident qu'il n'a aucun intérêt à y participer puisque, si l'entreprise réussit, il en profitera, de toute manière, comme les autres. Celui qui tire ainsi avantage d'une action collective sans avoir participé aux frais de l'entreprise est appelé, dans le jargon, un *free rider* ; c'est le voyageur sans ticket, ou au « ticket gratuit ». Cette situation paradoxale surgit toutes les fois que les bénéfices recherchés ne sont pas divisibles : tout le monde peut s'entendre sur le caractère désirable d'une action collective sans que personne juge à propos d'y participer. C'est dans tel cas qu'une autorité peut intervenir pour rendre l'action obligatoire et rompre la logique du refus .

Illustrons par un exemple qui pose le problème de l'action collective en termes généraux, sans pertinence spécifique aux mouvements sociaux. Tout le monde s'entend généralement sur l'avantage, en principe, de traiter les eaux usées, sans que personne pour autant ne juge nécessaire de modifier, en tant qu'individu, ses propres habitudes. Situation qui se prête bien à la théorie des jeux. Imaginons un hameau de cent maisons autour d'un lac où les propriétaires se proposent, sur une base tout à fait volontaire, de déverser leurs eaux usées respectives dans des fosses septiques plutôt que directement dans le lac. Les choix se présenteront comme au tableau 4, si on estime l'avantage retiré à deux unités d'agrément (que procure une eau propre) pour chaque unité de participation (coût abstrait de temps, d'énergie, d'argent ou autre).

Tableau 4

		L'ensemble des autres propriétaires *(utilités moyennes)*	
		Participe	*Ne participe pas*
Propriétaire individuel	*Participe*	*1,0 1,0*	*-0,98 0,02*
	Ne participe pas	*1,98 0,98*	*0,0 0,0*

On retrouve ici le schéma propre au dilemme du prisonnier. Le propriétaire individuel n'a pas intérêt à participer parce qu'en refusant il sort gagnant si tous les autres participent, et ne sort pas non plus perdant si les tous les autres s'abstiennent. Par contre, la collaboration de tous contribue au mieux-être de tous individuellement. Si tous participent, l'agrément total se chiffre à 200 unités hypothétiques d'utilité (100 contributions multipliées par 2), desquelles il faut soustraire les 100 unités de coût (1 par propriétaire) pour arriver à un total net de 100, qui, divisées par les 100 propriétaires contributeurs, donne à chacun une moyenne d'agrément de 1. Lorsqu'un seul participe, l'agrément total ne représente que 2 unités, et la moyenne s'établit à 0,02 (1 contribution multipliée par 2 divisée par les 100 propriétaires qui en profitent tous uniformément), donc inintéressante ; mais l'unique contributeur doit, quant à lui, défalquer le coût de sa contribution et s'en tire avec un déficit, une utilité négative : -0,98 (0,02 moins 1). Par contre, et c'est là le hic, l'absence d'un seul est insignifiante parce qu'alors l'agrément total atteint 198 unités (2 unités fournies par 99 participants) et la moyenne pour les contributeurs : 0,98 (198 divisées par 100, moins 1 unité de contribution) tandis que le non-contributeur profite de la moyenne d'agrément de 1,98 sans coût. Il n'a donc pas de raisons particulières de participer, et plus le nombre de participants est élevé, moins son absence de contribution sera significative. Il faut donc, dans ces situations de partage sans discrimination, soit créer des incitations à partir d'avantages cette fois divisibles (ceux qui adhéreront à l'action proposée auront droit à des biens ou des services spécifiques), soit recourir à la contrainte de l'autorité. Il est courant que des projets domiciliaires prévoient une foule de dispositions contraignant les futurs propriétaires à des règles de comportement qu'on ne pourrait obtenir autrement. Les intéressés en sont généralement satisfaits parce qu'elles s'appliquent à tous uniformément.

La thèse d'Olson est évoquée aussitôt qu'il s'agit d'action collective. Mais la question qui vient naturellement à l'esprit est la suivante : si cette thèse fournit les raisons pour lesquelles les acteurs ne participent pas, dans les conditions posées, pourquoi y en a-t-il néanmoins qui participent ? Il y a lieu de croire qu'il existe probablement des incitations susceptibles de légitimer un tel engagement, et que l'implication dans ce type d'intervention n'est pas pour autant irrationnelle, c'est-à-dire contraire à la raison. Elle relève de l'éthique, de l'altruisme, de la loyauté, de l'amitié... On peut estimer que le poids de l'obligation morale est un facteur de taille. On milite, dans ce cas, pour une cause qu'on estime juste et pour laquelle on éprouve un impératif moral de s'engager. La satisfaction qu'on en tire est susceptible de venir du fait de participer à une entreprise collective en laquelle on croit. On peut même éprouver une disposition plutôt aristocratique en vertu de laquelle l'honneur ou la dignité de soi par rapport aux autres l'emporte sur toute autre considération. On peut également appréhender le jugement réprobateur d'autrui. Enfin, on peut éprouver une grande satisfaction à participer de par les liens affectifs nous liant au groupe. Il faut donc admettre que l'abstention implique parfois, pour l'acteur, des coûts moraux ou affectifs supérieurs à l'avantage de ne pas participer. Par ailleurs, il est possible d'imaginer des situations réelles où une conduite ne semble pas respecter les injonctions de la raison, c'est, par exemple, le cas du vote. Voter n'est généralement pas rationnel dans la mesure où l'on sait, à l'avance, qu'un seul bulletin n'apportera aucune différence sensible au résultat final.

La position d'Olson est retenue toutes les fois qu'il est question d'action collective, elle s'impose encore aujourd'hui de tout son poids, même si, comme on a pu le constater, elle est sujette à des nuances et à des mises en contextualisation. Si la démarche de cet auteur a été vite appliquée à l'étude des mouvements sociaux, elle a été également tempérée, par la suite.

Conforme à la thèse des choix rationnels, tout un courant d'analystes s'est appliqué, dans les années 1970, à dégager les raisons proprement stratégiques qui inciteraient les acteurs à l'action. Les considérations psychologiques et morales étant mises de côté, ces observateurs se sont tournés vers les conditions de réalisation et ont privilégié le *comment* au détriment du *pourquoi*. L'accent a été mis sur le *processus* de réalisation plutôt sur ce que certains appelleraient les causes profondes. Deux écoles se sont imposées : celle dite de la *mobilisation des ressources* et celle des créneaux d'*opportunité politique,* à laquelle des auteurs comme Charles Tilly et Sidney Tarrow ont apporté, par la suite, des précisions avec les concepts de *répertoires* et de *protestation.*

S'il y a intervention, c'est que, selon la première école, certaines ressources deviennent tout à coup disponibles. D'après elle, les acteurs se révèlent à la faveur d'occasions qui leur sont offertes. Or, s'il est une ressource significative, c'est bien l'organisation ou, en d'autres termes, l'action concertée, structurée et soutenue. Elle présente un grand nombre d'avantages de par sa fonction de rassembler et d'aménager d'autres ressources. L'organisation regroupe les adhérents et en attire d'autres. Elle renforce la cohésion du groupe autour d'objectifs précis. Elle constitue un excellent moyen d'attirer sur sa cause l'attention des médias, des autorités et aussi des opposants. Ce faisant, l'organisation augmente les chances de succès et diminue, en même temps, les coûts de participation (énergie, temps, dépenses de toutes sortes).

L'organisation a longtemps été tenue par les analystes des mouvements sociaux comme un élément secondaire. Ils lui reprochaient même souvent son effet d'étouffement, de récupération dans la conduite de l'action. Les tenants de la mobilisation des ressources ont pour objectif contraire de concentrer l'observation sur ce qui, selon eux, doit être considéré comme la ressource principale, l'armature, de tout mouvement : l'organisation, laquelle ne doit pas être confondue avec le mouvement social. Celui-ci peut s'exprimer par le truchement de plusieurs organisations qui parlent en son nom ; tout comme il peut s'insinuer dans plusieurs d'entre elles. Ainsi, le féminisme se trouve défendu par plusieurs organisations comme telles, tout en étant parvenu à s'introduire dans des syndicats, des partis politiques et divers autres types d'organismes.

Le mouvement social est ici observé comme s'il s'agissait d'une industrie dont les organisations seraient les entreprises. En reprenant le même exemple, le féminisme serait l'industrie de la promotion de la femme, alors que la National Organization of Women (NOW), aux États-Unis, en serait une des entreprises. Tout comme la National Association for the Advancement of Colored People (NAACP) pour les gens de couleur. Et, toujours dans la même perspective, les organisations sont vues comme des instruments, des intermédiaires, des *sponsors* dans la représentation des intérêts d'un mouvement. Les organisateurs deviennent des entrepreneurs dans la défense de causes. Certains parlent même d'une professionnalisation dans la conduite des mouvements. Si bien que de telles organisations sont facilement assimilées à des groupes de pression.

Cette mise en forme reprend à son compte les paramètres de l'analyse économique. Tous les acteurs en présence ont des intérêts à faire valoir et se livrent à un calcul de coûts-bénéfices. Si, en premier lieu, certains individus se lancent dans l'action collective, c'est que celle-ci présente des garanties de succès. Or, l'organisation, en tant qu'action collective structurée, offre effectivement cette forme de garantie. Elle a pour fonction d'accumuler et de redéployer des ressources dans la réalisation d'une entreprise concertée. Grâce aux appuis que lui apportent des particuliers et parfois même des institutions, elle s'emploient à mobiliser le plus de ressources possible et à élaborer des stratégies d'intervention. Pour les tenants de la mobilisation des ressources, l'organisation est jugée essentielle dans l'apparition des mouvements.

En retour, les organisations évoluent selon la même logique. Suivant le jeu de l'offre et de la demande appliqué à l'action concertée, elles sont mises en situation de concurrence : certaines sont jugées plus efficaces que d'autres dans la représentation des intérêts. La lutte pour la légitimité est sujette à une certaine âpreté. Plusieurs organisations rivalisent d'ardeur pour obtenir et maintenir des appuis qui, comme toute ressource, sont soumis à la règle de la rareté relative. Pour elles, il existe des publics cibles à mobiliser et à s'approprier. Dans ce même jeu, les organisations nouent des alliances ou encore concluent des ententes dans la poursuite des intérêts qu'elles représentent.

Comme véhicule de représentation, les organisations de mouvements participent aux grandes arènes étatiques et médiatiques, de la même manière que les groupes de pression et les partis politiques. Tous ensemble, ils usent de leur expertise respective pour influencer le cours des débats publics et surtout leur issue.

Si l'école de la mobilisation des ressources valorise les appuis sociaux arrachés par les organisations, elle ne tient pas pour négligeables les contraintes à l'intérieur desquelles elles doivent évoluer. Les organisations de mouvements sociaux sont facilement en butte à des stratégies de récupération provenant de l'autorité étatique qui tente ainsi de les circonvenir. Elles sont dans une véritable situation d'intermédiaires : elles doivent constamment jouer de stratégie avec le public qu'elles disent représenter et l'autorité auprès de laquelle elles veulent exercer une influence.

C'est dans ce rapport avec l'autorité qu'une école, un peu différente de celle de la mobilisation des ressources, a développé l'aspect *opportunité* dans l'action collective. Au lieu de s'en tenir à une lecture exclusivement économique comme la précédente, elle compte mettre en valeur la dimension politique. Sans être exclue, l'organisation se trouve mise en veilleuse comme facteur déterminant au profit cette fois de la configuration des forces en présence. On s'y référera techniquement comme à la *structure d'opportunité politique*. Elle renvoie à une situation jugée objectivement favorable par les intervenants, en vue soit d'une politique précise, soit d'un objectif plus large. Ce sont des moments ou, plus précisément, des conjonctures propices à l'action collective. Celles-ci se présentent comme des ouvertures incitatives, qui tiennent tantôt à une faiblesse dans la cuirasse de l'autorité, comme la volatilité électorale, l'instabilité gouvernementale, ou, encore mieux, la crise de régime ; tantôt à un renforcement de la position d'un mouvement comme la présence de tiers partis auxquels il peuvent s'associer ou simplement d'alliances avec d'autres groupes. L'ouverture que le Parti démocrate aux États-Unis s'est trouvé à offrir à l'électorat noir pour compenser certaines pertes dans les années 1960 aurait été l'élément crucial dans l'explosion de manifestations en faveur des droits civils par la suite.

Ici encore, l'analyse ne s'intéresse pas à une dynamique qui serait censée être interne au mouvement social, mais aux structures d'accueil que se trouve à offrir, de par sa position de faiblesse, l'autorité en place. Pour cette école, les groupes s'adaptent à la manière dont les gouvernants réagissent. La perspective est un peu machiavélienne. Le degré de cohésion que manifestent les élites en place constitue un des éléments retenus. Son relâchement est un signal donné à la contestation. Selon le degré d'ouverture (ou de fermeture) à l'action des groupes se situant à la marge des institutions étatiques, selon, en d'autres mots, la fermeté des autorités s'exprimant par la répression, l'action collective sera plus ou moins intense. Par répression, on entend ici tout geste qui a pour effet d'augmenter le coût de l'action entreprise par les opposants. Ce peut être l'interdit de publier un journal, de recourir à la grève, l'arrestation des leaders, etc.

Fidèles au calcul en termes de coûts-bénéfices, les acteurs ne sont censés s'engager que lorsque les avantages considérés ne sont pas contrebalancés par des risques trop élevés. Dans cette perspective, il revient aux autorités de maintenir le message net et clair que toute tentative sera coûteuse et sévèrement réprimée. Dans la réalité, tous les acteurs évoluent, bien entendu, dans un contexte d'incertitude relative qui explique la raison des conflits. De par l'information imparfaite qui sont leur lot, les acteurs redoublent de prudence pour eux-mêmes tout en tentant de déstabiliser l'autre.

C'est en ayant à l'esprit cet état d'incertitude dans l'action que Charles Tilly (1978) a élaboré le concept de *répertoires*. Il s'oppose à deux croyances, l'une qui estime qu'il existe des formes universelles de contestation, des espèces de comportements standards ; l'autre, qui assimile l'action collective à celle du tacticien calculateur prêt à tout moment à faire valoir sa cause. Il existerait plutôt des types d'interventions apprises, réduits en nombre et en envergure. De là l'idée du répertoire qui peut être rigide, disposant de peu de faculté d'adaptation ou, au contraire, flexible, c'est-à-dire ouvert à l'innovation. La thèse de Tilly remet l'organisation en situation de décision dans le choix des stratégies à adopter. Comme dans les cas précédents, le répertoire des moyens de pression est évalué à l'aune des coûts et des bénéfices. La décision de recourir soit à la violence, à la menace, à la manifestation par le nombre, à la grève ou autrement est fonction de l'objectif recherché. Il est des formes traditionnelles, comme la délégation auprès d'un ministre ; il en est qui sont, tout compte fait, irrecevables ou surannées, comme le lynchage ; il en est d'autres, enfin, qui, par leur caractère inattendu, ont pour effet de déstabiliser l'autorité ; tel a été le *sit-in*, au moment où il a été introduit aux États-Unis, dans les années 1960. Il s'agit toujours d'apercevoir les mouvements sociaux comme des individus, même organisés, qui se rangent entre *challengers* et autorités.

Suivant cette perspective de l'affrontement, Sidney Tarrow s'est penché sur le phénomène de la protestation ou contestation (*protest*) qu'il définit comme une action collective perturbatrice dirigée contre les institutions, les élites, les autorités ou autres groupes, au nom d'objectifs collectifs propres aux acteurs ou à ceux qu'ils représentent. La perturbation n'a pas, selon lui, à être violente, bien qu'elle puisse l'être, comme forme ultime. Le but est stratégique plutôt qu'expressif. Il vise des moyens, des cibles, des objectifs précis, même si la contestation use de modes symboliques et expressifs de manifestation. Les gens protestent pour transformer la société, pour renverser l'État, pour satisfaire des besoins ou des désirs, ou pour aider d'autres personnes ; il y a pour Tarrow une variété de raisons, nobles ou plus prosaïques, qui les motivent. Mais, ils ne s'engagent dans l'action collective que lorsque la conjoncture est favorable, quand la *structure d'opportunité politique* est propice. Ces acteurs seront prêts à prendre de grands risques pour des objectifs extrêmes, mais toujours dans la mesure où le rapport entre les avantages et les inconvénients possibles joue en leur faveur. Tarrow en est venu, de la sorte, à dégager des cycles dans les mouvements de protestation presque à l'identique des cycles économiques : ils s'amorcent lorsque les coûts sont inférieurs aux gains et s'atténuent lorsque les autorités, réagissant par la répression, rendent l'entreprise plus onéreuse et risquée. Entre temps, tout un effet de mimétisme et d'entraînement aura eu le temps de se dérouler avant que le cycle n'atteigne son terme.

On s'est rendu compte, au cours de la dernière décennie, qu'il devenait de plus en plus difficile de se limiter à une lecture exclusivement individualiste de l'action collective. Sans nier l'importance du calcul coûts-bénéfices, certains auteurs comme Klandermans et Tarrow (1988) en sont venus à considérer l'importance de facteurs extérieurs à cette problématique. Sans revenir à l'ancienne manière qui consistait à observer les mouvements sociaux comme répondant à une dynamique inhérente, ils estiment nécessaire de considérer également le poids de facteurs collectifs, c'est-à-dire de facteurs ne relevant plus des individus considérés isolément, mais du fait pour ces individus d'être ensemble. Ainsi, la loyauté que l'on éprouve envers la collectivité engagée dans l'action, tout comme le sentiment d'obligation de participer à cette même action, déborde l'aire des choix rationnels. Tarrow en arrive à la conclusion qu'il est analytiquement impératif de fonctionner selon une double démarche : retenir l'approche rationnelle, mais reconnaître à la fois les processus affectifs et collectifs influant sur les individus, et par lesquels les mouvements s'engagent dans l'action. Les organisations de mouvements sociaux, par exemple, ne peuvent prendre leur essor que s'il existe préalablement, dans la société, un certain potentiel susceptible d'être mobilisé, une culture d'accueil. Il doit y avoir une certaine compatibilité entre, d'une part, cette culture et, d'autre part, les idéologies et les stratégies proposées par ces organisations. Ceci n'enlève rien au rôle essentiel qu'elles accomplissent dans la mobilisation auprès du public. L'analyste le retient, mais dans un stade second, après avoir pris en compte la dimension culturelle. Il s'agit, comme on peut le constater, d'une tentative de réconciliation entre démarches, sans cependant les confondre ; chacune est retenue à un stade donné de l'analyse (jamais en même temps). Ce genre de tentative participe de l'intention chez un certain nombre d'analystes d'arriver à des points de rencontre entre les approches micro et macro. L'entreprise n'est pas sans risques puisque ces approches sont souvent jugées irréductibles l'une par rapport à l'autre.

Nous sommes en mesure de constater combien le spectre d'observation s'est élargi au fur et à mesure que les adeptes de l'analyse rationnelle ont voulu rendre compte le plus exhaustivement possible de l'action collective. En complémentarité et parfois en opposition à eux s'est développée une autre démarche, soucieuse cette fois du *pourquoi* des mouvements sociaux sans pour autant négliger le *comment*.

Les nouveaux mouvements sociaux

Comme on pouvait s'y attendre, l'école des choix rationnels n'a pas fait l'unanimité. Rapidement s'est constituée une tendance qui lui a reproché de trop s'intéresser aux aspects d'organisation et d'opportunité, et pas assez aux prédispositions structurelles de la société. Ici, on rejoint les préoccupations de Klandermans et Tarrow, mais en allant beaucoup plus loin dans le sens qu'on devrait donner aux mouvements sociaux. Cette fois, l'interrogation porte d'abord sur leur présence même, sur leur identité comme groupes. Cette école se propose de dégager le caractère proprement novateur de certains mouvements qui, à la différence des mouvements traditionnels (comme le mouvement ouvrier), promeuvent de nouvelles causes, comme ceux des écologistes et des féministes.

Avec les nouveaux mouvements sociaux, on est confronté, selon cette thèse, à de nouvelles valeurs, de nouvelles manières de les défendre, et de modes mieux adaptés de les aborder. Le contenu du message est différent, et aussi la façon de mobiliser en leur faveur. Fond et forme ne sont plus ce qu'ils étaient. Nous aurions affaire à de nouvelles aspirations opposées aux valeurs de modernité courantes et plus spécifiquement de développement économique. La quête de changement ne se veut cependant pas pour autant collectiviste. Le plus souvent, c'est l'expérience quotidienne de ces publics, comme individus, qui est mise en cause. Il s'agit d'un nouveau rapport de soi avec la nature, avec son corps, avec l'autre sexe, avec le travail et la consommation. Ces nouvelles aspirations se situeraient en dépassement de celles véhiculées par l'industrialisation et le capitalisme, et ce, au profit de l'épanouissement de la personne autonome.

À ces nouvelles valeurs correspondent, dans cette visée, de nouveaux modes d'action : petites organisations décentralisées, non hiérarchisées et soumises à la règle de la démocratie directe. Ce remaniement des formes d'intervention autant que des valeurs concorde avec un réaménagement des clientèles visées. Les populations prédisposées à cette mobilisation sont les plus sensibles aux problèmes occasionnés par la modernisation : ce sont, d'une part, les nouvelles classes moyennes, en particulier les strates les plus scolarisées, et, d'autre part, les personnes marginalisées par la modernisation. La conception traditionnelle des classes sociales s'évanouit ici à l'avantage de clivages multiples.

De même, on ne parle plus de grandes idéologies mobilisatrices, mais plutôt de mouvements qui renvoient à des engagements partiels et même superposables ; une personne peut militer pour le féminisme et l'écologisme à la fois.

On reconnaîtra ici un ensemble de traits qui ne sont pas étrangers au post-matérialisme exposé par Inglehart.

Nouveaux ou traditionnels, les mouvements sociaux conservent au moins une caractéristique commune. Ils sont tous sujets à se positionner le long d'un spectre continu qui va de la protestation la plus spontanée au parti politique le plus hiérarchisé, c'est-à-dire de l'expression la plus informelle à la plus formelle. Si la protestation offre l'avantage d'une action beaucoup plus libre pour ses participants, elle présente aussi des coûts : elle consomme beaucoup d'énergie immédiate dont le suivi est quasi impossible sans une organisation quelconque pour l'assurer. En outre, elle suscite facilement une fragmentation des tendances. C'est une des raisons pour lesquelles on préfère souvent le recours aux formes plus organisées. La protestation, de par son caractère expressif et parfois débridé, est redoutée des organisations parce qu'elle est susceptible de conduire à leur débordement par des éléments plus radicaux.

Les processus d'institutionnalisation

Tout mouvement subit cette tension entre l'action spontanée, directe, et l'action concertée, organisée. On appelle institutionnalisation d'un mouvement le processus qui conduit certains acteurs à structurer l'action collective en termes d'organisation. Ce passage introduit l'idée d'une représentation officialisée des intérêts, représentation dont la légitimité devra être constamment défendue. Le groupe ainsi constitué peut alors prétendre être représentatif du mouvement. L'institutionnalisation poursuit son cours lorsqu'elle se prolonge, dans le groupe, sous forme de hiérarchie et de bureaucratie. Le mouvement ouvrier a donné naissance à des syndicats, forme organisée, qui se sont constitués en paliers multiples, pourvus d'appareils bureaucratiques destinés à garantir la permanence. On peut même parler de technocratisation lorsque les organisations se dotent d'un aréopage de spécialistes censés apporter les lumières d'une expertise jugée indispensable à l'action envisagée. C'est le propre des grandes organisations dans le monde de la finance et de l'industrie, comme des gouvernements. Il n'y a donc rien d'étonnant à ce que des mouvements organisés y aient également recours. Les syndicats ouvriers le font depuis longtemps. L'institutionnalisation se prolonge davantage lorsqu'elle se traduit par la formation d'un parti politique en vue de défendre les intérêts propres au mouvement. Il s'agit, règle générale, d'une organisation ayant le statut de groupe qui se mue en formation politique, ou qui en suscite la constitution. La fondation relativement récente des partis « verts » illustre bien ici le propos.

Il faut cependant reconnaître que si l'institutionnalisation est un phénomène courant parce qu'elle permet une mobilisation jugée supérieure, elle n'est pas sans inconvénient. L'organisation est un instrument d'action collective qui peut tout aussi bien favoriser l'émergence d'un mouvement que l'étouffer dans l'œuf.

Roberto Michels a établi, au début du siècle, une règle qu'il a appelée la loi d'airain de l'oligarchie. Il s'est intéressé, à l'époque, au fonctionnement des syndicats et du Parti social-démocrate, en Allemagne. Il a cru constater que ces institutions avaient progressivement évolué vers une forme d'élitisme dans l'exercice de leur autorité. Il est bon de savoir que Michels a fait partie de ces auteurs qui, comme Pareto et Mosca, ont entretetenu, à la suite de Machiavel, une vision tout à fait élitiste de la société. Et donc, Michels, appliquant cette même grille d'observation, en a conclu qu'il existe dans toute organisation une propension autoritaire à l'exclusivité de la part des dirigeants. Comment en arriverait-on alors à cette situation ? Michels se fonde sur la dichotomie classique établie par l'école élitiste entre dirigeants et dirigés, et la reporte au fonctionnement de tout groupe. De par son expertise et son habileté, la direction en arriverait d'abord à s'imposer auprès d'une base plutôt apathique et incompétente. Elle parviendrait ensuite à se maintenir (et là c'est plus intéressant) par sa manière de contrôler le flux de l'information, qui devient une ressource dont elle se sert comme d'un monopole. Aussitôt qu'une association se dote d'une administration permanente, elle assoit des dirigeants qui, selon Michels, s'imposent grâce à l'information privilégiée dont ils se trouvent à profiter de par leur fonction. Non seulement sont-ils en situation d'obtenir cette information, mais surtout de la retenir, et par le fait même d'exercer un contrôle indu sur l'organisation. Leur autorité excessive dériverait largement de l'exclusivité de la ressource information dont ils disposent. De démocratiques qu'elles sont à l'origine, ces organisations deviennent assujetties à une élite qui s'impose, selon Michels, de manière oligarchique. Cette thèse a été en butte à des critiques, mais elle demeure, en dépit de celles-ci, une référence obligée, que l'on soit d'accord ou non avec son auteur.

Il est intéressant de noter que les organisations constituent elles-mêmes des arènes qui peuvent être multiples, dans la mesure où leurs modes de décision impliquent plusieurs instances ou non, hiérarchisées ou pas. C'est dans ces arènes où sont négociées et débattues les décisions portant sur des stratégies d'action. Certains acteurs sont alors en situation privilégiée pour autant qu'ils gèrent mieux l'incertitude, soit à cause de leur statut supérieur dans la hiérarchie, soit à cause de l'information dont ils disposent. Tous ces éléments d'influence et de contrôle internes doivent être adaptés aux arènes publiques, car c'est en fonction d'elles que s'organisent les mouvements.

Le grand jeu, pour les mouvement sociaux, se joue avec les partis politiques. Mouvements et partis sont en situation de vive concurrence pour autant que les premiers jouissent d'un certain prestige auprès du public. Les mouvements peuvent infiltrer des partis au risque, cependant, d'être récupérés. En retour, des mouvements peuvent se former à l'intérieur de partis et parfois en menacer la cohésion. Aux États-Unis, le système électoral étant peu propice à l'émergence de nouveaux partis, les mouvements doivent soit recourir au *lobbying* auprès des gouvernants, soit encore mobiliser à l'intérieur même des formations politiques, elles même décentralisées. C'est cette dernière stratégie qu'ont adoptée les mouvements religieux de la *moral majority* en parvenant, en 1992, à s'imposer auprès du Parti républicain réuni en congrès (lors de la désignation de George Bush comme candidat à la présidence pour un second mandat). Il faut ajouter qu'une opportunité d'intervention s'est trouvée à leur être offerte par un parti en mal de recomposer sa base électorale. Enfin, les mouvements peuvent, il va de soi, devenir des partis, donc concurrencer la classe politique sur son propre terrain. Dans ce dernier cas, ils seront, bien sûr, ignorés s'ils ne disposent d'aucune audience valable ; mais, autrement, ils feront ou bien l'objet d'un ostracisme, comme ce fut le cas en France pour le Parti communiste dans les années 1920, ou, au contraire, ils seront sérieusement courtisés, comme les écologistes, très populaires, lors du scrutin de 1993, dans ce même pays.

Mouvements sociaux, groupes de pression et partis évoluent dans des arènes médiatiques et étatiques où la quête d'influence les amène à des alliances et des mutations. La distinction des uns par rapport aux autres n'est pas toujours aisée, et vouloir établir des cloisons définitives n'éclaire pas toujours l'analyse. On peut reprendre l'écologisme comme cas de figure. Il s'agit d'emblée d'un mouvement, mais qui, lorsqu'il est encadré par des organisations bien constituées, se confond presque avec le groupe de pression. Et quand il s'avise de se lancer en politique, de mouvement qu'il était à l'origine il se transforme en parti, tout en pouvant garder sa même base d'appui. Les mêmes personnes, avec les mêmes aspirations, évoluent alors à l'intérieur de cadres sociaux bien différents.

Le passage du mouvement au groupe de pression ne signifie pas sa disparition en tant que mouvement. L'organisation, dans son nouveau rôle, n'en est qu'une des expressions. Un même mouvement peut être représenté par un grand nombre d'organisations et même de partis, comme cela a été le cas du mouvement ouvrier. Il va de soi que plus il s'institutionnalise (plus, en d'autres mots, il obtient une reconnaissance officielle), plus étroit devient le canal de son expression, puisque désormais une organisation est reconnue comme parlant en son nom. C'est tout le combat livré par les groupes pour la reconnaissance, c'est-à-dire la légitimité, et surtout la légitimité exclusive. Nous sommes alors dans l'arène publique où se joue le sort des groupes de pression.

Les groupes de pression

La représentation des intérêts nous apparaît plus évidente avec l'intervention, sur la place publique, de leaders d'associations qui s'expriment ouvertement au nom d'autres personnes dont il se disent être les défenseurs. À la vérité, tous n'agissent pas de la sorte, certains préfèrent, comme nous le verrons, des modes d'action plus discrets. Néanmoins, il y a suffisamment de groupes qui se manifestent auprès du grand public pour que même l'opinion la moins avertie soit un peu consciente de leur présence.

On entend par **groupe de pression** *un ensemble de personnes* ***organisées*** *qui tentent d'influencer l'autorité étatique dans sa prise de décision*. Comme pour toute organisation, il s'agit d'une action concertée, structurée et soutenue en vue de la promotion d'intérêts spécifiques. Pour qu'il y ait groupe, dans le sens où nous l'entendons, il doit y avoir une certaine interaction volontaire entre des individus en vue d'une action collective. Cette définition ou découpage se trouve à exclure certains agrégats qu'on convient parfois d'appeler groupes, comme les catégories statistiques d'âge, de métier, de domicile, etc. (personnes âgées, agriculteurs, citadins). Si une association se crée à leur intention, on parlera, dès lors, d'un groupe qui *se dit* les représenter, car, dans un tel cas, il est peu probable que quiconque parvienne à rassembler tous les intéressés de si vastes catégories. L'interaction dont il est question peut, en revanche, se réduire à une simple adhésion, une cotisation annuelle, la réception occasionnelle d'information sur les activités de la direction, tout comme elle peut impliquer, au contraire, un militantisme assidu, des réunions fréquentes et des manifestations de tous genres. Il ne s'agit dans toutes ces expressions d'intérêts que d'influer sur la décision et non de la prendre, rôle plutôt réservé aux partis politiques en situation d'autorité. L'organisation ainsi constituée prétend parler au nom de ses membres quand ce n'est pas au nom de toute une catégorie de gens. Les syndicats, par exemple, se prononcent volontiers sur le sort des ouvriers en général et même des sans-emploi, tout comme les chambres de commerce s'estiment autorisées à s'exprimer pour l'ensemble des patrons.

L'usage du terme « groupe de pression » est plus spécifique que celui de « groupe d'intérêt ». Ce dernier se réfère plus globalement à un ordre de préférences ou d'objectifs poursuivis par une organisation. Ce peut être la propagation d'une idée ou d'une activité qui n'implique en rien une intervention auprès de l'État, comme, par exemple, la promotion de l'activité en plein air, le jogging, la voile, en dehors de tout recours à l'autorité. Le concept de « groupe de pression » insiste, pour sa part, sur le *moyen* employé dans la poursuite de cet intérêt. Tout groupe de pression est un groupe d'intérêt, mais non l'inverse. On l'identifie alors par rapport à ses démarches auprès des gouvernants. Rares sont, par contre, les groupes de pression à l'état pur ; la plupart le sont à des degrés variables : une entreprise ou un syndicat le deviennent dans la mesure où ils tentent d'influencer la classe politique, mais là n'est pas l'essentiel de leur fonction, alors que d'autres organisations, comme les groupes écologistes, en font presque leur raison d'être.

La représentation des intérêts assurée par des groupes organisés est apparue avec l'industrialisation et le développement de la démocratie libérale. L'industrialisation est partie prenante dans la formation de groupes : entreprises, associations de patrons, syndicats ; tandis que la démocratie libérale fonctionne largement à la compétition entre partis politiques. La présence des groupes, comme telle, est donc une réalité de fait, mais la manière de les aborder implique souvent une prise de position sur ce qu'ils doivent être. La plupart des auteurs qui en ont traité dans le passé ont affirmé, en même temps, comment la représentation des intérêts devait s'opérer dans la démocratie idéale. Il y a chez la plupart des « groupistes » (les spécialistes de l'étude des groupes) une conception plus ou moins explicite de la fonction désirable des groupes.

L'école pluraliste

Tocqueville, lors de son passage aux États-Unis, a noté le rôle déjà important dans les années 1830 des associations de toutes sortes dans ce pays. Il faisait, dans *De la démocratie en Amérique,* cette observation célèbre que nous ne pouvons pas ne pas reprendre :

> Les Américains de tous les âges, de toutes les conditions, de tous les esprits, s'unissent sans cesse. Non seulement ils ont des associations commerciales et industrielles auxquelles tous prennent part, mais ils en ont encore de mille autres espèces : de religieuses, de morales, de graves, de futiles, de fort générales et de très particulières, d'immenses et de fort petites ; les Américains s'associent pour donner des fêtes, fonder des séminaires, bâtir des auberges, élever des églises, répandre des livres, envoyer des missionnaires aux antipodes ; ils créent de cette manière des hôpitaux, des prisons, des écoles. [...] Partout où, à la tête d'une entreprise nouvelle, vous voyez en France le gouvernement et en Angleterre un grand seigneur, comptez que vous apercevrez aux États-Unis une association. (Vol. II, 2e partie, chap. V.)

Voilà pour la constatation. Mais Tocqueville ne se contentera pas du jugement de fait, il passera au jugement de valeur ; son intention étant, d'ailleurs, de poser les conditions de liberté dans une société égalitaire. Non seulement, dans son esprit, les associations existent-elles, mais elles doivent exister si l'on veut en démocratie assurer la liberté.

Le propos de Tocqueville se veut une riposte à la tradition républicaine jacobine pour laquelle il revient à la majorité, et à la majorité directe, de s'exprimer. Jean-Jacques Rousseau avait posé dans l'idéal l'absence absolue d'intermédiaires entre l'État et le peuple. Les Jacobins, au moment de la Révolution, ont repris cette idée, mais en conférant aux élus la capacité de représentants exclusifs du peuple. La nation devait s'exprimer par ses députés sans aucune autre interférence. Tocqueville remet donc en cause toute une tradition selon laquelle la présence d'intermédiaires ne peut avoir pour seul effet que de diviser le peuple en fonctions d'intérêts particuliers opposés à la réalisation de l'intérêt général. Il y a lieu de reconnaître ici l'enjeu idéologique de cette prise de position : Tocqueville se pose en libéral adversaire de toute concentration dans l'exercice de l'autorité. Il en arrive à la conclusion du même chapitre (ch. V) que dans les sociétés démocratiques, « la science de l'association est la science mère ; [et que] le progrès de toutes les autres dépend des progrès de celle-là ». Ce sera un peu dans les mêmes termes que les « groupistes » du XXe siècle situeront le groupe dans l'exercice de la gouverne. Plusieurs verront la science politique comme se ramenant à l'étude des groupes.

Le texte fondateur sur l'étude des groupes de pression revient à Arthur Bentley qui, dans un livre passé inaperçu au moment de sa publication, *The Process of Government* (1908), a posé les premiers jalons de ce type d'analyse. Sa problématique est assez simple. Elle établit, d'entrée de jeu, une adéquation entre trois composantes : le groupe, les intérêts qu'il défend et les activités auxquelles il se livre. Pour cet auteur, et c'est assez intéressant, le groupe *est* une activité ; il ne peut donc être saisi au repos. Et les intérêts, à leur tour, ne peuvent être identifiés que par cette activité servant de révélateur. En d'autres mots, le groupe exprime ses intérêts par ce qu'il fait et non par ce qu'il dit. Il va de soi qu'il est lui-même identifié par ces intérêts dont il est le promoteur actif. La politique, dans l'esprit de Bentley, revient alors au conflit que se livrent ces groupes dans l'expression de leurs intérêts respectifs. Le *process of government* se résume aux rapports de groupes en interaction. Et puisque les institutions gouvernementales, tout comme les partis politiques, constituent elles-mêmes des groupes, la compréhension du jeu politique se ramène à saisir la position de ces groupes en interrelation.

Bentley ne s'embarrasse pas d'un discours idéologique pour légitimer l'intervention des groupes. Son ambition n'est qu'analytique : il veut faire œuvre scientifique en établissant un nouveau découpage de la réalité sociale qu'il fonde sur l'observation empirique. L'analyse de la prise de décision ne porte plus, avec cet auteur, sur des individus comme tels (vision atomiste du social), non plus que sur des entités fictives comme l'État, le parlement ou le gouvernement, entendues comme totalités (vision globaliste). Elle vise plutôt un objet perçu comme immédiatement saisissable, sinon concret : le groupe. Le groupe n'est ni la simple juxtaposition d'individus, ni l'élément organique d'un plus grand ensemble, mais une entité sociale jouissant d'une dynamique qui lui est propre et dont les manifestations, aux yeux de Bentley, sont empiriquement reconnaissables. Tout groupe n'est cependant identifiable que dans ses relations avec d'autres groupes, auprès desquels il engage des actions. Quant à l'individu, il n'a d'existence sociale que dans la multiplicité des groupes auxquels il s'associe et qui peuvent être de toutes sortes, petits ou grands. On reconnaît ici une forme de généralisation fondée sur l'expérience de la prise de décision aux États-Unis. Plusieurs sociologues américains de la même époque se sont arrêtés au groupe comme entité de référence, mais à des fins d'analyse différentes.

Globalement, il faudra attendre après la Seconde Guerre mondiale pour voir cette problématique des groupes reprise, mais, cette fois, avec quel engouement ! L'ouvrage marquant de l'époque sera *The Governmental Process* (1951) de David Truman, titre qui se veut en prolongement de la réflexion de Bentley. À la différence de celui-ci, cependant, Truman mettra en évidence le facteur organisationnel comme élément façonnant l'action des groupes. La structure interne à toute association donne nécessairement lieu, précise-t-il, à un jeu politique où se déploient des stratégies pour infléchir l'orientation du groupe. L'organisation est un lieu de conflit. Et dans ses rapports avec l'extérieur, le groupe est soumis aux mêmes règles : il doit connaître et poursuivre les meilleures voies d'accès auprès d'autres entités organisées que sont les partis politiques et les institutions de l'État. Là encore la stratégie du groupe, si elle veut être efficace, est forcée de se conformer à la configuration organisationnelle de l'autre. Avec Truman, la discipline entre dans une ère enthousiaste pour l'étude des groupes, ayant, en contrepoint, une défense et illustration du *pluralisme*.

Toute une conception de la démocratie va se trouver en même temps intégrée à la théorisation sur les groupes en voie d'élaboration. L'activité des groupes est alors présentée sous un double jour : elle est vue à la fois comme une réalité de fait qui s'impose de soi et comme condition essentielle au bon fonctionnement de la démocratie. Cette seconde préoccupation n'est probablement pas étrangère au climat de guerre froide de l'époque où les Américains se sentent un peu obligés de légitimer ce régime face à la menace du communisme. Quoi qu'il en soit, c'est bien imbriquée à l'analyse des groupes que prendra forme la pensée pluraliste.

Elle se dit pluraliste parce qu'elle fait porter l'exercice de l'autorité sur l'interaction d'une grande diversité de groupes qui, n'étant pas tout à fait les mêmes d'une prise de décision à une autre, servent de garantie contre toute forme de monolithisme. Ces groupes autonomes et nombreux sont mis en situation de *compétition* et de *coopération*, et, de la sorte, arrivent à des compromis variant selon les forces en présence. L'idée de *compétition* s'oppose ici à la conception de l'école élitiste qui ne voit dans les rapports d'autorité que des relations de domination ; en revanche, l'idée de *coopération* fait référence à des alliances passagères, mouvantes et variables qui, au gré des enjeux, assurent une variété de dénouements d'une décision à une autre. Il n'y a dans cet arrangement toujours fluctuant ni gagnants ni perdants permanents, donc nulle coalition (ou groupe) dominante. Ce sont des majorités successives constituées de minorités qui s'agglutinent momentanément, puis se décomposent et se recomposent autrement, selon l'objet de la décision à prendre. Il s'agit, bien sûr, d'une manière très fragmentée et dispersée d'apercevoir l'action sociale.

Grâce à ce dispositif, l'école pluraliste aperçoit l'individu comme mis en situation d'adhérer à des groupes de toute nature (religieux, sportifs, sociaux, économiques, etc.) et de diversifier ses loyautés en conséquence. De la sorte, il reçoit des sons de cloche divers selon la multiplicité de ses associations d'appartenance. Les groupes, comme intermédiaires entre le citoyen et l'État, se voient attribuer une fonction d'écran nécessaire qui empêche un rapport de commandement trop direct des gouvernants vers les gouvernés. Une relation trop immédiate du haut vers le bas favoriserait, croit-on, l'émergence d'une société de masse où les dirigés seraient à la merci d'une manipulation des dirigeants, situation jugée propice au totalitarisme. La pensée pluraliste propose en somme un mécanisme autorégulateur, comme une main invisible politique, qui, par le jeu de poids et contrepoids entre groupes, assure la poursuite de rapports sociaux où la domination de quiconque ne peut s'imposer. Au lieu de voir le conflit en termes de classes, comme souvent en Europe, il est plutôt perçu en termes de groupes organisés, situation peut-être plus conforme au contexte américain. Il est à remarquer que l'État est plus ou moins absent de cette construction. Sans être tout à fait exclue, la gouverne en général demeure relativement externe aux préoccupations des pluralistes, où elle se contente de jouer un rôle se rapprochant de celui d'un arbitre.

Il ne faudrait pas croire que l'école pluraliste a fait l'unanimité. Elle s'est imposée comme discours largement admis. Mais il s'est élevé des oppositions demeurées célèbres. Dans un article de six pages, publié en 1962, et qui a fait leur réputation, Bachrach et Baratz ont remarqué que la perspective pluraliste ne s'intéresse qu'à la décision comme révélateur du jeu politique. Or, s'empressent-ils d'ajouter, il y a lieu de prendre en compte l'autre face de ce même jeu, à savoir la *non-décision*, c'est-à-dire tous les facteurs d'influence qui contribuent à *empêcher* l'aboutissement d'une décision. Quels sont ces facteurs ? Ce sont, selon ces auteurs, deux ordres de contraintes : d'une part, les valeurs sociales et politiques, et, d'autre part, les règles du jeu et pratiques institutionnelles. Certaines valeurs sociales et politiques bien entretenues dans la société empêcheraient, en effet, l'expression même du désir de changement ; il y a, dans ce premier cas, non-décision parce que le changement envisagé heurte l'opinion au point où les intéressés s'abstiennent d'engager une démarche publique. Dans le second cas, le jeu des institutions permet aux gouvernants de tuer dans l'œuf certains projets, c'est-à-dire avant qu'ils n'atteignent les arènes où se prennent vraiment les décisions. Ces projets pourront, par exemple, demeurés « oubliés » dans les classeurs d'une commission du Congrès américain. Ces deux ordres de facteurs conjugués contribueraient à limiter le champ des interventions possibles à des projets anodins, et surtout à empêcher quiconque de prendre une initiative allant contre des intérêts bien établis. Stephen Lukes, dont nous avons déjà parlé, est allé plus loin dans cette critique, en arguant que, non seulement certains acteurs perçus comme dérangeants ne sont pas en mesure de faire valoir leur point de vue, mais qu'il peut s'exercer un conditionnement tel des esprits que certains acteurs en viennent à ne même plus éprouver de besoin de changement.

Theodore Lowi, dans un ouvrage désormais classique, *The End of Liberalism* (1969), s'est lui aussi vivement opposé à la thèse pluraliste, et, cette fois, dans une perspective davantage liée au groupe comme instrument d'action. Selon lui, cette thèse est foncièrement idéologique. Elle ne révèle rien du fonctionnement réel de la démocratie libérale et se contente, en assimilant l'arène politique à un marché, d'affirmer comment elle devrait fonctionner. Car en réalité, écrit-il, on devrait plutôt parler d'une oligarchie. La démocratie par les groupes se traduit, à ses yeux, par une participation réduite aux plus intéressés, aux mieux organisés, c'est-à-dire aux mieux nantis. Elle contribuerait à diminuer plutôt qu'à augmenter la concurrence auprès de l'État qui, lui, est spontanément plus sensible aux mieux organisés. Loin d'être fluides, comme le prétendent les pluralistes, les rapports entre groupes seraient, au contraire, rigides. Tout groupe bien établi, précise-t-il, est par nature conservateur. Car, dès lors qu'un mouvement s'institutionnalise et s'érige en groupe bien organisé, il est conduit, de par une règle inexorable de décadence, à perdre son caractère démocratique. Bref, conclut Lowi, l'activation de la démocratie par les groupes est source de conservatisme, et débouche, à long terme, sur la perte de contrôle du public sur le fonctionnement de l'État.

Ce débat se poursuit encore aujourd'hui. Nous aurons l'occasion de le reprendre lorsque nous aborderons la dynamique de l'État dans son ensemble. Qu'il suffise, pour le moment, de retenir que la problématique proposée à l'intention de l'étude des groupes n'est pas sans soulever des problèmes d'épistémologie et d'éthique.

Les facteurs influant sur l'activité des groupes

Il faut bien se rappeler notre point de départ qui consiste à analyser un certain nombre de relations sociales, dont, en particulier, la représentation des intérêts. Relation sociale privilégiée, parce qu'elle est centrale dans le jeu politique, et complexe parce qu'elle implique les autres relations, la représentation des intérêts demande d'être observée comme un phénomène mettant en rapport des *acteurs* les uns avec les autres, et non en fonction d'institutions comme telles. Si nous abordons les groupes de pression, ce n'est pas pour parler d'objets sociaux (qui n'existent que dans nos esprits), mais pour traiter de relations d'influence, de contrôle ou de conflit, occasionnées par la représentation des intérêts que des acteurs engagent au nom de groupes. Comme l'a judicieusement fait observer Léon Dion (1971), il ne saurait exister de problématique des groupes comme tels, seul un cadre d'analyse plus vaste est susceptible d'être d'une quelconque fécondité. Les groupes sont intéressants pour autant qu'on sache les situer dans une dynamique déterminée. En somme, c'est la représentation comme dynamique qui nous intéresse et non les groupes pour ce qu'ils sont.

Si la définition proposée plus tôt présente les groupes de pression comme un ensemble de personnes organisées qui tentent d'infléchir la volonté des gouvernants, il faut bien mettre l'accent sur l'aspect structuré de cette action qui fonctionne largement à la délégation. La représentation par le groupe se fait par l'entremise de dirigeants désignés pour s'exprimer *en son nom*.

La tentation est grande lorsqu'on aborde l'action d'entités sociales de vouloir en établir la typologie. L'exercice est courant chez les analystes des groupes. Ces typologies sont nombreuses sans être toujours très compatibles les unes avec les autres. Mais avant même d'envisager d'en faire une, il y a lieu de considérer quelques règles de méthode. Toute typologie, pour être valable, doit être élaborée en fonction d'une perspective analytique déterminée. Il n'existe pas, selon nous, de typologies dans l'abstrait, préexistantes au réel, qui révéleraient l'essence ou encore la vraie nature des choses. La typologie, comme tout découpage, répond aux impératifs d'observation fixés par l'analyste. Elle n'existe donc pas dans l'absolu, mais est, au contraire, toute relative au genre de questions que se pose l'observateur. La typologie sert à sérier et, plus précisément, à sérier pour découvrir. Elle est jugée d'abord par ses qualités heuristiques et, secondairement, par ses qualités parfois didactiques qui permettent au néophyte de s'y retrouver. Pour notre part, nous ferons appel à des variables susceptibles d'influer sur l'action des groupes, plutôt qu'à des typologies.

On se souviendra que la représentation des intérêts met en présence trois types d'acteurs : d'abord, bien sûr, les *représentants* ou porte-parole, puis les *représentés*, ceux au nom desquels se fait la représentation, et enfin le *tiers* auquel s'adresse cette représentation. Deux mises en relation vont dominer : 1) les rapports entre les représentants et les représentés ou, en d'autre mots, la direction avec sa base, et 2) les rapports entre les représentants et les tiers. Le premier volet met en évidence l'aspect constitution du groupe. Qui dit groupe dit nécessairement organisation. Et qui dit organisation dit forcément *arènes* où sont débattues les grandes politiques prises au nom des représentés. C'est ici que s'établit formellement la relation entre représentants et représentés. Tandis que le second volet, celui du rapport des représentants avec les tiers, ouvre d'autres arènes : soit médiatiques, soit étatiques. Le groupe est alors en situation de jeu avec d'autres représentants d'intérêt, c'est-à-dire les mass media, les partis politiques et les gouvernants.

Il ne faut jamais oublier que le représentant joue sur deux tableaux qu'il doit toujours avoir à l'esprit. La question qui se pose à nous est de savoir dans quelle mesure certains facteurs sont susceptibles de peser sur ces arènes internes (propres à l'organisation) et externes (médiatiques et étatiques).

Ces facteurs sont eux aussi internes ou externes au groupe. Les facteurs *internes* relèvent de la *nature des intérêts représentés*, du *type d'organisation* du groupe, ou des *ressources* dont il dispose.

Le premier facteur interne qui vient spontanément à l'esprit est la *nature des intérêts représentés*. Le monde des affaires, par exemple, n'est pas représenté de la même manière que les opposants à la chasse au phoque. On reconnaît d'emblée que ce facteur est de grande portée, si bien que bon nombre de « groupistes » ont établi de savantes taxinomies à partir de cette seule dimension. Effectivement, le type d'intérêt à défendre se répercute amplement sur la manière de le représenter. La distinction souvent retenue entre *intérêts* dits *économiques* ou utilitaires, *intérêt public* et *causes spécifiques* permet d'imaginer des dynamiques différentes dans leur défense respective. Sont réunis sous l'appellation d'*intérêts économiques* le monde des affaires, celui du travail et celui des professions libérales. L'*intérêt public* porte sur la poursuite d'objectifs généraux : la défense des consommateurs, de la qualité de l'environnement, de la moralité dans les médias, etc. Les *causes spécifiques* visent des catégories précises d'intéressés : les femmes, les homosexuels, les personnes âgées, les handicapés, les anciens combattants, les immigrés, etc. Comme on peut le constater du premier coup d'œil, ce genre de typologie, quoique très classique, ne peut être que d'un usage fort limité. Il offre l'unique avantage de décrire la diversité des intérêts possibles, et de montrer qu'une même personne peut facilement appartenir à plusieurs catégories à la fois, constatation qui ne gêne pas les « groupistes » puisque leur thèse porte précisément sur le bienfait des appartenances multiples.

Même si cette typologie n'est pas en soi très utile, elle nous alerte, en revanche, sur l'importance que peut avoir la nature des intérêts sur la manière de les défendre. Car, à l'intérieur d'une même catégorie, le mode de représentation sera bien différent. Les objectifs poursuivis, l'organisation du groupe, la mobilisation des membres, les stratégies de représentation ne seront pas les mêmes. Les patrons, les gens de profession libérale, les ouvriers, les agriculteurs appartiennent tous à cette même catégorie dite économique, mais disposent chacun de modes de mobilisation très différents.

Il est des situations où les impératifs stratégiques forcent cependant à des alliances inattendues et traversent momentanément les catégories d'intérêts courantes. On a déjà vu des mouvements féministes radicaux s'associer à des mouvements religieux pour s'opposer à la pornographie. Ce type d'alliance assez ténu ne dure qu'un temps limité. D'autres se maintiennent davantage dans la mesure où persiste un commun dénominateur. Ainsi en est-il du *lobby* de l'automobile qu'on appelle de la sorte pour désigner l'ensemble des acteurs économiques liés par cette industrie : les producteurs et les syndicats, mais également les fournisseurs de matières premières (comme l'acier), les publicitaires et les associations d'automobilistes (qui comptent de nombreux membres). Grâce à son poids sur l'emploi, ce *lobby* dispose d'un levier important dans ses rapports avec l'État. Les intérêts qu'il défend se posent, par exemple, en concurrence avec celui des transports en commun. La coalition se dissout aussitôt que le sort de la production d'automobiles n'est plus en jeu. Les patrons retrouvent leurs associations et les ouvriers leurs syndicats, la coalition se reformera au besoin. Ces alliances de toutes sortes dictées par la tactique reposent, il faut le reconnaître, sur la nature même des intérêts en présence.

Déjà au stade des objectifs, le groupe est appelé à déterminer s'il se propose d'offrir des avantages divisibles ou collectifs, or le type d'intérêt qu'il défend va largement déterminer son choix. Nous revenons ici à la thèse d'Olson. Les associations volontaires auront de la difficulté à se maintenir en n'offrant que des biens ou services indivisibles, puisqu'elles se mettent alors en situation de faire miroiter des avantages virtuels destinés à tout le monde indistinctement. Certaines causes comme celle de l'écologie peuvent difficilement offrir des compensations spécifiques à leurs membres alors que des regroupements professionnels sont en mesure de le faire. Les associations d'agriculteurs vont souvent jusqu'à servir, lorsqu'elles obtiennent une reconnaissance officielle, de relais administratifs de l'État.

Par ailleurs, bon nombre de groupes sont des institutions déjà constituées, comme, par exemple, les entreprises, les Églises, les universités, les gouvernements locaux, et n'ont donc pas à rendre immédiatement compte à leurs membres lorsqu'elles dépensent des ressources aux fins de représentations auprès de l'État.

Second facteur interne à prendre en considération, la *nature de l'organisation* joue un rôle important même si elle n'est pas à dissocier des intérêts représentés par le groupe. Il y a d'abord l'ouverture de l'organisation par le truchement de son mode de recrutement. Il peut être restreint à une catégorie de personnes. Un syndicat ouvrier est confiné à un public déterminé, tandis qu'une association de consommateurs ne demande aucune qualification particulière. L'adhésion peut également être plus ou moins forcée, comme dans les ordres professionnels : pour exercer le droit il faut appartenir au barreau, qui constitue un groupe à sa manière. En Allemagne, comme dans plusieurs autres pays d'Europe, la loi prévoit que toutes les entreprises doivent être membres d'une chambre de commerce locale ou régionale chapeautée par une fédération nationale. Ce sont là des cas où une règle extérieure intervient dans le recrutement de certains groupes et, par conséquent, sur leur organisation même.

Comme nous l'avons déjà indiqué pour les mouvements sociaux, l'organisation est constituée de lieux où se prennent les décisions à l'intention du groupe. Ces instances, qui peuvent être complexes, décentralisées, bureaucratiques, oligarchiques, etc., sont autant d'arènes où, à l'intérieur même du groupe, se diffuse l'information ou non, et où s'engagent des relations d'influence, de contrôle et de conflit, avec le jeu stratégique des alliances. L'aménagement de ces structures n'est pas sans influer sur les décisions qui en émanent.

Au facteur organisation s'en ajoute un autre en étroit rapport avec lui, celui des *ressources* dont elle dispose. Elles sont de plusieurs ordres. Il y a celles qui relèvent de la possession de biens, meubles ou immeubles, comme des locaux, des appareils de communication, des véhicules, en plus, évidemment, des moyens proprement financiers. Dans certains pays, comme aux États-Unis, on peut compter, pour certaines causes, sur le mécénat d'individus ou de fondations fortunés. Puis il y a les ressources intimement liées à l'aménagement et au fonctionnement de l'organisation, comme instruments de mobilisation et d'influence : le nombre mais aussi la qualité des adhérents dont le moral, la combativité, la persévérance, la confiance en la direction sont des éléments ; au niveau des leaders, ce sont les compétences, c'est-à-dire les connaissances et l'habileté à diriger, l'accès à l'information. Et, finalement, le statut auprès du milieu d'intervention : l'image, la réputation et l'utilité sociopolitique des intérêts représentés (les grands entrepreneurs tout comme les ouvriers disposent de leviers de négociation que n'ont pas les chômeurs) fondent une légitimité auprès des interlocuteurs que le groupe veut influencer. Ces éléments de diverses natures avec lesquelles les décideurs du groupe doivent composer se présentent comme autant de variables à l'intérieur de cet ordre de facteurs qu'on rassemble sous l'appellation globale de ressources.

Tous les facteurs répertoriés jusqu'ici relèvent, comme nous l'avons annoncé, de composantes internes au groupe. Qu'il s'agisse de la nature des intérêts représentés, du mode de recrutement du groupe, du type d'organisation ou des ressources disponibles, ce sont toujours des éléments qui le qualifient en propre, même s'ils influent sur l'action qui, elle, est portée vers le public, vers l'extérieur.

Les facteurs *externes* jouent un rôle tout aussi important et relèvent de deux entités globales : le *système des partis*, et les *institutions de l'État* qui, pour leur part, dépendent des *règles du jeu*.

Sans être en totale concurrence, les groupes de pression et les partis politiques ont en commun d'être des professionnels dans la représentation des intérêts. Suivant le jargon de la discipline, on dit, en employant la formule américaine, que les groupes assurent l'*articulation* des intérêts, c'est-à-dire qu'ils les expriment à l'état brut, tandis que les partis assurent l'*agrégation* des intérêts, c'est-à-dire qu'ils les rassemblent, les émondent et les affinent afin de les intégrer dans un programme politique suffisamment cohérent pour être présentable aux électeurs. Ce sont deux niveaux d'activité distincts, l'un vise l'*expression* d'intérêts spécifiques, tandis que l'autre tente de trouver des communs dénominateurs plus ou moins étendus selon ses ambitions. On dira parfois de certaines associations à la tête de tout un secteur donné qu'elles accomplissent l'*agrégation* des intérêts pour autant qu'elles en réalisent la synthèse. Mais, règle générale, cette dernière fonction est plutôt dévolue aux formations politiques.

Groupes et partis entretiennent des rapports tantôt de sympathie, d'alliance, tantôt d'opposition, d'adversité, suivant les intérêts qu'ils représentent respectivement. Il revient aux groupes de composer avec les partis dans la mesure où ces derniers servent d'antichambre à la prise de décision étatique. Là où les formations politiques sont fortement centralisées, les associations auront tendance à s'y associer plus ou moins étroitement. Il est des situations où les rapports seront serrés, comme en Italie, entre la *Confindustria*, regroupement d'entrepreneurs, et le Parti chrétien-démocrate ; la CGIL (Confédération générale du travail) et le Parti communiste d'autrefois. En Grande-Bretagne, la TUC (*Trades Union Congress*), centrale qui coiffe l'ensemble des syndicats, constitue la principale source financière du Parti travailliste et occupe un nombre appréciable de sièges à sa direction, influence cependant déclinante (le parti préférant maintenant prendre ses distances avec la représentation syndicale). En France, la CGT (Confédération générale du travail) a toujours prétendu être une entité bien distincte du Parti communiste, prétention qui a souvent été mise en doute. On peut avancer que le fonctionnement du système de partis exerce une part d'influence sur la dynamique des groupes. Ceux-ci sont appelés à se positionner en fonction du terrain déjà occupé par les partis. Si les associations sont si puissantes aux États-Unis, c'est, en partie du moins, attribuable à la faiblesse des formations politiques.

Interviennent, comme second facteur *externe*, les *règles du jeu* qui, comme nous l'avons déjà mentionné, établissent les *institutions politiques*, lieux de décision, donc des arènes plus ou moins officielles. Leur configuration oblige les groupes à s'y conformer s'ils veulent avoir une quelconque influence. Selon qu'on est soumis à un État unitaire ou fédératif, selon encore qu'on est en régime parlementaire ou présidentiel, les règles du jeu se trouvent à fixer, comme nous l'avons déjà vu, des arènes aux compétences plus ou moins étendues. Les cibles d'intervention seront différentes, pour les groupes, suivant que les lieux de décision sont centralisés ou pas. Par exemple, le système fédéral américain se prête bien à une intervention efficace des groupes auprès des États, tout comme auprès des unités locales des partis politiques, puisque ceux-ci sont fort décentralisés. C'est ainsi que des associations parviennent à se garantir l'appui d'un député en lui finançant ses élections.

La représentation des intérêts, comme on peut le constater, est soumise à plusieurs variables susceptibles de peser sur son déroulement. Ces facteurs, très différents les uns des autres, se conjuguent dans l'action, quand ils n'influent pas les uns sur les autres. L'analyse des groupes est néanmoins rendue délicate par la difficulté de déterminer le poids de leur influence réelle auprès des gouvernants. Et pourtant, la minute de vérité en science politique n'est-elle pas celle de la mesure de l'influence dans la prise de décision ?

Les groupes et l'État

Le jeu des alliances et des oppositions prend forme en fonction des arènes où se prennent les décisions. Comme nous l'avons amplement vu, les groupes sont mis en situation obligée de se conformer à la dynamique imposée par les règles du jeu. Certains peuvent choisir l'arène médiatique d'abord. Ce sont, pour la plupart, soit des groupes voués à la défense de causes uniques, comme ceux ayant pour seule vocation d'être pour ou contre l'avortement, soit encore des groupes d'intérêt public, comme les associations de consommateurs, qui, à cause de leur membership étendu et dispersé, doivent faire la démonstration périodique de leur présence et de leur utilité auprès de leurs adhérents.

Les associations mieux assises et plus influentes préfèrent l'accès direct aux arènes étatiques. L'emploi du pluriel ici n'est pas fortuit. Il sert à souligner que, contrairement à la saisie de l'État comme Acteur unique avec un grand « a », il est analytiquement plus fécond d'aborder les institutions étatiques d'après la multiplicité des lieux de décision qu'elles constituent. On peut distinguer, tout de suite, trois grands niveaux d'arènes étatiques, qui correspondent, il va sans dire, aux trois grandes compétences de l'État : les arènes gouvernementales, parlementaires et judiciaires. Nous nous arrêterons aux deux premières, puisqu'elles mettent davantage en relief tout le jeu de tractations propre à la décision collective. Elles correspondent chacune à des dynamiques d'influence distinctes : on n'intervient pas de la même manière auprès d'un ministère qu'auprès d'une assemblée parlementaire. Et ces deux arènes, de nature bien différente, adoptent des configurations qui varient selon que les acteurs évoluent en régime parlementaire ou présidentiel. Rien de mieux pour bien saisir la diversité des situations possibles que de se référer à des illustrations concrètes ; à cette fin, prenons trois structures institutionnelles aux variantes significatives : la Grande-Bretagne, la France et les États-Unis.

Le cas de la Grande-Bretagne illustre bien la portée déterminante des arènes gouvernementales en régime parlementaire. Le cabinet des ministres comme les comités interministériels qui gravitent autour de lui constituent certes des arènes où se prennent des décisions importantes, où se font surtout des choix de principes. Mais ces choix ont d'abord été discutés à l'échelon des fonctionnaires qui, eux, de par leur métier, demeurent en constant rapport avec les intérêts visés par leurs ministères respectifs. Or, un des instruments, sinon l'instrument privilégié de liaison d'un ministère avec son public, est ce qu'on appelle le comité consultatif. Chaque ministère établit le nombre de comités lui convenant (il peut s'en doter de quelques centaines), détermine leur compétence et surtout désigne les groupes qu'il désire entendre. Il lui revient de décider qui il estime être représentatif de tel ou tel secteur économique ou social. Il y a, bien sûr, des représentants incontournables : le ministère aux relations de travail ne peut feindre d'ignorer la puissante TUC qui rassemble, on s'en souviendra, l'ensemble des syndicats britanniques. Mais là où il y aurait concurrence dans la représentation d'intérêts sectoriels, comme dans le domaine de l'agriculture, le ministère pourrait reconnaître comme porte-parole légitime tel groupe plutôt que tel autre. La sélection est nécessaire, le ministère comme « décideur » a besoin d'interlocuteurs valables qui vont lui fournir l'information sur son public, et dont les requêtes seront également représentatives du milieu. Il arrive que le ministère suscite même la création d'une association à cette fin. La CBI (Confederation of British Industries) représentant les trois quarts des entreprises importantes de Grande-Bretagne, sorte de pendant patronal de la TUC, a été créée en partie à l'initiative du gouvernement qui désirait un porte-parole représentatif de l'*ensemble* de ce secteur. Tout groupe, dans cette dynamique de consultation, recherche cette reconnaissance de l'autorité qui lui confère une double légitimité : légitimité de représentant à plein titre auprès des gouvernants, mais aussi légitimité renforcée auprès des représentés. Être exclu des discussions qui se déroulent dans les principaux comités consultatifs, c'est être privé du réseau le plus efficace dans la prise de décision gouvernementale. En exagérant un peu, on peut dire que l'exclusion de ces comités signifie l'absence de toute influence directe sur le gouvernement.

Le *tripartisme*, comme on l'a entendu en Grande-Bretagne jusqu'à l'avènement du gouvernement Thatcher, réunissait non pas les trois partis politiques dominants, mais les trois parties consultées lors de décisions majeures, à savoir le gouvernement, la CBI et la TUC. À eux trois, ils se seraient trouvés au centre du jeu.

Le sens commun nous porte, même en Grande-Bretagne, à concentrer notre attention sur l'activité législative des gouvernants, sur le Parlement. Or, bon nombre de décisions ne nécessitent pas l'adoption d'une loi. Le décret ou le règlement peut suffire. Et les groupes s'activent, en régime parlementaire, pour éviter précisément la législation. Si bien que, lorsque le recours au Parlement est rendu nécessaire, le ministre soumet un projet qui correspond à un arrangement auquel sont déjà arrivés ses fonctionnaires et les groupes concernés. Comme la discipline de parti joue en faveur du gouvernement, elle permet l'adoption du projet dans son intégralité. Tout amendement risquerait de compromettre un compromis souvent obtenu à la suite d'un dosage savant, fondé sur un équilibre délicat.

Les groupes interviennent dans l'arène parlementaire et médiatique lorsqu'ils n'ont pas ou n'ont plus l'oreille du gouvernement. C'est le propre des mouvements ne jouissant d'aucune audience officielle, ou encore, souvent, d'associations en situation d'impasse avec le parti au pouvoir ; tel a été le cas des syndicats sous l'administration Thatcher. Il ne faut pas confondre bruit et influence, surtout en régime parlementaire : ameuter les députés ou l'opinion publique n'apporte pas automatiquement des votes à la Chambre des communes. C'est le gouvernement qu'il faut convaincre. La partie est plus facile s'il est minoritaire, situation rare et généralement éphémère en système de scrutin uninominal à un tour.

Il est bien entendu que la loyale opposition de Sa Majesté se fera souvent accueillante à ces récriminations, ne serait-ce que pour discréditer la majorité. Il y a lieu d'ajouter que l'opposition, ne disposant pas de l'expertise fournie par l'administration publique, se sert de l'information transmise par les groupes pour mieux contrer l'action du gouvernement.

En somme, la consultation en Grande-Bretagne fait, en quelque sorte, partie du processus législatif ; l'avis des groupes est entendu et, très souvent, suivi. Il en est un peu autrement en France où la consultation s'en tient largement à ce qu'elle dit être : une consultation.

La France dispose d'organes consultatifs très officiels, comme le Conseil économique et social, qui est appelé à se prononcer sur tous les projets de loi à teneur économique ou sociale, *avant* le débat au Parlement. À la vérité, les rapports émanant de cette institution sont généralement considérés de bonne tenue, mais attirent peu l'attention des députés et sénateurs. Il existe également des commissions consultatives auprès de divers ministères dont le rôle est de s'enquérir auprès de leur public, mais sans en tirer l'amorce d'une décision. Il s'agit largement d'une symbolique d'écoute qui se contente de solliciter des avis et d'entendre des doléances. Il n'y a, semble-t-il, que le secteur de l'agriculture qui fasse exception. Ce qui ne veut pas dire que les groupes soient pour autant sans influence. Ils en ont, mais non dans la confection directe des lois. Dans l'ensemble, la haute administration française entretient l'idée jacobine que l'État doit, au nom de l'intérêt général, se tenir à distance des intérêts particuliers. Il faut ajouter qu'avec la position de force de l'exécutif, depuis la Ve République, et l'administration structurée en grands corps traditionnels de l'État, comme le Conseil d'État, la Cour des comptes, etc. (qui recrutent dans les grandes écoles comme l'École nationale d'administration), l'expertise des groupes n'est pas jugée indispensable, ni même utile. Les hauts fonctionnaires établissent néanmoins des contacts informels avec certains interlocuteurs jugés dignes, recevables ou encore représentatifs. Ils y ont recours pour des avis, mais aussi pour les convaincre de politiques déjà adoptées par leur ministère. Si les groupes ne jouent pas comme tels un rôle reconnu dans l'amorce des textes de loi, ils ont, en retour, tendance à *réagir* aux politiques gouvernementales sans se sentir obligés de soumettre de contre-propositions. Peut-être plus qu'ailleurs, les groupes, en France, ont tendance à prendre à témoin le public par des manifestations dans la rue ou des grèves spontanées qui participent d'une symbolique contre l'autorité en place.

Aux États-Unis, la situation des groupes est plus éclatée. Ceux-ci ont la faculté d'intervenir à divers niveaux de gouvernement. Le fédéralisme démultiplie les arènes avec les gouvernements de chacun des États et des entités municipales assez autonomes. À ne considérer que le gouvernement central à Washington, il saute aux yeux que les arènes tant gouvernementales que parlementaires offrent des terrains propices à l'action des associations.

Le terme de triangle d'acier ou encore de sous-gouvernements est employé pour désigner, aux États-Unis, le réseau qui se tisse entre les parlementaires, les fonctionnaires et les groupes de pression dans un secteur donné, et qui, grâce à une expertise bien conjuguée, parvient à s'imposer dans celui-ci. L'exemple classique qu'on donne est celui du milieu agricole parce qu'il s'y prête bien ; il permet la fragmentation en petits domaines, la politique du lait étant distincte de celle du blé ou de l'arachide. Il semblerait que ce type de coalition triangulaire ait pu connaître des temps forts dans les années 1930, 1940 ou 1950, mais qu'avec le nombre croissant de groupes d'intérêt public intervenant dans des arènes de plus en plus ouvertes, leur autonomie en soit réduite d'autant.

On se souviendra que déjà, à l'époque du président Andrew Jackson (1829-1837), Alexis de Tocqueville avait été frappé par le pullulement des groupes. Loin de s'atténuer, la tendance à l'accroissement s'est, au contraire, accentuée. Leur nombre est plus important que jamais. Il rend compte, sans en être nécessairement la cause directe, de l'état de fragmentation dans lequel se déroule la prise de décision aux États-Unis, et ce, de la Maison-Blanche au plus petit État de l'Union.

De par leur position de large autonomie propre au régime présidentiel où les ministres (appelés secrétaires) sont souvent professionnellement liés au secteur qu'ils représentent, les ministères (appelés départements) deviennent presque eux-mêmes des groupes de pression et s'érigent en porte-parole de leur public. À cet effet, les associations les alimentent en information dans la poursuite de leur propre avantage. Le poids des intérêts devient encore plus manifeste dans les agences gouvernementales de contrôle affectées à l'application de la réglementation concernant, par exemple, les biens de consommation, les produits pharmaceutiques, l'environnement, où les enjeux peuvent être très grands.

Les associations peuvent servir, à l'occasion, de prolongement du bras administratif des ministères. Elles diffusent alors l'information aux intéressés ou même voient à l'application de certains règlements. Il n'est pas dépourvu d'intérêt de savoir que la puissante National Rifle Association a été fondée au XIXe siècle en collaboration étroite avec le Département de l'armée de l'époque, en vue de familiariser les citoyens avec le maniement des armes à feu en cas de conflit... Cette relation étroite entre l'administration et certains groupes reconnus n'est pas unique aux Américains, elle se présente ailleurs, et souvent dans le secteur agricole.

Quant au Congrès, il fait, on s'en doute bien, l'objet d'une considération plus qu'attentive de la part des groupes. Faut-il rappeler que le régime présidentiel et la séparation des pouvoirs qu'il prévoit confèrent au législatif une autonomie très grande. Soustraits à la stricte discipline de partis et à la menace de dissolution inhérentes au parlementarisme, les législateurs, représentants comme sénateurs, ont la faculté d'organiser leurs assemblées à leur guise. Le système complexe de commissions morcelées en sous-commissions offre un terrain propice à l'action des groupes. D'autant plus que les sous-commissions sont largement constituées de législateurs ayant déjà des intérêts spécifiques de par leur circonscription d'origine. Ainsi, un représentant dont les électeurs sont en grand nombre employés par une usine d'armement aura tout avantage à siéger à la commission affectée à la défense et aux sous-commissions attentives aux dépenses d'approvisionnement. Intérêt oblige.

Même si les commissions et sous-commissions sont pourvues d'appareils administratifs importants, les législateurs se fient également sur les groupes pour les alimenter en information ; il s'agit bien entendu d'une information intéressée.

Outre le fonctionnement du Congrès qui opère en rapport étroit avec les groupes, l'élection des représentants et sénateurs se fait grâce au financement généreux des fameux *PACs.* Apparus dans les années 1970, les *political action committees* sont des regroupements de personnes destinés, selon certaines règles de dépenses optimales, à subvenir aux besoins financiers des candidats. Véhicules pouvant être démultipliés à volonté, les *PACs* fournissent des contributions importantes, alimentés qu'ils sont souvent par des entreprises, des syndicats, des associations d'agriculteurs ou de professions libérales. L'American Medical Association compte parmi les plus importants fournisseurs de ces véhicules. Un des effets de ces *committees* a été d'affranchir les candidats de leur parti d'appartenance, démocrate ou républicain, leur permettant de livrer de manière autonome leur campagne aux primaires comme aux élections proprement dites, mais avec, comme conséquence, un état de relative dépendance à l'endroit de ces mêmes commanditaires. La dispersion, sinon la perte d'autorité des partis, se trouve à créer une espèce de vide que s'empressent de combler les groupes.

L'instrument d'intervention privilégié des groupes est le *lobby.* L'institution n'est pas exclusivement américaine, on la retrouve ailleurs, notamment au Canada. Elle correspond au rôle de professionnels de la représentation qu'assument le plus souvent des avocats spécialisés en la matière ou d'anciens membres de l'exécutif. Ce sont des porte-parole de métier auxquels les groupes ou même des individus s'adressent pour défendre leurs intérêts auprès des diverses instances étatiques : présidence, département, agence gouvernementale, Sénat ou Chambre des représentants. Leur fonction est d'infléchir la volonté des acteurs étatiques dans le sens désiré. Les stratégies sont multiples, elles vont de la rencontre personnelle, peut-être amicale, au pot-de-vin ou au chantage (menace d'opposition aux élections suivantes, ou de révélations compromettantes) en passant par les témoignages devant les commissions du Congrès, et autres formes de pression. Par des alliances de toutes sortes, le *lobby* a pour objectif d'obtenir gain de cause, par l'adoption d'une mesure désirée, par son amendement ou encore par la défaite d'un projet jugé indésirable. Il demeure toujours au service de clients dont il est, par profession, le représentant.

Une vue globale des groupes

La représentation des intérêts qu'accomplissent les groupes les conduit à assumer certaines fonctions dans la dynamique d'ensemble de la gouverne. Non seulement servent-ils de véhicules d'*expression*, ce pour quoi évidemment ils sont conçus (fonction que les Américains désignent souvent sous le vocable d'*interest articulation*), mais encore ils accomplissent une tâche de sélection, de synthèse et de canalisation des demandes provenant de leurs membres (fonction dite d'*interest aggregation*, surtout réservée aux partis politiques), tâche rendue plus évidente dans les associations-coupoles, larges fédérations d'unités qui leur sont plus ou moins subordonnées. On se rend compte que les associations ne se contentent pas non plus de reproduire ce qu'elles pensent être les intentions de leurs membres, mais s'appliquent souvent à exprimer ce qu'elles croient être les intérêts véritables, donc objectifs, de ceux-ci. Elles développent, de par leur expertise, un rôle d'éducateur auprès de leurs membres.

En accomplissant ces différentes fonctions, les groupes se trouvent à légitimer les demandes de leur base, à leur fournir un fondement de reconnaissance auprès du grand public et de l'autorité étatique. Et ces relations, parfois assez étroites avec les gouvernants, les mettent en situation de communication par laquelle les deux parties en présence échangent de l'information utile pour chacune. Qui dit information dit également atténuation des conflits, dans la mesure où les risques occasionnés par l'incertitude sont moindres. Enfin, les groupes assument, à l'occasion, des fonctions de relais paragouvernementaux auprès de leurs publics en voyant à l'administration de certains programmes auprès de leurs membres.

L'espace occupé par les groupes dans la représentation des intérêts dépend, dans une certaine mesure, de l'aire que contrôlent l'État et les partis politiques. Ceux-ci ont l'avantage de pouvoir prétendre être les porte-parole de l'intérêt général. Il s'agit d'une situation de compétition avec laquelle les groupes doivent composer.

Bibliographie

Mouvements sociaux

CHAZEL, François, 1992. « Mouvements sociaux », *in* Raymond BOUDON (dir.), *Traité de sociologie*, Paris, Presses Universitaires de France, p. 263-312.

FILLIEULE, Olivier et Cécile PÉCHU, 1993. *Lutter ensemble. Les théories de l'action collective,* Paris, L'Harmattan.

JOHNSTON, Hank et Bert KLANDERMANS (dir.), 1995. *Social Movements and Culture,* Minneapolis, University of Minnesota Press.

KLANDERMANS, Bert et Sidney TARROW, 1988. « Mobilization into Social Movements : Synthesizing European and American Approaches », *in* B. KLANDERMANS, H. KRIESI et S. TARROW (dir.). *From Structure to Action : Comparing Social Movement Research across Cultures ; International Social Movement Research,* vol. I, Greenwich (Conn.), JAI Press, p. 1-38.

MELUCCI, Alberto, 1989. *Nomads of the Present,* Londres, Century Hutchinson.

MORRIS, Aldon et Carol McCLURG MUELLER (dir.), 1992. *Frontiers in Social Movement Theory,* New Haven (Conn.), Yale University Press.

TARROW, Sidney, 1989. *Struggle, Politics, and Reform : Collective Action, Social Movements, and Cycles of Protest,* Ithaca (N.Y.), Center of International Studies, Cornell University.

TARROW, Sidney, 1994. *Power in Movement. Social Movements, Collective Action and Politics,* Cambridge, Cambridge University Press.

TILLY, Charles, 1978. *From Mobilization to Revolution,* Reading (Mass.), Addison-Wesley.

TILLY, Charles, 1984. « Social Movements and National Politics » *in* Charles BRIGHT et Susan HARDING (dir.). *Statemaking and Social Movements,* Ann Arbor, University of Michigan Press.

ZALD, Mayer N. et John D. McCARTHY (dir.), 1987. *Social Movements in an Organizational Society,* New Brunswick (N.J.), Transaction Books.

Groupes de pression

BALL, Alan R. et Frances MILLARD, 1987. *Pressure Politics in Industrial Societies,* Atlantic Highlands (N.J.), Humanities Press International.

BERRY, Jeffrey M., 1989. *The Interest Group Society*, 2 e édition, Glenview (Ill.), Scott, Foresman.

DION, Léon, 1971, 1972. *Société et politique. La vie des groupes*, 2 tomes. Québec, Presses de l'Université Laval.

JORDAN, A.G. et J.J. RICHARDSON, 1987. *Government and Pressure Groups in Britain*, Oxford, Clarendon Press.

KNOKE, David, 1990. *Organizing for Collective Action*, New York, Aldine de Gruyter.

LOWI, Theodore, 1987 (1969). *La Deuxième République des États-Unis. La fin du libéralisme*, Paris, Presses Universitaires de France.

MOE, Terry M., 1980. *The Organization of Interests*, Chicago (Ill.), University of Chicago Press.

PROSS, A. Paul, 1986. *Group Politics and Public Policy*, Toronto, Oxford University Press.

WALKER, Jack L. Jr., 1991. *Mobilizing Interest Groups in America*, Ann Arbor, University of Michigan Press.

WILSON, Frank L., 1987. *Interest-Group Politics in France*, Cambridge, Cambridge University Press.

WILSON, Graham K., 1990. *Interest Groups*, Oxford, Basil Blackwell.

Chapitre 11

Les partis politiques

À la différence des groupes de pression, les partis politiques sont voués à la représentation, sinon de l'intérêt général, du moins de différents intérêts particuliers. C'est pourquoi on dit d'eux, comme nous l'avons déjà noté, qu'ils *agrègent* les intérêts, alors que les groupes de pression les *articuleraient*. Plus précisément, nous pouvons définir les **partis** comme des *organisations qui, à la différence des groupes, cherchent à* ***occuper,*** *au moyen des élections, les* ***postes d'autorité suprême*** *dans une collectivité.*

Sauf dans les systèmes à parti unique, de moins en moins nombreux sur la planète, les partis sont confrontés à un dilemme fondamental. Ils sont à la fois des « parties » (comme leur nom, en plusieurs langues, l'indique) en compétition avec d'autres « parties », mais aussi des prétendants à la représentation du « tout », surtout s'ils forment seuls ou avec d'autres le gouvernement.

Le système des partis

Ce dilemme se présente différemment selon les systèmes de partis. Il peut sembler résolu par l'existence d'un parti unique, mais l'expérience historique a montré qu'avec le passage du temps, ces partis, liés à des régimes communistes ou encore à des sociétés dites en voie de développement, deviennent de moins en moins aptes à représenter tous les intérêts politiques d'une collectivité. C'est d'ailleurs pourquoi ils sont en voie de disparition, du moins sur le plan étatique. Par contre, des partis uniques demeurent sur le plan local, là où les intérêts politiques sont moins nombreux, moins conflictuels et moins mobilisateurs de la population.

Nous avons dit, à propos des systèmes électoraux, qu'un système est fait de composantes interdépendantes, plus ou moins influencées par l'environnement. Il en est ainsi des systèmes de partis, qu'on classifie généralement en deux grandes catégories, les systèmes compétitifs et les systèmes non compétitifs. Sartori (1976) distinguait, dans la catégorie des systèmes de partis non compétitifs, deux autres types, en plus des systèmes à parti unique, soit les systèmes hégémoniques et les systèmes à parti prédominant. Dans les premiers, un parti *hégémonique* tolère des petits partis autour de lui et peut même les associer à la direction du gouvernement. La Pologne, du temps où son régime était communiste, fournit un exemple de ce type de système. Un petit parti paysan, un parti dit démocratique et des associations catholiques gravitaient dans l'orbite du parti hégémonique, le Parti unifié des travailleurs polonais, qui était en fait un parti communiste. Le Québec, de 1897 à 1936, est un exemple éloquent d'un système à parti *prédominant*, qui est compétitif en principe mais non compétitif en fait. Le Parti libéral gagne toutes les élections générales durant cette période, laissant le Parti conservateur loin derrière lui, en nombre de sièges tout au moins, et ce, grâce à un système électoral majoritaire qui lui assure une forte prime d'une élection à l'autre.

Le parti hégémonique monopolise par la contrainte l'agrégation des intérêts, alors que le parti prédominant la monopolise plutôt par un mélange de contrainte, tenant à son contrôle de la gouverne, et de plus grande habileté à exploiter les occasions politiques qui se présentent. Cet avantage constant d'un parti sur les autres n'existe pas ou existe beaucoup moins dans les systèmes compétitifs de partis. Trois sous-types peuvent être distingués : celui du *bipartisme à peu près total*, comme aux États-Unis ; celui du *bipartisme mitigé*, comme en Grande-Bretagne ou au Canada, où les gouvernements ne sont à peu près jamais de coalition même s'ils sont parfois minoritaires ; et celui du *pluripartisme*, dans ses différentes modalités, qui vont des situations où il y a alternance entre gouvernements d'un seul parti et gouvernements de coalition, à celles où les gouvernements sont toujours ou à peu près toujours de coalition.

La représentation des intérêts par les partis politiques se joue différemment dans ces trois sous-types, comme l'ont montré les auteurs qui se sont penchés sur les différences entre les gouvernements à parti unique et les gouvernements de coalition. Notons que les États-Unis peuvent être assimilés aux systèmes où il y a gouvernement de coalition, non seulement parce que le président ne peut gouverner qu'en association avec le Congrès, mais aussi parce qu'à l'intérieur même du Congrès il y a nécessité constante de construire ou de maintenir des coalitions aux fins de la gouverne. Les gouvernements de coalition inclinent le plus souvent à la recherche de consensus entre partis, alors que les gouvernements à parti unique inclinent plutôt à l'adversité, un peu comme dans un procès où s'opposent les avocats des deux parties en cause. Cela tient à la différence entre les perceptions que les partis ont les uns des autres. Dans le cas des gouvernements de coalition, les autres partis ou du moins certains d'entre eux sont des partis avec lesquels il sera peut-être nécessaire de gouverner un jour, alors que dans le cas des gouvernements à parti unique il n'en est rien : les autres partis sont voués à être des adversaires, même s'il arrive que des alliances conjoncturelles sont établies avec certains d'entre eux. Évidemment, l'appartenance commune à ce milieu de vie qu'est le parlement vient tempérer ces oppositions. Robert de Jouvenel ne disait-il pas, de façon un peu cynique, qu'il y avait plus de différence entre deux socialistes, dont l'un est député et l'autre ne l'est pas, qu'entre deux parlementaires, dont l'un est socialiste et l'autre ne l'est pas. Cette boutade se réfère aux différentes arènes où agissent les partis, l'arène institutionnelle (parlementaire, gouvernementale et administrative), l'arène interne à chacun d'eux, ainsi que l'arène électorale, qui est à la base des deux autres.

Les partis dans l'arène électorale

C'est l'appui que reçoivent les partis dans l'arène électorale qui, médiatisé par le système électoral, conditionne, dans les régimes parlementaires, la formation du gouvernement, qu'il soit d'un seul parti ou de coalition. Il en va autrement dans les régimes présidentiels, où la gouverne est partagée entre le président et l'assemblée des élus. Il y a alors deux grandes arènes électorales distinctes, celle qui élit le président et celle qui choisit les élus et conditionne, s'il y a lieu, la formation du gouvernement.

De multiples facteurs expliquent les choix des électeurs dans ces arènes électorales. Ils ont fait l'objet de très nombreuses recherches, car les comportements électoraux ont la double qualité de faire référence à des moments importants dans le fonctionnement des démocraties représentatives et de se prêter à des analyses quantitatives, qui sont plus difficiles dans d'autres domaines de la science politique.

On peut ramener à trois grandes catégories, liées entre elles, les facteurs qui expliquent les comportements électoraux et qui se trouvent sous-jacents aux différentes configurations que prennent les systèmes de partis. Il y a d'abord les allégeances partisanes ou *alignements* électoraux, qui font que, d'une élection à l'autre, des électeurs votent toujours pour le même parti ou pour la même tendance, à moins de circonstances particulières qui les amènent à s'abstenir ou à changer de parti. Cela arrive surtout lors des *réalignements* électoraux, où un parti dominé ou encore un nouveau parti obtient subitement un appui important, aux dépens d'un ou de partis jusque-là dominants. Il y a aussi ce que les spécialistes appellent les phénomènes de *désalignements* électoraux, qui consistent dans la diminution de la proportion d'électeurs qui s'identifient aux partis politiques, et ce, pour des raisons diverses qui tiennent toutes au peu d'attrait exercé par les partis. Les phénomènes d'alignement, de réalignement et de désalignement expliquent en bonne partie la plus ou moins grande volatilité des électeurs, d'une élection à l'autre, ou, mieux, sur une période comprenant quelques élections. Plusieurs travaux de recherche constatent une volatilité accrue dans beaucoup de pays, qui serait due à une tendance au désalignement, davantage qu'à des phénomènes de réalignement. Ce serait tout particulièrement le cas aux États-Unis, où la proportion des électeurs qui s'identifient à un parti politique a beaucoup diminué depuis les années 1970.

Une deuxième catégorie de facteurs réside dans les clivages existant dans le corps électoral. Il s'agit de facteurs assez indépendants des phénomènes d'allégeance partisane. Même s'il arrive que ceux qui s'identifient de façon constante à un parti aient des traits différents de ceux qui ne s'identifient pas, il n'y a pas d'association forte entre les deux ordres de phénomènes, sauf peut-être que la tendance au désalignement est plus accusée chez les jeunes électeurs que chez les plus vieux. Plus généralement, l'appartenance à une classe d'âge, davantage que celle à un des deux sexes, est souvent significative dans les comportements électoraux, mais c'est parce qu'elle renvoie à d'autres clivages, ou encore à la troisième catégorie de facteurs, qui sont d'ordre politique davantage que socio-économique.

Lipset et Rokkan (1967), dans un chapitre célèbre, ont proposé quatre clivages fondamentaux qui se retrouveraient, historiquement, dans les divisions électorales entre les partis politiques occidentaux. Il y aurait le clivage entre les ruraux et les urbains, le clivage entre les partisans de l'Église et ceux de l'État, le clivage entre les travailleurs et les possédants, et le clivage entre les intérêts du centre et ceux de la périphérie. Cette typologie a été très discutée. On a proposé de définir autrement certains clivages, de substituer au clivage rural-urbain, plus ou moins dépassé aujourd'hui, celui entre les partisans des valeurs traditionnelles et ceux des nouvelles valeurs post-matérialistes (écologisme, qualité de vie, etc.).

À bien y regarder, les clivages de Lipset et Rokkan, si on y ajoute les clivages bio-sociaux fondés sur l'âge ou le sexe et des clivages plus proprement politiques, renvoient aux sous-systèmes que Lapierre (1973), après Easton, a distingués dans les systèmes sociaux : le sous-système bio-social, le sous-système « écologique » ou territorial, le sous-système économique, le sous-système culturel, avec en plus le sous-système politique, lieu, parfois, d'un clivage entre les partis pro-système et les partis anti-système. Les clivages peuvent être internes à une société, mais ils peuvent aussi être externes, comme par exemple les clivages économiques entre les partisans du libre-échange et les partisans du protectionnisme. Dans cette façon systémique de voir, le clivage centre-périphérique est la forme contemporaine que prend dans le sous-système « écologique » l'ancien clivage urbain-rural. Il en est un peu de même du clivage entre les partisans des valeurs post-matérialistes et ceux de valeurs plus traditionnelles, qui ne serait qu'une des nouvelles formes d'opposition qui se développent dans le sous-système culturel.

Dans un système de partis, à une époque donnée, les divisions entre partis, dans l'arène électorale, sont principalement fondées sur l'un ou quelques-uns des clivages formés dans les sous-systèmes sociaux. Cette situation est, bien sûr, évolutive, une nouvelle combinaison de clivages pertinents pouvant succéder à une combinaison ancienne. Pour ne donner que quelques exemples, on peut estimer que la France, de la IVe République à la Ve, a évolué d'une situation où les clivages État-Église, travailleurs-possédants et positions pro-système — anti-système se sont atténués, pour faire place de plus en plus à un nouveau clivage économique entre les « classés » et les « déclassés » du marché du travail, et à un clivage politique entre les partisans du secteur public et ceux du secteur privé. Ces deux nouveaux clivages ont d'ailleurs pris forme dans bien d'autres sociétés, dont la société canadienne, où de plus le clivage centre-périphérie et le clivage linguistique, d'ordre culturel, sont toujours présents. Aux États-Unis, les clivages ethniques (entre les Blancs et les Noirs), qui recoupent des clivages économiques, demeurent importants, avec en plus des clivages territoriaux et, à l'occasion, des clivages bio-sociaux tenant à la répartition des électeurs en classes d'âge.

Les clivages tenant à l'âge sont généralement formés à l'occasion d'élections de réalignement, qui s'expliquent surtout par la troisième catégorie de facteurs des comportements électoraux, les facteurs politiques, qui tiennent aux leaders des partis, à leurs programmes et à leurs politiques. Ces élections de réalignement surviennent quand un ou des partis principaux apparaissent incapables de régler des problèmes jugés importants, dans une situation de crise ou de transformations rapides dans la société et sur la scène politique. À ce moment, des électeurs qui s'identifiaient à un de ces partis mettent fin à cette identification, mais aussi et surtout de nouveaux électeurs se portent vers un parti qui apparaît capable de régler les problèmes, qu'il s'agisse d'un parti déjà en place dans le système ou d'un nouveau parti. Au Québec, l'Union nationale, au milieu des années 1930, et le Parti québécois, au début des années 1970, ont profité de tels réalignements. Les cohortes de jeunes électeurs, qui les ont alors appuyés massivement, ont continué de le faire dans la suite, selon ce que les spécialistes appellent des effets de génération (qui tiennent surtout à une socialisation commune), pour les distinguer des effets de vieillissement et des effets de période. Ces deux effets font que le comportement électoral des cohortes d'âge dépend plutôt, comme les termes l'indiquent, du passage du temps ou encore d'une conjoncture particulière et passagère.

L'influence des facteurs politiques ne se limite toutefois pas aux élections de réalignement, ou encore aux élections dites de *déviation,* qui sont en quelque sorte des réalignements manqués, la distribution des électeurs entre les partis revenant aux anciennes configurations, après une ou deux élections déviantes à cet égard. Les facteurs politiques sont à l'œuvre dans toutes les élections et expliquent la plus ou moins grande évolution des résultats électoraux, ce que les facteurs d'ordre partisan et socio-économique ne peuvent expliquer à eux seuls, étant donné qu'ils évoluent peu, en règle générale, d'une élection à l'autre.

Les facteurs politiques tiennent aux enjeux qui sont débattus à l'occasion des élections, aux positions que les partis et en particulier les chefs prennent sur ces enjeux, et à la plus ou moins grande visibilité qu'ont ces enjeux et ces positionnements aux yeux des électeurs. Les facteurs politiques sont liés à ceux des deux catégories précédentes. Les enjeux et les positions prises servent à maintenir ou à raviver les identifications partisanes, et ils sont généralement significatifs par rapport aux clivages existants dans le corps électoral. Ainsi, les deux principaux enjeux des élections fédérales canadiennes de 1993, la lutte au déficit et la création d'emplois d'une part, l'aliénation politique du Québec et des provinces de l'Ouest d'autre part, n'étaient pas sans rapport avec les identifications partisanes traditionnelles, les partisans libéraux étant plus portés vers l'État-providence que les partisans conservateurs. Les positions des partis sur le premier enjeu étaient également significatives par rapport au clivage travailleurs-possédants dans le sous-système économique, alors que leurs positions sur le deuxième enjeu étaient significatives par rapport au clivage centre-périphérie dans le sous-système politique.

Les partis réussissent plus ou moins bien, par leurs positionnements sur les enjeux, à obtenir les appuis électoraux majoritaires ou tout au moins pluralitaires qu'ils recherchent. Plusieurs théories existent à ce propos dont celle, de nature économique, de l'*électeur médian*. Selon cette théorie inspirée de Downs (1957), les positions des partis tendraient à être convergentes sur un enjeu donné, car ils chercheraient tous à adopter des positions voisines de celles de la médiane dans la distribution des préférences des électeurs sur l'enjeu en question, à supposer qu'une telle distribution existe. Par exemple, si la plus grande concentration d'électeurs préfèrent une intervention limitée de l'État dans l'économie à une intervention massive, d'une part, et à une intervention extrêmement réduite, d'autre part, les partis auront tendance à proposer une intervention limitée. Selon des théories plus complexes (voir Budge et Fairlie, 1983), les partis ne se positionnent pas toujours de cette façon. Au moins deux autres situations peuvent se produire. D'abord l'*accentuation sélective* où un ou quelques partis insistent sur un enjeu, parce que cela leur semble avantageux étant donné les identifications partisanes ou les clivages sociétaux, l'autre ou les autres partis préférant ne pas trop insister. Cette situation est surtout susceptible de se produire dans les systèmes multipartites, ou encore là où les partis sont programmatiques. Ensuite la *confrontation directe,* où cette fois les partis s'affrontent entre eux, l'un ou quelques-uns d'entre eux prenant des positions éloignées de celles de l'électeur médian parce qu'ils estiment qu'ils ont ainsi plus de chances d'avoir des succès électoraux. Ce peut être en raison de la localisation particulière des électeurs qui sont portés vers un parti, ou bien parce qu'un parti a besoin de prendre une position forte ou originale pour attirer l'attention des électeurs et les convertir à sa cause. Au Québec, par exemple, les deux principaux partis sont en situation de confrontation directe sur les questions constitutionnelles, alors que le Parti québécois a tendance à faire de l'accentuation sélective sur les problèmes des syndiqués, et le Parti libéral sur ceux des gens d'affaires.

À cet égard, les partis prennent souvent leurs décisions dans l'arène interne. Cette arène est, à bien d'autres égards, le lieu d'activités importantes pour les partis, lesquelles ne sont pas toutes orientées directement vers l'arène électorale.

Les partis dans leur arène interne

À leur niveau, les partis sont eux-mêmes des systèmes composés d'une arène interne, mais aussi d'une arène électorale et d'une arène institutionnelle, de caractère étatique ou non. Les partis sont d'abord des organisations qui ont une activité interne, plus ou moins développée, orientée vers l'arène électorale, mais aussi vers l'arène institutionnelle, avec en plus des préoccupations de maintien ou de développement de l'organisation interne elle-même.

Une des activités importantes dans l'arène interne est la sélection des candidats et des leaders, laquelle peut d'ailleurs déborder sur l'arène électorale, en particulier par l'usage des *primaires*. Aux États-Unis surtout, en bonne partie à cause de la faiblesse de l'organisation interne des partis mais aussi par choix idéologique, des candidats, y compris ceux à la présidence, sont choisis suite aux votes exprimés par les partisans enregistrés d'un parti, ou encore par l'ensemble des électeurs. C'est ainsi que sont choisis les délégués aux grandes *conventions* qui sélectionnent, tous les quatre ans, le candidat du Parti démocrate et celui du Parti républicain à la présidence du pays.

Les partis américains demeurent cependant exceptionnels à cet égard. Dans la plupart des partis, les candidats sont plutôt choisis par des assemblées d'investiture ouvertes aux membres du parti, ou encore par ses dirigeants, quand ce n'est pas par le chef lui-même. Quant à celui-ci, il est sélectionné, selon les partis, en faisant appel à un nombre plus ou moins grand de membres du parti : les députés seulement, comme dans le Parti conservateur britannique ; les parlementaires et d'autres dirigeants comme dans beaucoup de partis, dont le Parti travailliste britannique et les partis français ; des congrès d'investiture avec des délégués venant de chacune des circonscriptions électorales, comme dans les partis canadiens ; ou encore par l'ensemble des membres du parti, comme dans le Parti québécois et dans un nombre croissant de formations politiques. Les conséquences de ces différents modes de sélection ne sont pas claires, tant il est vrai que le destin des chefs et des candidats dépend davantage de leur performance électorale ou encore de leur popularité dans l'opinion publique, mesurée par les sondages, que de la façon dont ils ont été sélectionnés.

Les partis ont besoin de candidats, mais ils ont aussi besoin d'adhérents et de financement, que ce soit pour la sélection des candidats ou pour d'autres activités. À propos des adhérents, la distinction célèbre de Maurice Duverger (1951) entre les partis de cadres et les partis de masse s'est longtemps imposée pour distinguer d'avec les partis avec peu d'adhérents les partis avec de nombreux adhérents, même si Duverger avait voulu souligner surtout par cette distinction des différences dans la formation et le rôle des adhérents. Aujourd'hui on a plutôt tendance à distinguer, même si la terminologie varie, entre les partis de notables, les partis de militants et les partis d'électeurs, selon la typologie de Jean Charlot (1971). Cette typologie renvoie, notons-le, à la primauté donnée à l'une des trois arènes dans la mobilisation des adhérents : l'arène institutionnelle dans le cas des partis de notables, l'arène interne dans le cas des partis de militants, et l'arène électorale dans le cas des partis d'électeurs.

L'activité des partis dans les trois arènes exige un financement dont ils peuvent se charger eux-mêmes ou qu'ils peuvent recevoir en partie de l'État. Dans le cas du financement qui vient d'autres sources que l'État, celui-ci peut le réglementer de diverses façons, ce qui crée des situations variables. On peut cependant déceler une tendance générale à l'intervention de l'État, qui tient à des effets d'entraînement d'un pays à l'autre, mais aussi à de nombreux cas de conflits d'intérêt ou même de corruption qui ont affligé les dirigeants des partis ou encore leur entourage. Cette intervention de l'État prend surtout la forme de la réglementation, même si, dans beaucoup de sociétés, l'État contribue ou bien aux dépenses exigées par l'organisation des partis ou bien au remboursement d'une partie des dépenses électorales, comme c'est le cas au Canada.

Une autre tendance qui se manifeste dans les partis est celle de l'importance de plus en plus grande que prennent les activités de marketing politique des partis, y compris les sondages servant à cette fin, que ce soit lors des campagnes électorales ou lors des processus de sélection des chefs et des candidats. Ces activités exigent de l'argent, qui ne transite pas toujours à travers l'organisation interne des partis. Cet argent est souvent consenti à des personnes ou encore à des équipes formées autour de candidats, ce qui rend la réglementation plus difficile.

Les différentes activités qui se déroulent dans l'arène interne des partis, et où s'opposent ou s'allient entre elles des équipes, coalitions ou tendances, manifestent la plus ou moins grande concentration du contrôle et de l'influence dans cette arène. Nous avons déjà rappelé la thèse de Michels voulant que, dans toute organisation d'une certaine ampleur, il y ait une propension inévitable à l'oligarchie. L'observation de l'organisation des partis politiques amène à moduler cette thèse. La tendance à l'oligarchie est à l'œuvre dans les partis uniques et hégémoniques et dans la plupart des partis prédominants. Plus généralement les grands partis de gouvernement sont le plus souvent très centralisés entre les mains de ce que Panebianco (1988) a appelé une « coalition dominante », dont le noyau est fait de dirigeants qui sont des élus. La position avantageuse de ces dirigeants dans l'arène institutionnelle et dans l'arène électorale assure leur prépondérance dans l'organisation interne du parti et produit ainsi une centralisation du pouvoir, conforme à la thèse de Michels. Par contre, les grands et les moins grands partis qui se retrouvent dans l'opposition, après avoir été des partis de gouvernement, sont souvent moins centralisés, parce que les élus qui sont à leur tête ont des positions moins avantageuses dans l'arène institutionnelle et dans l'arène électorale. Il arrive aussi que, pour étendre leurs appuis électoraux ou autres, les partis d'opposition s'ouvrent à des milieux par rapport auxquels ils étaient auparavant fermés. Il y a là un autre facteur de décentralisation.

L'exception la plus éloquente à la tendance à l'oligarchie est sans doute celle des deux grands partis américains. Comme l'a montré Eldersveld (1964), ces partis sont des *stratarchies* plutôt que des oligarchies, en ce sens qu'il y a décentralisation du pouvoir, avec des instances relativement autonomes, chacune à leur palier (local, régional, étatique, national). L'existence de factions ou de tendances à l'intérieur d'un parti est un autre frein à la centralisation. C'est le cas au Japon où, même du temps où il était un parti prédominant, le Parti libéral-démocrate (dont certains disaient qu'il n'était pas un parti et qu'il n'était ni libéral, ni démocrate) ne fonctionnait pas de façon centralisée, divisé qu'il était entre plusieurs factions qui contrôlaient chacune leur financement. L'existence de tendances dans les partis italiens d'avant les années 1990 allait dans le même sens. Enfin, les partis socio-démocrates des démocraties scandinaves, même quand ils sont des partis de gouvernement, cherchent à réaliser à l'intérieur d'eux-mêmes le fonctionnement démocratique qu'ils prônent pour l'ensemble de la société. Ils sont pour cela relativement peu centralisés, avec une coalition dominante qui s'étend à des non-élus, dans les syndicats ou d'autres groupes, davantage que dans d'autres partis de gouvernement.

Quant aux petits partis naissants, ils sont généralement peu centralisés, leurs dirigeants n'occupant ni dans l'arène institutionnelle ni dans l'arène électorale des positions avantageuses telles qu'elles leur permettraient de dominer le parti. Les petits partis de gauche cherchent davantage que les petits partis de centre ou de droite à éviter les tendances à la centralisation.

Les activités menant à l'élaboration du programme ou de la plate-forme électorale d'un parti sont un bon indice de leur caractère centralisé ou décentralisé. La variété est grande en ce domaine. Dans les partis très centralisés, le programme est celui du leader et de son entourage, ou encore il est élaboré par un cercle restreint de dirigeants. À l'inverse, dans les partis très décentralisés, chaque instance plus ou moins autonome peut, à la limite, avoir son programme, ou encore le programme général du parti est élaboré dans des congrès, précédés d'assemblées locales ou régionales d'où viennent les propositions, adoptées ou non par les congressistes. Il peut arriver aussi que, dans l'élaboration de son programme, un parti décentralisé s'ouvre à des propositions venant de milieux indépendants par rapport à lui.

À peu près toujours, il y a des différences, parfois importantes, entre le programme du parti et son programme de gouvernement dans l'arène institutionnelle. Les contraintes de la gouverne ou des problèmes imprévus qui surgissent dans la société, ou entre les sociétés, expliquent ces différences.

Les partis dans l'arène institutionnelle

Nous appelons institutionnelle la grande arène où les partis sont en relation avec des administrations et des groupes de pression, aux fins de la gouverne de la collectivité, que ce soit au palier de l'État, des

États, provinces ou cantons fédérés, ou encore des collectivités territoriales. L'arène institutionnelle est une arène étatique au palier de l'État, mais elle ne l'est pas aux paliers inférieurs, d'où la nécessité d'un terme plus général que celui d'arène étatique pour désigner cette arène. Tous les partis qui ont des élus sont présents dans l'espace parlementaire ou plus généralement délibératif de l'arène institutionnelle, alors que les partis de gouvernement sont présents dans les espaces gouvernemental et administratif de cette arène.

Les conflits auxquels sont confrontés les partis sont différents d'un espace à l'autre. Dans l'espace parlementaire, les partis — quand ils sont plus d'un — s'affrontent les uns les autres de façon publique, à propos de projets de loi ou de règlement, ou encore à propos de résolutions ou de toute autre question d'intérêt public soulevée par l'un d'eux. Cela peut se faire en assemblée plénière ou encore en commission, avec, à certaines occasions, la présence de représentants de groupes de pression ou d'administrations. Les débats se déroulent différemment selon que la discipline est forte à l'intérieur des partis, ou qu'au contraire, comme c'est le cas aux États-Unis notamment, des élus prennent des distances par rapport à leur parti pour s'allier, dans certains débats, à un autre parti, qui peut être lui-même objet de défection de la part de ses élus. La formation et le maintien des coalitions parlementaires est alors un phénomène tout particulièrement important.

L'existence ou non de la discipline de parti dans l'espace parlementaire n'est pas sans rapport avec les deux conceptions opposées du rôle des élus, qui ont fait l'objet de beaucoup de débats depuis que Burke a soulevé le problème, au XVIIIe siècle, devant ses électeurs de Bristol. Pour certains, l'élu est une espèce de délégué des électeurs de sa circonscription et doit prendre, dans l'espace parlementaire, des positions conformes à la volonté de la majorité de ces électeurs, à supposer qu'ils en aient et qu'elles soient connues. Pour d'autres, au contraire, l'élu est un représentant qui garde une marge d'autonomie, ce qui peut l'amener, à l'occasion, à prendre des positions différentes de celles de la majorité de ses électeurs. Dans un cas comme dans l'autre, l'élu est justifié de ne pas se conduire selon la ligne de parti. Quand il suit systématiquement cette ligne, ce qui est le cas le plus fréquent, il se conçoit et se conduit comme un partisan, plutôt que comme un délégué ou un représentant autonome, quitte à ce qu'il agisse comme un délégué lorsqu'il intervient en faveur de ses électeurs dans l'espace administratif.

Dans cet espace comme dans l'espace gouvernemental, les interventions des élus ne sont pas publiques, ce qui favorise l'influence que peuvent avoir sur eux les administrations et les groupes de pression. Dans l'espace gouvernemental, on sait peu de choses des débats et conflits internes aux gouvernements de partis, qu'ils soient de coalition ou non, même si la formation, l'évolution et la dissolution des coalitions gouvernementales ont été beaucoup étudiées, depuis la fin des années 1980 (voir en particulier Budge et Keman, 1990 ; Laver et Schofield, 1991). Ces études ont plutôt porté, selon les principales préoccupations de la théorie des coalitions, sur les avantages recherchés par les partis, sur les ressources apportées par chacun d'eux, sur leurs affinités idéologiques ou autres et sur le caractère minimal ou non des coalitions par rapport au seuil effectif de décision dans l'espace parlementaire, qui est celui de la majorité simple.

Conçu de façon large, l'espace gouvernemental de l'arène institutionnelle ne comprend pas uniquement les partis de gouvernement. Ceux-ci y sont en relation avec des groupes et des administrations, dans l'émergence, la formulation et la mise en œuvre des politiques publiques. Il en est un peu de même dans l'espace administratif, entendu comme la part de l'arène institutionnelle occupée principalement par les fonctionnaires, mais avec une présence des partis, du moins en la personne des ministres dans les régimes parlementaires et dans les régimes présidentiels autres que celui des États-Unis.

Le rôle souvent important joué par les groupes et les administrations dans l'arène institutionnelle a conduit des chercheurs et des analystes à poser les questions suivantes : est-ce que les partis gouvernent vraiment et, à supposer qu'ils gouvernent, est-ce que de l'un à l'autre il y a des différences ?

Les réponses à ces questions varient selon les sociétés, selon les secteurs d'activités gouvernementales dans ces sociétés et aussi selon les préjugés idéologiques des auteurs qui les formulent. En réponse à la première question, on s'entend généralement pour dire que les influences et les contrôles exercés par les partis de gouvernement et les autres sur les règles de l'arène institutionnelle mais aussi de l'arène électorale sont plus grands que ceux qu'ils exercent dans des secteurs économiques et, plus généralement, techniques (à l'exception des techniques institutionnelles), où ils sont souvent dépendants des administrations qui les conseillent, des groupes les plus puissants ou encore d'experts privés. Là encore les systèmes de partis font une différence. Il est bien évident que, dans un système de parti unique ou hégémonique, les partis de gouvernement sont plus puissants que dans la plupart des systèmes compétitifs.

En réponse à la deuxième question, des auteurs ont montré qu'en matière de politique économique les partis de « gauche » étaient plus portés à lutter contre le chômage, alors que les partis de « droite » se préoccupaient davantage de la lutte contre l'inflation. Il n'y a pas d'autres constantes qui se dégagent de façon nette des études comparatives. La constante réside plutôt, comme Rose (1984) entre autres l'a soutenu, dans le fait que les partis de gouvernement sont voués à gouverner selon les problèmes qui s'imposent dans la conjoncture davantage que selon leur programme, ce qui tend à effacer les différences entre eux.

Dans un article plus ancien, Rose (1969) avait prétendu que les partis *programmatiques*, de nature idéologique, étaient plus susceptibles que les partis *opportunistes*, de nature plus pragmatique, de contrôler les bureaucraties spécialisées, qui s'occupent de la formulation et de la mise en œuvre des politiques publiques. La récession du début des années 1990 semble avoir effacé la distinction entre les partis programmatiques et les partis opportunistes, pour ce qui est de leur façon d'affronter les contraintes budgétaires et autres, liées à la récession. Des partis de gouvernement socialistes ou socio-démocrates, de nature programmatique, ne se sont pas comportés de façon très différente de partis plus opportunistes. Ils n'ont pas tant gouverné selon leur programme que selon les contraintes que leur imposait la conjoncture.

La distinction entre les partis qui se veulent programmatiques et les partis plus opportunistes dans l'arène institutionnelle n'en demeure pas moins révélatrice des rapports entre la composante électorale et la composante interne des partis. Quand un parti se veut programmatique, c'est généralement qu'il est davantage influencé par sa composante interne que par sa composante électorale. Autrement dit, c'est un parti de militants plus qu'un parti d'électeurs. À l'inverse, quand un parti est opportuniste, c'est généralement qu'il est davantage influencé par sa composante électorale que par sa composante interne. C'est un parti de militants plus qu'un parti d'électeurs.

Un peu de la même façon, l'opposition entre la centralisation et la décentralisation dans l'arène interne, et celle entre le caractère étendu ou plus concentré des appuis électoraux sont significatives des interdépendances entre les arènes. Dans les partis centralisés, l'arène institutionnelle importe davantage que l'arène électorale, alors que c'est l'inverse dans les partis plus décentralisés. Et, dans les partis aux appuis électoraux étendus, en ce qu'ils traversent les clivages sociétaux, l'arène institutionnelle importe davantage que l'arène interne, généralement plus restreinte par rapport aux clivages sociétaux. Dans les partis aux appuis plus concentrés, au contraire, l'arène interne est davantage valorisée que l'arène institutionnelle. Celle-ci s'accommode mieux, généralement, d'une base électorale large. L'action d'un parti dans ses arènes a donc un caractère systémique. Les contraintes et les choix sont interdépendants d'une arène à l'autre. Ce qui survient dans une arène donnée dépend des influences respectives venant des deux autres arènes.

Les partis en question

Les partis ne sont pas pour autant des systèmes fermés. Leur action est aussi conditionnée par le système de partis, le système politique et la société dans lesquels ils sont compris et où ils représentent des intérêts.

La représentation des intérêts par les partis a fait l'objet de nombreuses critiques depuis les travaux de Michels et d'Ostrogorski, parus au début du XXe siècle, jusqu'à aujourd'hui. Si on reprend l'idée de l'agrégation des intérêts, qui distinguerait les partis des autres groupes politiques, on peut ramener à trois les principales critiques qui ont été formulées contre l'action des partis et des partisans à cet égard.

D'abord, les partis ont souvent été accusés de diviser la population plutôt que de contribuer à son unité. Les partis n'agrégeraient que les intérêts d'une partie de la population, contre les intérêts d'autres parties, eux-mêmes agrégés par des partis adverses. Ou encore, selon les critiques des marxistes ou des sociologues radicaux, les partis de gouvernement prétendent agréger les intérêts de l'ensemble de la population, mais ne représentent en fait que les intérêts des classes dominantes.

Les partis ont aussi été accusés de ne représenter que les intérêts des adhérents et de leur organisation, au détriment de ceux de l'ensemble de leurs électeurs. C'est la critique contre l'esprit de parti et la discipline de parti, dans laquelle Simone Weil voyait le mal absolu. C'est également la critique d'Ostrogorski contre le formalisme des partis aux États-Unis et en Grande-Bretagne dans la représentation des masses électorales. Ostrogorski en venait à souhaiter que les partis ne soient que des coalitions temporaires, formées à l'occasion de débats particuliers, qui se dissoudraient une fois le débat terminé, pour donner lieu à de nouvelles coalitions. On éviterait ainsi que les intérêts de l'organisation l'emportent sur ceux de la société. Ostrogorski comme Michels, nous l'avons déjà noté, demeuraient convaincus que les élites devaient représenter les masses. Dans le langage d'aujourd'hui, on dirait qu'ils croyaient à la démocratie de représentation, et non à la démocratie de participation.

Michels et d'autres après lui en avaient cependant, et c'est le troisième type de critique, contre le pouvoir excessif des dirigeants dans la représentation des intérêts. C'est non seulement l'organisation qui est mise en cause, mais plus particulièrement ses dirigeants et leur tendance à l'oligarchie.

Aujourd'hui la triple contestation du rôle des partis dans la représentation des intérêts demeure, mais il s'y ajoute des interrogations sur leur aptitude à représenter les intérêts, si on la compare à celle des médias, des groupes de pression et des *lobbys*. Beaucoup de citoyens ont le sentiment que les partis ne sont pas des voies aussi efficaces de médiation entre eux et les appareils institutionnels que le sont les journalistes, les dirigeants des groupes ou les lobbyistes. Il en résulte une baisse de l'adhésion aux partis, le désalignement que nous avons noté plus haut et une grande volatilité du vote.

Les interrogations sur l'aptitude des partis à représenter les intérêts se doublent, dans plusieurs sociétés, d'une désaffection envers la classe politique. On accuse cette classe de succomber trop souvent aux calculs politiciens, aux conflits d'intérêts ou même à la corruption, en plus de se montrer impuissante à régler la plupart des problèmes qui se posent dans les collectivités. Les récessions successives du début des années 1980 et du début des années 1990 ainsi que la remise en question de l'État-providence, qui ont amené les partis de gouvernement, quel que soit leur programme, à devoir gérer la décroissance, ont certainement contribué pour beaucoup à cette désaffection envers la classe politique, accusée par ailleurs de ne pas se renouveler suffisamment. Il faut bien voir qu'il y a là un cercle vicieux. La désaffection envers la classe politique et tous les maux dont on l'accuse font que peu de personnes compétentes, jeunes ou moins jeunes, sont attirées par l'action politique dans le cadre des partis. Ce manque de renouvellement alimente en retour les reproches faits à la classe politique.

Pourtant, malgré les utopies et les autres constructions imaginaires qui font l'économie des partis dans la gouverne des collectivités, on ne voit pas encore comment on pourrait, concrètement, se passer d'eux en démocratie représentative. Une représentation des intérêts et des *lobbys* ne suffirait à assurer ni la direction du gouvernement, ni les arbitrages qu'elle suppose entre les voix, les unes bruyantes, les autres plus silencieuses, qui doivent être entendues et prises en compte pour assurer la coordination de la collectivité.

Bibliographie

BUDGE, Ian et Hans KEMAN, 1990. *Parties and Democracy*, Oxford, Oxford University Press.

DOWNS, Anthony, 1957. *An Economic Theory of Democracy*, New York, Harper.

DUVERGER, Maurice, 1951. *Les Partis politiques*, Paris, Armand Colin.

LAWSON, Kay et P. MERKL (dir.), 1988. *When Parties Fail. Emerging Alternatives Organizations*, Princeton, Princeton University Press.

LEMIEUX, Vincent, 1985. *Systèmes partisans et partis politiques*, Sillery, Presses de l'Université du Québec.

MAYER, Nonna et Pascal PERRINEAU, 1992. *Les Comportements politiques*, Paris, Armand Colin.

OSTROGORSKI, Mosei, 1979 (1902). *La Démocratie et les partis politiques*, Paris, Seuil.

PANEBIANCO, Angelo, 1988. *Political Parties : Organization and Power*, Cambridge, Cambridge University Press.

SARTORI, Giovanni, 1976. *Parties and Party Systems*, Cambridge, Cambridge University Press.

SEILER, Daniel L., 1980. *Partis et familles politiques*, Paris, Presses Universitaires de France.

SEILER, Daniel L., 1993. *Les Partis politiques*, Paris, Armand Colin.

Chapitre 12

L'État comme représentant de l'intérêt général

De proche en proche, notre démarche, procédant du plus informel au plus formel, nous conduit, après avoir traité des mouvements, des groupes, puis des partis, à revenir à l'arène étatique, mais, cette fois, en ayant à l'esprit le rôle des gouvernants comme *représentants de l'intérêt général*. Cette préoccupation va nous amener à constater le renouveau dont l'État fait maintenant l'objet, comme élément actif dans la prise de décision. Cette activité est mise en relief par le type d'aménagement des intérêts que réalise parfois l'État par le truchement du *corporatisme*. Il nous reviendra, en fin de piste, d'observer le produit, ou *output*, qui émane du jeu de la représentation à l'intérieur de l'appareil étatique : les *politiques publiques.*

Qu'ils soient monarques, présidents, ministres, sénateurs, députés ou juges, les gouvernants peuvent *prétendre* se prononcer au nom de l'intérêt de la collectivité en son entier. Il est bien entendu que l'idée même de l'intérêt général est toute relative et repose sur la conception qu'on s'en fait. Elle est appelée à varier selon la culture et l'idéologie de son auteur. Néanmoins, elle sert de référence utile pour se démarquer des groupes d'intérêt qui, eux, sont identifiés comme représentants d'intérêts particuliers, intérêts susceptibles d'être incompatibles avec ceux de l'ensemble de la société.

Parler de l'État et de ses institutions, c'est parler de ces agents étatiques habilités à s'exprimer en son nom. Ils ne sont pas l'État, puisque cette idée n'existe que dans nos esprits, mais ils en sont l'expression. Or, à titre de représentants de cette entité abstraite, les gouvernants peuvent se prévaloir d'agir au nom de l'intérêt général.

Certaines sociétés ont voulu souligner le caractère de transcendance de l'intérêt de l'État sur celui des particuliers. Le cas de la France est exemplaire. Son histoire, depuis le bas Moyen Âge jusqu'à nos jours, rend compte d'une construction progressive de l'autorité étatique comme référence de plus en plus forte. Très tôt, le roi s'entoure de légistes et de conseillers qui, prétendument sans attaches d'intérêts, ont pour fonction de fournir des avis pour le seul bien du royaume. Sous Louis XIV, la politique mercantiliste de Colbert va jusqu'à prévoir une présence manifeste de l'État dans l'aménagement de la production et du commerce. Ainsi, progressivement, s'est affirmée une autorité royale centrale, distincte de l'aristocratie et des collectivités locales. Si bien que le passage de la monarchie à la république ne fera que confirmer cette montée de l'État, vue comme inéluctable.

Dans ce type de gouverne, l'État est conçu comme une entité rationnelle et morale disposant d'une autonomie absolue. En d'autres mots, il est un instrument de la raison qui, au-delà des passions et des intérêts en circulation dans la société, parvient à définir l'intérêt général. Pour ce faire, il lui faut centraliser vers lui toutes les compétences, au point de dissoudre les solidarités traditionnelles. Ces solidarités sont principalement religieuses et régionales. Se disant neutre et fonctionnel, l'État s'accomplit d'abord dans la laïcité et supprime, en même temps, toute référence à des valeurs morales autres que celles qu'il veut bien retenir. Il s'oppose énergiquement à la concurrence que pourrait lui faire la religion. De là son anticléricalisme inhérent. Puis, eu égard aux solidarités régionales, l'État s'active à les démembrer. C'est ainsi qu'en 1800 on instituait la fonction de préfet, représentant de l'État dans chacun des 83 départements de France, et ce, en vue de faire disparaître les anciennes solidarités locales. Dans l'idéal, la référence d'appartenance ne doit plus être qu'à l'entité globale évoquée par la présence même de l'État.

Il faut voir dans toute cette construction l'élaboration d'une idéologie. Le langage que nous avons emprunté pour décrire l'État est intentionnel, il sert à montrer comment s'opère le glissement qui conduit à en parler comme d'une *personne*. Ce ne sont plus des gouvernants comme tels qu'on se trouve à identifier, mais la marche d'une entité abstraite à laquelle, par un abus de langage, on impute une volonté et une capacité d'action autonome. En réalité, ce sont des individus qui, animés d'une certaine conception de la gouverne, sont intervenus, à des moments donnés, pour établir et renforcer cette forme d'autorité.

L'achèvement de cette édification est assuré par la consécration d'une catégorie d'acteurs privilégiés : la bureaucratie. Elle incarne, au-dessus des gouvernants en titre, la rationalité et le désintéressement nécessaires à la réalisation de l'État. Alors que les assemblées législatives siègent par intermittence et que les gouvernements passent, la bureaucratie, elle, demeure, du moins jusqu'à un certain point. En France, elle est soumise à des règles distinctes, le droit administratif. Les hauts fonctionnaires constituent une élite triée sur le volet dont la formation est assurée par un établissement à mission spécifique, l'École nationale d'administration. Il leur revient d'animer les grands corps de l'État, corps institués pour bien marquer le caractère autonome de l'administration : le Conseil d'État, la Cour des comptes, etc. La statut de haut fonctionnaire constitue un privilège assorti d'avantages certains. Il permet le passage facile, par la suite, vers la fonction de ministre. Il est courant, en France, de se servir de la fonction publique pour accéder à des postes politiques de ministre ou de député, ou encore à des situations enviables dans le secteur privé. Dans ce dernier cas, on parlera de *pantouflage*.

L'État comme référence à une forme d'autorité varie selon les sociétés. Il est très présent en Europe continentale alors qu'il est presque absent dans le monde anglo-saxon. Au-delà d'une simple coutume, c'est une manière de concevoir l'exercice de la gouverne. Les uns y voient l'expression d'un rapport abstrait d'autorité, alors que les autres lui préfèrent des modes d'identification plus circonscrits comme le gouvernement, le parlement, le Congrès.

Le retour de l'État

Nous assistons, depuis un peu plus d'une décennie, au retour de l'État comme notion heuristique en science politique. Alors qu'elle avait amplement servi à la lecture très institutionnelle de la discipline avant la Seconde Guerre mondiale, cette notion est disparue du vocabulaire avec l'avènement du behavioralisme et du systémisme. On s'est, à ce stade, presque appliqué à la mettre de côté au profit d'éléments plus sociaux comme les électeurs, les groupes et les partis politiques. L'action véritable, se disait-on, se passe dans la société, et les gouvernants ne sont là, en somme, que pour en enregistrer les résultats. L'État a donc subi une désaffection jusqu'à ce que, par un retour du pendule, on se rende compte qu'effectivement la prétention de représenter l'intérêt général incite les acteurs étatiques à des conduites qui leur sont propres.

Il est revenu à un internationaliste, Stephen D. Krasner, dans un ouvrage dont le titre annonce bien le propos, *Defending the National Interest* (1978), de démontrer que l'État, par ses représentants, peut être considéré comme un acteur autonome à la poursuite d'un intérêt qui lui est spécifique : l'intérêt national. Pour ce faire, l'auteur s'est fondé sur l'expérience américaine en matière de politique étrangère. Davantage à l'abri des pressions exercées par les groupes, les grands décideurs de l'État central en arriveraient, de par cette autonomie relative, à définir une politique extérieure distincte de celle qui peut émaner des acteurs sociaux. Il ne s'agit pas, dans son esprit, d'imaginer un quelconque intérêt national objectif qui tomberait du ciel, mais de dégager une conception à laquelle les décideurs adhèrent de par leur situation de représentants préoccupés du bien de la collectivité dans ses rapports avec les autres.

D'autres auteurs, par la suite, sont allés dans le même sens que Krasner, s'intéressant cette fois à la totalité des politiques de l'État. C'est ainsi que Eric A. Nordlinger (1981) a repris le même raisonnement pour l'appliquer à l'ensemble des acteurs étroitement liés à l'exercice de la gouverne. Ceux-ci se trouvent dans une situation d'autonomie leur permettant, selon lui, d'avoir une vue d'ensemble et à plus long terme des intérêts en présence. Grâce à une expertise fondée sur une longue expérience, sur une connaissance des dossiers et sur des sources documentaires étendues, ces acteurs étatiques seraient en meilleure posture pour s'imposer. Signe d'une reconnaissance de cette supériorité, la part des compétences dévolues aux appareils gouvernementaux et plus proprement bureaucratiques se serait progressivement accrue dans la plus complète indifférence de l'opinion publique.

Aberdach, Putnam et Rockman (1981) ont apporté des précisions en opposant la situation des bureaucrates à celle des politiciens. Il s'agit, dans les deux cas, d'acteurs étatiques, mais aux perspectives d'action bien distinctes. On assisterait, selon ces auteurs, à une politisation de la bureaucratie en même temps qu'à une bureaucratisation de la pratique politique. Dans l'ensemble, les hauts fonctionnaires joueraient un rôle plus grand que l'on ne croit dans l'établissement des politiques et ne se contenteraient pas de leur simple aspect pratique. On assisterait donc à un rapprochement au sommet de la pyramide gouvernementale entre, d'une part, les grands commis de l'État, qui auraient à leur crédit la compétence de même que l'expérience, et, d'autre part, les ministres, qui seraient davantage tournés vers la réalisation de grands projets.

Outre ces rapports entre acteurs proprement étatiques, il se trouve des formes de concertation entre gouvernements et groupes, comme le corporatisme, qui rendent également compte de la présence de l'État comme partie prenante dans la décision.

Le corporatisme

Le terme de **corporatisme** désigne *une forme d'autorité qui s'exerce par le* ***regroupement*** *des divers acteurs économiques en grandes associations, appelées corporations, sous l'égide de l'État.* Comme tout aménagement de la gouverne, il donne lieu à des modes de fonctionnement fort variés. C'est la part dévolue à l'État qui fera, en l'occurrence, toute la différence.

On se rappellera qu'il existait déjà au Moyen Âge des corporations qui encadraient, sur une base obligatoire, les divers corps de métiers. Il en subsiste de nos jours des vestiges comme, au Québec, dans les métiers de la construction, ou encore, un peu partout, là où les professions sont organisées et autoréglées, comme l'ordre des médecins, le barreau, la chambre des notaires et autres structures du même type. Tout en étant assujettis à l'autorité de l'État, ces ordres corporatifs jouissent d'une grande latitude dans l'établissement de règles touchant aussi bien l'admission de leurs membres dans la profession que leurs droits et leurs devoirs envers le public.

Le corporatisme, comme organisation globale, est largement identifié à l'Église qui, dans deux encycliques célèbres, en a fixé les contours : *Rerum novarum* (1891) et *Quadragesimo anno* (1931). Fondé sur une conception aristotélicienne et thomiste de l'organisation naturelle de la société, ce corporatisme vise l'obtention du bien commun par une harmonisation des forces économiques en présence. L'objectif est d'obtenir un nouvel ordre social par la représentation des parties intéressées, patrons et travailleurs, qui, au sein de corporations réparties en secteurs donnés de l'économie, sont appelées à régler entre eux leurs litiges. Ce corporatisme se veut à la fois une réponse au libéralisme et au marxisme. Il se propose de remédier au désordre du marché capitaliste par un dispositif d'autoréglage et de concertation que constituent les corporations. Il prétend, en même temps, rendre caduque la lutte des classes entretenue par le syndicalisme ouvrier. Cette formulation du corporatisme repose sur la conviction que, mis en présence les uns des autres, les acteurs économiques, s'ils sont de bonne foi, doivent parvenir à une harmonisation naturelle.

Il est intéressant de rappeler qu'au Québec, l'Église, en particulier les Jésuites, et l'intelligentsia traditionnelle des années 1930 se sont faits les grands défenseurs de ce mode de règlement des conflits économiques et sociaux qui permet, en passant, de contourner le recours immédiat à l'État. La quête de concertation et de réconciliation plus ou moins spontanée demeure encore latente aujourd'hui au Québec, et plus particulièrement dans ces recommandations d'états généraux que l'on propose périodiquement en guise de mécanisme pour se dégager d'impasses de toutes sortes.

La formulation présentée par l'Église se voulait un corporatisme social, c'est-à-dire largement indépendant de l'État. Le fascisme qu'a instauré Mussolini en Italie faisait appel à un corporatisme bien différent, un corporatisme d'État qui se servait de l'encadrement prévu par les corporations pour les contrôler de haut en bas. La dynamique était alors tout autre et relevait de l'autoritarisme totalitaire.

Depuis une vingtaine d'années, l'idée de l'organisation corporatiste a resurgi, mais, cette fois, dans le cadre des institutions démocratiques libérales. On s'y est référé au début en termes d'un néocorporatisme pour bien le démarquer des formes antérieures, surtout fascistes. L'appellation de corporatisme est aujourd'hui admise et reconnue sans danger de confusion, l'ancienne étant effectivement périmée. Plusieurs auteurs ont envisagé divers modes corporatistes dans la mise en place de certaines politiques en Occident, mais il est revenu à Philippe Schmitter d'en avoir précisé le fonctionnement.

Il y a lieu de noter d'abord que l'identification du phénomène corporatiste en régimes libéraux se pose en défi à l'interprétation pluraliste courante de même qu'à la vision marxiste de la lutte des classes. À l'idée d'intérêts en concurrence ou de classes en conflit, l'interprétation corporatiste substitue celle de zones de concertation, d'aires de coopération, sous l'égide de l'État. C'est largement en opposition à l'école pluraliste que s'est échafaudé le discours corporatiste, tout en tenant compte, chemin faisant, de sa propre distanciation du marxisme.

À l'instar de la démarche pluraliste, les tenants du corporatisme ont tendance à déplacer l'observation du phénomène lui-même vers des considérations d'ordre normatif. Ainsi, l'analyse se veut d'abord empirique, elle affirme vouloir rendre compte de la réalité telle qu'elle se présente à l'observateur attentif. À ce stade, elle fait la simple constatation de l'existence d'un phénomène corporatiste dans la prise de décision étatique. Mais, par la suite, cette observation donne lieu à un cadre théorique qui subrepticement conduit à se prononcer en faveur du corporatisme comme mode de règlement des conflits. Partant de la simple description d'un type de processus dans la prise de décision, on en est venu à tenir un discours qui en vante les qualités fonctionnelles.

Qu'en est-il alors de ce corporatisme libéral ? On peut le définir comme un mode institutionnalisé de formation et d'exécution de politiques gouvernementales par lequel, à l'intérieur de régimes démocratiques, les représentants de secteurs de l'activité économique et sociale obligatoirement regroupés, prennent, conjointement avec le gouvernement, des décisions pour l'ensemble de leur secteur.

Le mode institutionnalisé de ce processus souligne bien son caractère formel. Il s'agit d'une reconnaissance par l'État des représentants de secteurs qui se voient conférer un statut juridique officiel. Ces regroupements font partie des institutions au même titre que les assemblées parlementaires que d'ailleurs elles se trouvent à contourner en prenant des décisions à leur place dans des domaines spécifiques. Ce ne sont donc pas de simples organes consultatifs comme il en existe dans toute démocratie.

Le fait que ces institutions par secteur adoptent des mesures et voient à leur exécution implique, de la part des représentants, des dispositions à la concertation, à la coopération et, forcément, au compromis. Certains moralistes diront que c'est une manière de responsabiliser les principaux acteurs économiques et sociaux. Quoi qu'il en soit, ces représentants, dont le statut est conféré par l'État (qui en détermine généralement le mode de désignation), sont mis en situation privilégiée de monopole puisqu'ils sont les seuls habilités à parler au nom de leurs secteurs respectifs. L'État se trouve, de la sorte, à favoriser la *concentration* et la *centralisation* dans la représentation des intérêts. La *concentration* s'exprime par l'intégration de tous les intervenants (travailleurs et patrons) dans des branches déterminées de l'industrie. Certains auteurs parlent parfois de différenciation fonctionnelle ou organique, laissant alors paraître une tangente idéologique… Ils se réfèrent alors à un ordre présumé naturel de l'organisation sociale. Quant à la *centralisation*, elle s'opère par l'attribution des compétences de décision à des associations coupoles qui regroupent tout l'ensemble de secteurs donnés ; les Anglo-saxons parlent de *peak organizations*, d'autres, d'associations centrales.

L'appartenance à ces associations est obligatoire. Ainsi en est-il en Autriche, modèle le plus avancé du corporatisme libéral, où, suivant le principe du partenariat social (*Sozialpartnerschaft*), les acteurs économiques sont, de par la loi, regroupés en chambres des affaires, des professions libérales, de l'agriculture, du travail (celle-ci en étroite liaison avec la Confédération nationale des syndicats), etc. Il s'agit, dans ce cas, d'associations fortes et disciplinées.

Le caractère exclusif et impératif de cette appartenance contribue effectivement à susciter l'émergence de hiérarchies dans ces associations, où les représentants jouissent d'une double compétence de décideurs et d'exécuteurs. Leaders dans chacun de leurs secteurs, ils voient à l'adoption et à l'application des politiques, au nom de l'État, auprès de leurs membres. Ils continuent, bien sûr, à représenter les intérêts de leur groupe, mais sont en même temps partie prenante dans la décision gouvernementale et dans son exécution. À cette fin, ils doivent établir des structures hiérarchiques d'exécution. Ils exercent, ce faisant, un contrôle sur leurs membres en tant qu'acteur étatique au sein même de leur organisation.

Les exigences mêmes du corporatisme conduisent les associations à dépasser la seule fonction de représentation des intérêts. Mises en situation d'intermédiation, les associations, d'après Schmitter, ne se contentent plus d'être seulement les porte-parole d'intérêts déjà exprimés, mais sont appelées à intervenir activement dans l'identification des intérêts dont elles ont la défense. Au lieu de simplement reproduire les doléances de leurs membres, les représentants en viennent, selon lui, à faire l'éducation de la base. Le discours de l'auteur est ici sujet à caution. Il est évident que la forme corporative de décision étatique entraîne des changements profonds dans la dynamique même des associations. Mais il n'y a pas lieu de réduire pour autant le rôle traditionnel des groupes à la pure et simple addition des doléances de leurs membres. La plupart des directions d'associations se fixent pour responsabilité d'exprimer ce que sont, pour eux, les véritables intérêts du groupe qu'elles représentent. Et les membres s'attendent généralement à un leadership éclairé de la part de leurs dirigeants. On peut dire que peu d'associations efficaces se satisfont de reproduire les préférences de leur base. Leur expertise et les rapports avec les diverses instances étatiques les amènent à prendre plus d'initiatives. Il est probable que les associations en système corporatiste seront appelées à encore plus d'initiatives. C'est là une différence de degré et non de nature avec les regroupements plus traditionnels. Si Schmitter a tenté d'établir une si nette distinction entre les associations et ces regroupements plus traditionnels, c'est qu'il voulait vraisemblablement bien démarquer le corporatisme du pluralisme. Querelle plus idéologique qu'analytique...

Mais il n'y a pas que les associations à être partie prenante dans la décision, il faut également compter, comme on le sait, avec l'État. Est-il nécessaire de rappeler que le corporatisme est d'abord une initiative qui en émane ? C'est aux gouvernants qu'il revient de l'établir s'ils le jugent à propos. Pour le gouvernement, il constitue un mécanisme lui permettant d'entrer en communication directe avec les représentants des secteurs économiques et sociaux, *sans la médiation des partis politiques et des parlementaires*. Non seulement permet-il de les contourner, mais aussi de soustraire certains litiges à des débats publics. Le corporatisme constitue en soi un mode de gestion des conflits et offre l'avantage de feutrer l'intensité de certains différends. Il offre au représentant immédiat de l'État, le gouvernement, une arène privilégiée dans la réalisation de ses objectifs sociaux et politiques. Sans pouvoir les imposer d'office, il peut les faire valoir dans un climat de concertation, en contraste frappant avec celui de confrontation qui est le propre des assemblées parlementaires.

L'expérience révèle que le corporatisme s'applique surtout aux secteurs économiques et, en particulier, à certains domaines comme l'emploi, la régulation des cycles économiques, la stabilité monétaire et la balance des paiements. Au fond, la partie se joue à trois. Elle met en présence le milieu du patronat, les syndicats ouvriers et les représentants de l'État. Dans la langue des tenants du corporatisme, qui dérive souvent de celle de l'économie politique, on parlera d'une relation triangulaire mettant en rapport le capital, le travail et l'État. L'agriculture s'y trouve moins impliquée, et les ordres corporatifs classiques, comme ceux des médecins, des avocats, des notaires, etc. en sont exclus, au même titre que les associations de consommateurs, puisqu'ils n'ont pas d'intérêts adverses comme interlocuteurs. Ainsi entendu, le corporatisme se veut un mode de régulation du conflit entre classes sociales dans la structuration des relations industrielles et de la distribution du revenu. Il n'appartient, fait-on observer, ni au capitalisme, ni au socialisme. Et son mode de fonctionnement n'est ni celui du marché ni celui de la bureaucratie étatique, mais celui d'une interdépendance stratégique.

Étant une forme institutionnalisée de règlement des conflits, le corporatisme se traduit par des modes plus ou moins poussés d'intégration et de concertation des intérêts en présence. Il présente des modulations selon qu'on est en Autriche, en Suède, en Norvège ou aux Pays-Bas, pour ne nommer que des sociétés où il est bien implanté. Ainsi en est-il aussi de l'implication de l'État, des partis politiques et des parlements. Le corporatisme, comme mécanisme d'intermédiation, doit être reconnu par l'État pour être mis en marche, il en devient même, comme nous l'avons vu, un prolongement par la part que jouent les associations dans la prise et l'exécution des décisions. La présence de l'État sera variable selon le degré d'insertion de ses représentants dans ces arènes ; il n'est pas exclu que les associations prennent et conservent l'initiative des principales politiques. En revanche, les partis politiques comme les parlementaires, tous deux menacés d'être contournés, ont l'occasion de s'imposer. Il est à noter que le corporatisme est fort là où, en général, les partis politiques ont traditionnellement entretenu des rapports étroits avec des groupes représentatifs, comme en témoignent les alliances établies entre les partis sociaux-démocrates et les syndicats. Quant aux parlementaires, ils ont, presque par définition, un droit de regard sur les arrangements que prévoient ces ententes globales entre associations, appelées contrats sociaux. Il est de la responsabilité des gouvernants, dans ce dispositif corporatif, de prendre l'initiative qui leur revient, sinon, bien sûr, ils risquent d'être plus ou moins contournés. Le corporatisme met l'État dans le coup dans la mesure où ses représentants veulent bien jouer leur rôle.

Le corporatisme peut être considéré comme une réalité consacrant l'importance de l'État dans la prise de décision. Mais il peut être tout autant aperçu comme un instrument qui le contourne, suivant toujours la part dévolue à chacune des parties en présence. Enfin, l'observation du corporatisme appartient à une vue encore plus globale de la mouvance décisionnelle, qui est celle des politiques publiques.

Les politiques publiques

Pour certains spécialistes, les politiques publiques ne sont rien de moins que tout ce que l'État, ou le gouvernement, fait ou ne fait pas. Cette façon de voir est excessive. Quand un gouvernement en place décide de déclencher des élections, à supposer que celles-ci ne soient pas à date fixe, on ne dira pas pour autant qu'il y a là une politique publique. Il vaut mieux poser, de façon plus précise, que les politiques publiques des gouvernants cherchent à régler des problèmes qui sont considérés comme publics, et non privés, dans une collectivité ou encore entre collectivités. On peut parler de régulation ou encore de gouverne à ce propos, celle-ci consistant à modifier des situations, comportant des problèmes publics, de façon à ce qu'elles se conforment à des valeurs perçues comme désirables par les acteurs qui participent à la gouverne. Par exemple, si on évalue que le taux de chômage ou le taux d'inflation est excessif, on proposera une politique économique visant à ce que la situation se conforme aux valeurs que l'on a, ou du moins s'en rapproche. Ou encore, si on estime que les dépenses dans le domaine de la santé augmentent trop rapidement par rapport à l'augmentation du produit intérieur brut, on cherchera par divers moyens à freiner l'augmentation de ces dépenses, de façon à ce qu'elles s'ajustent mieux à l'augmentation de la richesse dans la collectivité.

Les **politiques publiques** peuvent donc être définies comme *des **actions gouvernementales** visant à **réguler** des situations qui font problème ou qui sont susceptibles de faire problème dans une collectivité ou encore entre collectivités.*

Les acteurs étatiques participent aux politiques publiques, mais ils ne sont pas les seuls à le faire. Il y a aussi les groupes de pression, corporatistes ou non, les médias et les spécialistes des milieux universitaires et des bureaux privés, sans compter la population des électeurs qui, à l'occasion des élections, des référendums, ou même des sondages d'opinion, peuvent influencer d'une façon ou d'une autre le déroulement d'une politique publique. Parmi les acteurs étatiques, il y a lieu de distinguer entre, d'une part, les élus et leur entourage, et, d'autre part, les multiples agents de l'État (fonctionnaires, membres des organismes autonomes, juges, militaires, policiers.) Les intérêts que les agents de l'État ont dans les politiques publiques ne correspondent pas toujours à ceux des élus.

Les politiques publiques portent d'une façon ou d'une autre sur la distribution des ressources et des contraintes dans une collectivité. Si des acteurs veulent réduire le chômage par une politique gouvernementale de l'emploi, c'est en partie parce qu'ils estiment que la distribution de la richesse est inéquitable, ou qu'elle risque d'entraîner des conflits sociaux indésirables. Si d'autres acteurs s'opposent à une telle politique, en misant plutôt sur l'instauration de conditions telles que le secteur privé puisse générer de lui-même des emplois nouveaux, c'est parce qu'ils estiment que des contraintes excessives pèsent sur ce secteur.

Étant donné les valeurs différentes qui inspirent les acteurs politiques, certains verront des problèmes publics là où d'autres n'en verront pas, si bien qu'il y aura conflit sur la nécessité ou non d'une politique publique. C'est ainsi qu'à une certaine époque, au Québec, des analystes et quelques politiciens libéraux estimaient que les écarts entre les populations des circonscriptions électorales étaient inacceptables, selon le principe « un homme, un vote », alors que les politiciens de l'Union nationale estimaient au contraire qu'il n'y avait pas là de problème public. Il était normal à leurs yeux que les circonscriptions rurales comprennent moins d'électeurs que les autres, parce que leur territoire était plus étendu et donc plus long à parcourir par le député, et aussi parce qu'il fallait compenser la sous-représentation des ruraux dans les processus politiques autres qu'électoraux par une surreprésentation électorale.

Selon Kingdon (1984), le *courant des problèmes* n'est cependant qu'un des trois courants qu'il faut considérer dans la réalisation ou non des politiques publiques. Il y a aussi le *courant des solutions* et le *courant des priorités politiques*. Kingdon s'intéresse à ce qui fait qu'une politique publique est mise ou non à l'agenda d'un gouvernement et commence ou non d'être formulée. À partir d'analyses documentaires et surtout de nombreuses interviews avec différents participants aux politiques publiques, à Washington, il arrive à la conclusion qu'il y a mise à l'agenda quand une occasion se présente (ce qu'il appelle de façon imagée l'ouverture d'une fenêtre politique) qui mêle ensemble des conditions favorables dans chacun des trois courants.

Dans le courant des problèmes, il faut que des acteurs influents, ceux que Kingdon appelle des entrepreneurs, arrivent à convaincre les décideurs qu'il y a problème public, c'est-à-dire des écarts inacceptables par rapport aux valeurs des décideurs. Mais il faut aussi que des entrepreneurs montrent que des options qui permettent de régler le problème sont disponibles dans le courant des solutions, car s'il n'y a pas de solutions en vue, il n'y aura pas de mise à l'agenda. Enfin, l'existence des problèmes et celle des solutions ne suffisent pas. Encore faut-il que les conditions soient favorables dans le courant de la politique, ce qui renvoie aux priorités des dirigeants en place, mais aussi aux idées qui sont dans l'esprit du temps. Là aussi l'action des entrepreneurs est requise, comme dans les deux autres courants. L'occasion qui se présente, quand s'ouvre une fenêtre politique qui mêle ensemble les trois courants, vient, selon Kingdon, du courant des problèmes ou du courant des priorités politiques. Par exemple, dans le secteur des politiques environnementales, ce sera une crise écologique ou encore l'arrivée au gouvernement d'une nouvelle équipe ou d'un nouveau ministre qui cherche à se démarquer de ses prédécesseurs.

La mise à l'agenda, ou l'émergence, n'est qu'un des processus par lesquels se réalise une politique publique. Il y a aussi la formulation des politiques publiques et leur mise en œuvre, auxquelles s'ajoute parfois l'évaluation, que ce soit en cours de déroulement d'une politique ou au terme d'un premier cycle de ce déroulement.

Si on replace ces processus dans un modèle systémique un peu semblable à celui d'Easton, repris par Lapierre, on obtient la figure 6.

Figure 6
Processus de réalisation des politiques publiques

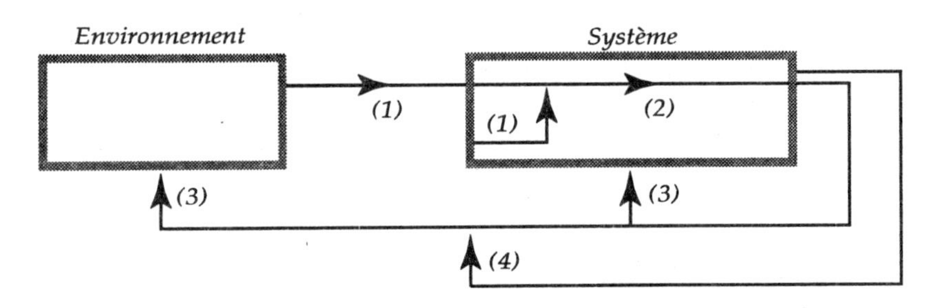

(1) Émergence ; (2) Formulation ; (3) Mise en œuvre ; (4) Évaluation

L'émergence se produit dans l'environnement ou encore à l'intérieur du système. Elle s'articule à la formulation, laquelle s'exerce à l'intérieur du système, la mise en œuvre s'articulant elle-même à la formulation et portant ou bien sur l'environnement, ou bien sur le système lui-même, si la politique publique consiste, par exemple, dans la création d'un ministère. Quant à l'évaluation, c'est un processus par lequel on apprécie d'autres processus, en particulier celui de la mise en œuvre, comme l'indique le schéma. Ainsi on évaluera après un certain temps si la mise en place du nouveau ministère a permis d'apporter des solutions aux problèmes qui ont entraîné sa création.

Les trois courants distingués par Kingdon sont pertinents non seulement pour la bonne compréhension de l'émergence, mais aussi pour celle de la formulation, de la mise en œuvre et de l'évaluation des politiques publiques. Pour que la formulation d'une politique publique soit menée à terme, il faut que des solutions aux problèmes publics soient acceptables et que ces solutions soient soutenues dans le courant des priorités politiques. Pour qu'une politique publique soit mise en œuvre, il faut que les solutions adoptées soient appliquées concrètement aux situations qui comportent des problèmes publics. Le courant des priorités politiques est alors moins important, à moins que la mise en œuvre soit politisée et donne lieu à des relations de clientèle, ou encore à des débats politiques qui conduisent à revenir sur la formulation de la politique en cause.

Le retour à la formulation, au moment de la mise en œuvre, ou l'anticipation de la mise en œuvre au moment de la formulation ou même de l'émergence sont fréquents dans le développement des politiques. Il faut éviter de penser que les processus se déroulent de façon linéaire. Ils sont plutôt tourbillonnaires, comme le suggère Monnier (1992) dans son livre sur l'évaluation des politiques publiques.

L'évaluation peut survenir à la fin d'un premier cycle de déroulement d'une politique, ou elle peut assister ce déroulement. Elle est un processus à propos des autres processus, et en particulier de la mise en œuvre. Pour que la décision soit prise de procéder à l'évaluation, il faut que des problèmes actuels ou éventuels soient perçus dans la réalisation de la politique, que des solutions soient en vue et qu'il y ait une volonté politique d'évaluer la politique publique, malgré les inconvénients que cela peut entraîner, en particulier pour les responsables ou les agents qui en sont chargés. Si, par exemple, on n'évalue que rarement les politiques de décentralisation, c'est parce que les problèmes sont difficiles à mesurer, que les solutions éventuelles font l'objet de controverses et que la volonté politique est absente.

Les processus tourbillonnaires par lesquels se déroulent les politiques publiques, avec les trois courants qui les sous-tendent, sont conditionnés par des règles, entendues au sens large, qu'on peut situer à chacun des trois niveaux que Parsons (1960) distinguait dans une organisation. Il y a d'abord des règles au niveau technique, c'est-à-dire de la production. Prenons l'exemple d'une politique publique qui se traduit par une loi ou par des règlements. La préparation du mémoire à soumettre au conseil des ministres, en vue de la mise à l'agenda, doit suivre certaines règles. Il en est de même de la discussion au conseil des ministres et des suites à donner à la décision prise. Dans le processus de formulation, des règles de procédure s'appliquent aux débats en commission parlementaire et à l'assemblée. Les règles seront encore plus nombreuses dans la mise en œuvre, qu'elles soient prévues dans la loi et les règlements, ou encore dans les procédures opérationnelles de l'administration chargée de la mise en œuvre. Si jamais la politique est évaluée, les appels d'offre, la préparation du devis d'évaluation et l'application de ce devis dans la recherche feront l'objet de nombreuses règles, elles aussi.

Le deuxième niveau distingué par Parsons est celui de la gestion. Dans les systèmes politiques, ce niveau correspond au régime politique. Les règles qui président à la réalisation des politiques publiques ne sont pas les mêmes dans un État unitaire que dans un État fédéral. Elles ne sont pas les mêmes dans un régime parlementaire que dans un régime présidentiel, dans un régime unicaméral que dans un régime bicaméral. Aux États-Unis, par exemple, plusieurs politiques publiques prennent leur origine au Congrès ou s'y arrêtent, alors que le pouvoir des simples parlementaires est moins grand dans les régimes parlementaires. Dans un régime fédéral, il y a plus de chances que les politiques publiques des différents paliers de gouvernement empiètent les unes sur les autres, ce qui, bien souvent, fait l'affaire des clientèles de ces politiques.

Parsons distingue un troisième niveau, qui est celui de l'institutionnalisation. Dans le cas du système politique, ce niveau correspond aux rapports des autorités politiques, responsables ou agents, avec les mouvements sociaux, médias, groupes de pression. Les règles de ce niveau ne sont pas des règles officielles, mais plutôt des règles officieuses, c'est-à-dire des régularités plus ou moins acceptées de part et d'autre, qui font, par exemple, qu'un ministère de l'agriculture aura pour interlocuteur privilégié le syndicat regroupant la plupart des agriculteurs, que le ministère de la santé et des services sociaux ne pourra éviter de négocier avec les médecins, ou encore que les élus d'un certain palier de système politique auront généralement des rapports plus soutenus avec les élus d'un palier inférieur ou supérieur qui sont de leur parti qu'avec ceux qui sont de partis adverses.

Ces phénomènes d'institutionnalisation montrent bien que les règles ne sont pas que contraignantes. Elles peuvent aussi être habilitantes pour certains acteurs dans les processus de réalisation des politiques publiques. Évidemment, les contraintes et habilitations varient d'un secteur de politique publique à l'autre. Par exemple, les administrations profiteront de règles habilitantes dans les secteurs de politiques où elles sont chargées de la mise en œuvre, mais dans d'autres secteurs, comme celui de l'éducation supérieure, où la mise en œuvre des politiques publiques est décentralisée et confiée aux collèges et universités, les règles, à leurs différents niveaux, seront moins habilitantes pour les agents de l'État.

Nonobstant le caractère variable des politiques publiques, d'un secteur à l'autre et d'une société à l'autre, on peut quand même faire quelques observations générales sur l'influence et le contrôle qu'exercent les différents acteurs politiques dans le déroulement des politiques.

Dans son ouvrage déjà cité sur la mise à l'agenda des politiques publiques, Kingdon arrive à la conclusion qu'aucune catégorie d'acteurs ne domine vraiment ce processus, mais que les élus et leur entourage sont les plus près de le dominer. Cela tient principalement au fait que les élus ont le dernier mot, selon les règles officielles, dans la mise à l'agenda, mais cela tient aussi à ce qu'ils sont très actifs dans le courant des problèmes, et encore plus dans le courant des priorités politiques, les deux courants qui importent le plus au moment de l'émergence. À ce moment, il suffit généralement que des solutions soient en vue pour qu'il y ait mise à l'agenda. Bachrach et Baratz (1970) ont noté avec raison que le pouvoir dans ce processus pouvait consister pour certains groupes puissants à restreindre le champ de la décision à ce qui ne les menace pas, mais les groupes en question ne peuvent y arriver sans la collaboration ou la complicité des dirigeants élus, ce qui ne contredit pas les observations de Kingdon.

Dans la mesure où le courant des solutions est celui qui tient le moins de place dans l'émergence des politiques, les agents administratifs et les autres spécialistes des solutions y exercent moins d'influence que dans le processus de formulation. Il en est de même des groupes de pression, des *lobbys*, des spécialistes et des médias. Parce que la formulation est le processus où une politique prend forme, presque tous ceux qui représentent des intérêts concernés par une politique publique cherchent à participer à la formulation, du moins quand le processus n'est pas secret. Le processus de formulation est aussi celui qui est le plus soumis aux règles du régime politique. Ces règles s'appliquent beaucoup moins à l'émergence et à la mise en œuvre. Selon ces règles du régime politique, les élus ont le dernier mot, au terme de la formulation, du moins quand une politique publique est adoptée sous forme de loi. Au total, le processus de la formulation est sans doute celui qui est le plus ouvert et le plus complexe, quand on considère les différentes influences et les différents contrôles exercés par les acteurs politiques.

La formulation d'une politique sous forme de loi est complétée, en vue de sa mise en œuvre, par de la réglementation. Cette réglementation, qui est le fait des fonctionnaires, échappe généralement aux élus. Il en est d'ailleurs de même des politiques publiques de caractère plus administratif, qui ne prennent pas la forme d'une loi. De plus, la mise en œuvre suppose souvent la collaboration de groupes « institutionnalisés » dans le secteur. Par exemple, on confiera à des organisations reconnues de chasseurs ou de pêcheurs le soin de veiller à la mise en œuvre de politiques dans ce secteur. Ou encore, dans le secteur des politiques extérieures, des organisations non gouvernementales (ONG) seront appelées à collaborer à la mise en œuvre de politiques d'aide aux pays en voie de développement. Pour toutes ces raisons, les élus et leur entourage exercent moins d'influence et de contrôle dans la mise en œuvre que dans les autres processus. À moins que la mise en œuvre soit politisée par des relations de clientèle ou par des recours plus ponctuels des administrés auprès des élus, pour qu'ils interviennent dans le processus.

Comme nous l'avons déjà noté, il arrive que des politiques publiques soient évaluées dans le but de les améliorer, ou encore de décider de leur maintien ou de leur disparition. L'évaluation peut porter sur différents objets. Soit, par exemple, une politique de soins à domicile pour les personnes âgées. L'évaluation pourra viser, premièrement, les ressources financières et humaines qui ont été consenties. Ont-elles été suffisantes ou non ? Deuxièmement, l'évaluation pourra toucher les processus selon lesquels les ressources ont été gérées. Les organisations chargées de la gestion ont-elles fonctionné de façon adéquate ? Troisièmement, sur le plan de l'efficacité, quels résultats ont été atteints, pour ce qui est de la production des soins ? Combien de personnes ont été touchées ? Un quatrième objet, qui a trait à l'efficience, porte sur le rapport entre les ressources consenties et les résultats obtenus. A-t-on atteint les résultats au coût le plus bas ? Enfin, quel a été l'impact de la politique au-delà des résultats précis qu'elle visait ? Est-ce que les soins à domicile ont amélioré la qualité de vie des personnes âgées ? Comment la politique a-t-elle été perçue pas ces personnes et par leur entourage ?

Les évaluations de politiques publiques ont évolué, selon Guba et Lincoln (1989), d'une première génération où l'évaluateur était un peu technicien, sous le contrôle des autorités en charge d'une politique ou d'un programme, à une quatrième génération, plus pluraliste, où tous ceux qui sont touchés par l'évaluation peuvent y participer s'ils le veulent bien. Les responsables, les agents, les groupes et les populations concernées peuvent, dans ce type d'évaluation, intervenir dans la préparation du devis, dans le déroulement de l'évaluation et dans la formulation des recommandations. Une structuration collégiale d'exercice de l'influence et du contrôle succède à une structuration plus hiérarchique. Mais comme des spécialistes de l'évaluation l'ont montré, la prétendue collégialité recouvre souvent, en fait, une structuration plus compétitive, intermédiaire entre la hiérarchie et la collégialité, où des alliances d'acteurs dominent d'autres alliances, ou encore des acteurs isolés.

De même, dans chacun des autres processus des politiques, ou dans l'ensemble des processus, c'est ou bien la hiérarchie, la compétition, la collégialité, ou encore la quasi-anarchie qui s'imposent. Il en est ainsi de l'ensemble de l'organisation étatique. Ou bien l'influence et le contrôle sont largement partagés, dans ce que Robert Dahl a proposé de nommer des polyarchies, ou bien il y a une grande concentration de l'influence et du contrôle, dans ce qu'on appelle généralement les oligarchies, ou bien encore la concentration prend la forme pyramidale, propre à la hiérarchie, qu'elle soit de nature autoritaire ou totalitaire. Enfin, dans des situations révolutionnaires ou de transition d'un état du système à l'autre, l'organisation étatique se défait pour laisser place à de l'anarchie.

Bibliographie

ALMOND, Gabriel A., 1988. « The Return of the State », *American Political Science Review*, vol. 82, n° 3, septembre, p. 853-874. Suivi des critiques de Nordlinger et Lowi, p. 875-891.

BADIE, Bertrand et Pierre BIRNBAUM, 1982 (1979). *Sociologie de l'État*, Paris, Grasset.

BARDACH, Eugene, 1977. *The Implementation Game*, Cambridge (Mass.), MIT Press.

BREWER, Garry D. et Peter DE LEON, 1983. *The Foundations of Policy Analysis*, Chicago, The Dorsey Press.

CAPORASO, James (dir.), 1986. *The Elusive State*, Newbury Park (Calif.), Sage.

EDWARDS, George C. et Ira SHARKANSKY, 1978. *Les Politiques publiques*, Paris, Éditions d'organisation.

EVANS, Peter B., Dietrich RUESCHEMEYER et Theda SKOCPOL, 1985. *Bringing the State Back In*, Cambridge, Cambridge University Press.

GRANT, Wyn, 1985. *The Political Economy of Corporatism*, Londres, Macmillan.

GREFFE, Xavier, 1994. *Économie des politiques publiques*, Paris, Dalloz.

HEIDENHEIMER, Arnold *et al.*, 1990. *Comparative Public Policy*, New York, St. Martin's.

HOWLETT, Michael et M. RAMESH, 1995. *Studying Public Policy*, Toronto, Oxford University Press.

KINGDON, John W., 1984. *Agendas, Alternatives and Public Policies*, Boston (Mass.), Little Brown.

LEMIEUX, Vincent, 1995. *L'Étude des politiques publiques. Les acteurs et leur pouvoir*, Sainte-Foy, Presses de l'Université Laval.

MÉNY, Yves et Jean-Claude THOENIG, 1989. *Politiques publiques*, Paris, Presses Universitaires de France.

MONNIER, Éric, 1992. *Évaluations de l'action des pouvoirs publics*, Paris, Économica.

MULLER, Pierre, 1990. *Les Politiques publiques*, Paris, Presses Universitaires de France.

PRESSMAN, Jeffrey L. et Aaron WILDAVSKY, 1984. *Implementation*, Berkeley, University of California Press.

SCHMITTER, Philippe et Gerhard LEHMBRUCH (dir.), 1979. *Trends toward Corporatist Intermediation*, Beverly Hills (Calif.), Sage.

WILLIAMSON, Peter J., 1989. *Corporatism in Perspective*, Londres, Sage.

Conclusion

L'analyse politique ou l'analyse toujours recommencée

Les politiques publiques résultent de décisions adoptées dans diverses arènes étatiques, à la suite, le plus souvent, de conflits suscités par la représentation d'intérêts divergents. On peut dire que l'analyse politique a pour champ privilégié l'observation de ces conflits et leur résolution. Elle s'applique à découvrir comment les intérêts divers qui traversent toute société parviennent ou non à faire prévaloir leurs points de vue, et ce, dans une condition de confrontation. Son rôle ne sera pas tant de porter un jugement sur les positions adoptées par les divers protagonistes, que de tenter de comprendre d'abord les raisons économiques, sociales ou autres (religieuses, par exemple) qui les incitent à certaines revendications, puis ensuite les formes que peut prendre le différend occasionné par ces dernières.

Tout conflit peut faire l'objet d'une analyse en deux temps : l'un d'ordre statique, l'autre dynamique. Le premier stade de l'analyse consiste à bien situer les acteurs en présence ; le second, à saisir l'évolution de leur mise en relation. Il s'agit ici de moments dans l'observation, c'est-à-dire d'une manière de découper le réel qui, dans le cas présent, s'offre sous la forme d'un type de relation sociale : le conflit. Celui-ci ne se décompose pas tout naturellement en deux étapes dans l'analyse, c'est bien plutôt *nous* qui estimons plus appropriée cette manière de l'aborder. D'autres analystes pourraient, avec peut-être autant sinon plus de bonheur encore, adopter un découpage différent. Ainsi, nous nous trouvons, ce faisant, à prendre une triple décision : 1) celle de traiter de relations sociales (comme nous l'avons annoncé au tout début de l'ouvrage) ; 2) celle d'identifier et de privilégier le conflit dans la représentation des intérêts ; et 3) celle de l'étudier en deux stades distincts. La distinction entre l'aspect statique et l'aspect dynamique du conflit offre, dans notre cas, l'avantage de bien identifier les éléments retenus avant de les mettre en situation d'interrelation ou, si l'on préfère, en situation de plus grande complexité.

L'aspect statique du conflit

Le conflit surgit, on s'en souviendra, parce que des acteurs s'affrontent autour de l'imposition d'un contrôle ou encore de sa suppression. D'entrée de jeu, il y a lieu d'identifier l'*objet* du conflit, autrement dit, le contrôle mis en cause. Cette opération est, en général, assez aisée : les acteurs se querellent autour d'un contrôle portant soit sur des personnes, des territoires, des objets concrets ou abstraits. Il est, par contre, plus difficile et délicat à la fois d'en déterminer les *enjeux* pour les parties en présence. Ils sont parfois évidents, ou presque. Mais, le plus souvent, l'exercice comporte un appel à l'imagination analytique, avec les pièges qu'elle comporte.

L'enjeu, comme nous l'avons également vu, correspond à la portée que pourra avoir le gain ou la perte du contrôle en litige. L'attention se porte, en d'autres mots, sur les conséquences, en termes de contrôle ou d'influence, que devraient entraîner, pour chacune des parties en cause, les diverses issues possibles du conflit. Dans le cadre de la représentation des intérêts, l'issue du conflit n'est pas sans influer aussi sur le statut même des représentants. Une victoire est susceptible de renforcer leur influence auprès de leurs mandants, tandis qu'une défaite a généralement l'effet contraire. Au terme de la Guerre des Malouines, la victoire de Mme Thatcher s'est trouvée à la conforter dans son rôle de premier ministre, alors que la défaite essuyée par l'armée argentine a marqué le début de la fin du régime militaire à Buenos Aires. Dans une situation de représentation des intérêts, les représentants, il est bon de se le rappeler, ont des intérêts qui leur sont propres, c'est-à-dire des intérêts en tant que représentants. C'est le rôle de l'analyste de mettre en évidence cette dimension, car les intéressés eux-mêmes ont tout avantage à en faire abstraction dans leurs discours officiels. Cet exercice touchant les enjeux relève d'une lecture ou encore d'une interprétation faite tout autant par l'analyste que par les protagonistes.

Il nous revient donc de déterminer dans quelle mesure sera touché l'*intérêt* de chacune des parties en présence. Selon que l'on adopte la démarche subjective (fondée, on se le rappellera, sur la seule perception qu'a l'acteur de son avantage) ou la démarche objective (axée sur l'existence d'avantages réels, au-delà de la conscience de l'acteur), on arrivera à une saisie bien différente des enjeux. Il est courant, en histoire, de recourir à la démarche objective : les conséquences d'un conflit bien révolu apparaissent avec plus d'évidence. L'historien peut alors évaluer les enjeux objectifs et les confronter avec la conscience dont pouvaient en avoir, à l'époque, les divers protagonistes. Le jugement *a posteriori*, c'est-à-dire après l'événement, avantage ici l'analyste. La question se pose tout autrement lorsqu'on est appelé à observer un conflit en cours, ou sur le point de se déclencher.

De toute manière, l'analyse gagne à établir d'abord la compréhension qu'ont les acteurs eux-mêmes de leurs actions. Qu'il soit question d'un événement passé ou présent, on est toujours bien avisé, suivant en cela la perspective de Max Weber, de tenter de se mettre dans la peau de ces acteurs : d'essayer de saisir la nature des valeurs qui les animent et les incitent au conflit, l'étendue de l'information dont ils disposent touchant leurs ressources et celles de leur adversaire, bref, la lecture qu'ils font eux-mêmes des forces en présence. Ce n'est qu'en second que l'analyste en viendra à vouloir déterminer dans quelle mesure les protagonistes surestiment ou encore sous-estiment leurs capacités, et pourquoi. À cette fin, il doit faire en quelque sorte le bilan des ressources dont chacun dispose et les mettre en rapport avec le type de combat qu'ils comptent livrer. Comme nous l'avons déjà vu, les ressources n'ont d'utilité qu'en fonction d'arènes déterminées. La force brutale, l'armée, sert à certains types de fins ; l'influence, à d'autres. Il revient à l'analyste d'évaluer la juste adéquation entre les ressources dont dispose un acteur et les arènes où celui-ci les met à contribution. En d'autres mots, il y a lieu d'examiner si, en fonction de leurs intérêts et de leurs ressources respectives, les combattants ont bien choisi leur champ de bataille. Un bon stratège sait choisir, dans la mesure ou il le peut, les arènes qui lui sont le plus propices. C'est là où les *règles du jeu* favorisent ou défavorisent certains joueurs : un groupe de pression reconnu pourra, en régime parlementaire, faire l'économie d'une campagne bien orchestrée auprès des parlementaires, pour autant qu'il ait déjà l'oreille attentive du gouvernement. Il ne saurait en être ainsi en régime présidentiel où les chambres demeurent le maître d'œuvre de la législation.

Tous ces éléments : intérêts, ressources, enjeux, arènes, règles du jeu relèvent de la dimension statique du conflit. Ils se présentent comme des données préalables à la compréhension du conflit comme processus, comme relations sociales d'influence et de contrôle en mouvement qui se succèdent les unes aux autres dans l'atteinte d'un objet.

Le bon usage de la *stratégie* se fonde sur la connaissance approfondie de la dimension statique. Déjà, le choix des arènes nous a presque engagé dans la dimension dynamique, dont il fixe certains paramètres.

L'aspect dynamique du conflit

La stratégie, dès lors qu'elle est appliquée, met en branle le conflit proprement dit. Elle intègre les composantes d'ordre statique afin de les mettre à contribution dans l'action. Ainsi les ressources sont utilisées en vue d'atteindre l'objectif ultime qu'est la victoire sur l'adversaire.

Une stratégie bien conduite porte d'abord sur l'aménagement le plus efficace de ses propres ressources, elle est d'abord tournée vers l'interne. La *mobilisation*, on s'en souviendra, sert à identifier la part de stratégie axée sur la maximalisation du rendement collectif d'un groupe donné. Elle vise à porter à son niveau le plus efficace sa solidarité et son action. La mobilisation a pour fonction de créer, si besoin est, des alliances durables ou passagères en vue de contrer un ennemi commun, ou perçu comme tel. Par exemple, le Parti québécois est parvenu, en 1995, à mobiliser l'Action démocratique du Québec de Mario Dumont en faveur de son référendum à venir, quitte, il faut bien en convenir, à modifier la question à poser. Nous avons là l'illustration de coûts, en termes de concessions, qui sont fréquents dans la réalisation d'alliances ou de coalitions. On peut s'interroger sur le caractère approprié de cette alliance en vue du référendum ; il va de soi que les deux parties n'avaient pas, dans cette entente, les mêmes visées. Mais on peut aussi se demander dans quelle mesure elle a favorisé ou gêné la mobilisation générale auprès des électeurs, celle qui vise plus directement la grande arène instituée par la consultation référendaire.

Mais, outre l'élargissement des intérêts concernés, la mobilisation a pour objectif l'organisation la plus efficace possible des troupes. Tout parti, mouvement ou groupe de pression sait combien il importe de bien aménager son action. La représentation des intérêts est largement une affaire d'organisation répartissant les rôles d'influence et de contrôle auprès du groupe. Ces rôles sont assignés par des acteurs qui, dans ces groupes, disposent déjà d'influence et de contrôles. La représentation des intérêts déclenche automatiquement le mécanisme de sélection des acteurs autorisés à parler au nom des autres. Ainsi, on reconnaîtra qu'il existe toujours, au sein du mouvement souverainiste québécois, une question latente et lancinante, à savoir qui peut prétendre s'exprimer en son nom ? En 1995, Lucien Bouchard, du Bloc québécois, a bien fait comprendre aux troupes de Jacques Parizeau qu'en dépit de leur fonction officielle au gouvernement, elles n'avaient pas le monopole de la représentation en la matière. La mobilisation est ce jeu de stratégie interne qu'il revient à l'analyste d'évaluer. La question est de déterminer si, eu égard aux arènes, la mobilisation leur est bien ajustée.

Certes, la mobilisation comme mise en forme interne de l'action conflictuelle est toute tendue vers la stratégie externe, stratégie développée en fonction de l'adversaire, de ses ressources, de ses actions probables, donc également de ses stratégies. L'intérêt du conflit réside dans sa tendance à évoluer dans des sens imprévus : qui part gagnant peut se retrouver perdant. Machiavel parlait volontiers de la fortune, composante capricieuse du conflit. Il arrive souvent que les raisons d'un revirement apparaissent évidentes, mais seulement *a posteriori*... L'analyse, en tel cas, a tout avantage à se faire modeste, en tentant de montrer comment, historiquement, les acteurs concernés pouvaient arriver à une lecture aussi erronée de leur situation. On s'interrogera alors non seulement sur les valeurs qui les animaient, mais aussi sur l'information dont ils disposaient ou auraient dû disposer.

De par son caractère mouvant, le conflit sollicite l'imagination analytique de l'observateur. Ce mouvement, ce déplacement du conflit par rapport à son orientation prévue, impose aux parties des modifications de stratégies allant parfois jusqu'à des renversements d'alliances. La stratégie exige une adaptation constante aux stratégies de l'adversaire, qui peut même conduire à des changements d'arènes. Insatisfait de ses tractations avec un gouvernement, un groupe de pression peut juger à propos d'ouvrir le débat sur la place publique, soit par le truchement des médias, soit en alertant l'opposition en chambre ; le conflit prend, à ce moment-là, une autre forme et fait appel à des stratégies de mobilisation plus étendues.

Si la dynamique du conflit amène, par nature, des modifications importantes dans les stratégies et dans le choix des arènes, il entraîne aussi souvent une réévaluation des enjeux. Combien de fois la poursuite inattendue d'un conflit génère ses propres enjeux ! Celui-ci atteint de tels coûts imprévus que leur récupération devient un enjeu important. C'est le cas des réparations de guerre, du recouvrement des frais de grève ou des dommages causés aux uns ou aux autres que les parties veulent voir intégrer au règlement du conflit. Dans une telle situation, le conflit se poursuit parce que les protagonistes ne tiennent plus tant à l'objet de départ, mais veulent recouvrer ne serait-ce qu'une portion des dépenses engagées et, bien sûr, non prévues. Il peut même arriver que la confrontation se solde par une perte sèche pour tous les protagonistes, au profit d'acteurs plutôt externes au litige. Comme nous l'avons déjà mentionné, les conflits, de par leur dynamique souvent inattendue, amènent à des relectures constantes, ne serait-ce qu'en termes de coûts et bénéfices.

Le rôle de l'analyste n'est donc pas tant de se prononcer sur la validité d'une cause que d'en saisir le mécanisme de mobilisation et le ressort. Il lui revient d'essayer de comprendre comment une action collective parvient à s'imposer et à persister. Il est, par exemple, plus fécond, *du point de vue analytique,* de saisir comment le Front national en France parvient en 1995 à attirer une proportion significative du vote ouvrier (environ 30 %), que de multiplier les anathèmes contre lui.

La connaissance des éléments composant la force d'un mouvement ou d'une organisation permet de mieux le contrer, si on le juge à propos. Il est bien entendu que cette connaissance, comme toute connaissance, peut servir une variété de causes par la suite. Depuis le feu et la roue jusqu'à la dynamite et au nucléaire, le savoir s'est prêté à des usages que ses inventeurs n'avaient pu prévoir.

L'analyse porte finalement sur les conditions qui président à la fin du conflit et à son règlement. Il y lieu, à ce stade, de déterminer si tous les jeux sont faits, ou si, au contraire, les perdants sont en meilleure posture qu'ils ne le croient. Il y a toujours là matière à interprétation. En revanche, il arrive parfois que les vainqueurs ne savent pas tirer complètement profit de leur victoire. L'interrogation demeure, tout au long de la route, dans le même ordre de préoccupation.

En somme, l'analyse politique répond à un certain type de questions propres au politologue : quel est l'objet d'un conflit ? qui en sont les acteurs ? quels sont leurs intérêts et, par voie de conséquence, les enjeux en cause ? quelles sont leurs valeurs et quel est le niveau de leur information ? comment s'opère la représentation de ces intérêts ? par quels représentants ? quelles sont leurs ressources respectives ? sont-elles appropriées au conflit ? comment s'engagent les relations d'influence et de contrôle ? dans quelle(s) arène(s) se déroule le conflit ? suivant quelles règles du jeu ? comment s'opère la mobilisation auprès des ressources respectives ? quelles sont les alliances ? quelles sont les stratégies mises en œuvre ? Ces questions, lorsque bien intégrées les unes aux autres, permettent une meilleure compréhension du phénomène de la représentation des intérêts. Les lecteurs pourront, à leurs fins propres, emprunter le même parcours analytique dans la saisie de cette réalité, rapprochée ou éloignée, observée autour d'eux, dans les associations, les partis politiques, ou les institutions de l'État.

Comme on aura pu le constater, la science politique, telle que nous l'entendons, s'intéresse en priorité à l'aspect *instrumental* des relations sociales. L'influence, le contrôle, le conflit et la représentation des intérêts ne sont pas tant recherchés pour eux-mêmes que comme moyen d'obtenir d'autres biens abstraits ou concrets. (Il existe, sans doute, des cas où l'acteur peut rechercher ces relations sociales pour la satisfaction qu'elles lui procurent : qui n'a pas éprouvé une secrète gratification à se savoir influent, contrôleur, combattant ou, encore mieux, victorieux ?) La science économique aborde la réalité sociale dans la même perspective, mais, cette fois, c'est l'échange qui sert de relation sociale instrumentale ; par son truchement, les acteurs tentent également d'obtenir d'autres biens. Cette science ne s'adresse cependant plus à des arènes mais à des marchés, si bien qu'en se tournant vers le phénomène politique, elle le fait tout logiquement dans les mêmes termes. En revanche, la sociologie traite du politique en y recherchant davantage les conditions générales d'apparition des appartenances, des valeurs ou des intérêts et leur expression aux divers niveaux de la société ; son regard est susceptible de capter, dès leur genèse, les tensions que l'État sera appelé, par la suite, à gérer. Il revient cependant à l'anthropologie d'avoir le mieux compris l'importance des rites dans toutes les manifestations sociales, aussi en est-elle arrivée à une appréhension du politique qui met en évidence l'apport des signes et des symboles dans l'expression de l'autorité. Enfin, l'histoire, comme discipline, a l'avantage de pouvoir aller puiser dans toutes les autres ; peut-être se montre-t-elle encore trop pusillanime ? Clio, sa muse, est souvent bonne conseillère ; elle contribue, comme l'anthropologie d'ailleurs, à relativiser le discours des sciences sociales qui, autrement, risque de ne se servir que du présent comme laboratoire d'inspiration et de vérification. Ainsi, toutes ces disciplines sont conviées, chacune à sa manière, à la lecture du politique. La science politique ne se veut pas pour autant une discipline carrefour : elle s'attache, comme on a pu le voir, à un mode de perception qui lui appartient, mais sans réclamer l'exclusivité de son objet ; tout comme la science économique ne peut, en dépit de ses prétentions, se prévaloir d'une explication totale du marché.

À la manière du poète Paul Valéry parlant de la mer, on peut dire, de l'analyse du politique, qu'elle est l'analyse, l'analyse toujours recommencée…

Bibliographie générale

ABERDACH, Joel D., R.D. PUTNAM, B.A. ROCKMAN, 1981. *Bureaucrats and Politicians in Western Democracies.* Cambridge (Mass.), Harvard University Press.

ALMOND, Gabriel A et G.B. POWELL, 1966. *Comparative Politics,* Boston, Little Brown.

ALMOND, Gabriel A., 1988. « Separate Tables : Schools and Sects in Political Science », *P.S. : Political Science and Politics,* vol. XXI, n° 4, automne, p. 828-842.

ALMOND, Gabriel A., 1988. « The Return of the State », *American Political Science Review,* vol. 82, n ° 3, septembre, p. 853-874. Suivi des critiques de Nordlinger et Lowi, p. 875-891.

ALMOND, Gabriel A. et Sidney VERBA (dir.), 1963. *The Civic Culture,* Princeton (N.J.), Princeton University Press.

ALMOND, Gabriel A. et Sidney VERBA (dir.), 1980. *The Civic Culture Revisited,* Boston (Mass.), Little Brown.

ALTHEIDE, David et Robert P. SNOW, 1988. « Toward a Theory of Mediation », *in* ANDERSON, p. 194-223.

ANDERSON, James A. (dir.), 1988. *Communication Yearbook 11,* Newbury Park (Calif.), Sage.

ANSART, Pierre, 1985. « Sociologie des totalitarismes », *in* GRAWITZ et LECA, tome II, p. 160-197.

ARDANT, Philippe, 1991. *Le Premier ministre en France,* Paris, Montchrestien.

ARENDT, Hannah, 1972 (1951). *Le Système totalitaire,* Paris, Seuil.

ARMSTRONG, John A., 1982. *Nations before Nationalism,* Chapel Hill, University of North Carolina Press.

AVINERI, Shlomo et Avner DE-SHALIT (dir.), 1992. *Communitarianism and Individualism,* Oxford, Oxford University Press.

BACHRACH, P. et M. BARATZ, 1970. *Power and Poverty,* New York, Oxford University Press.

BADIE, Bertrand et Pierre BIRNBAUM, 1982 (1979). *Sociologie de l'État.* Paris, Grasset.

BADIE, Bertrand, 1983. *Culture et politique,* Paris, Économica.

BAILEY, F.G., 1971 (1969). *Les Règles du jeu politique,* Paris, Presses Universitaires de France.

BAKVIS, Herman et William M. CHANDLER, 1987. *Federalism and the Role of the State,* Toronto, University of Toronto Press.

BALL, Alan R. et Frances MILLARD, 1987. *Pressure Politics in Industrial Societies*, Atlantic Highlands (N.J.), Humanities Press International.

BARDACH, Eugene, 1977. *The Implementation Game*. Cambridge (Mass.), MIT Press.

BEAM, David R., Timothy J. CONLAN et David B. WALKER, 1983. « Federalism : The Challenge of Conflicting Theories and Contemporary Practice », *in* FINIFTER, p. 247-279.

BÉLANGER, André-J., 1984. « Le politique, concept mystificateur ? », *Revue canadienne de science politique,* 17, 1, p. 49-64.

BÉLANGER, André-J., 1985. *Framework for a Political Sociology,* Toronto, University of Toronto Press.

BÉLANGER, André-J., 1995. « La communication politique, ou le jeu du théâtre et des arènes, » *Hermès,* 17-18, p. 127-143.

BENNETT, W. Lance, 1988. *News : the Politics of Illusion,* 2e éd., New York, Longman.

BENTLEY, Arthur F., 1967 (1908). *The Process of Government*, Cambridge (Mass.), Harvard University Press.

BERGOUNIOUX, Alain et Bernard MANIN, 1989. *Le Régime social-démocrate.* Paris, Presses Universitaires de France.

BERRY, Jeffrey M., 1989. *The Interest Group Society*. 2 e édition, Glenview (Ill.), Scott, Foresman.

BIRCH, Anthony H., 1990. *The British System of Government*, Londres, Unwin Hyman.

BLAIS, André, 1988. « The Classification of Electoral Systems », *European Journal of Political Research*, 16, p. 99-110.

BLAIS, André, 1991. « The Debate over Electoral Systems », *Revue internationale de science politique*, 12, 3, p. 239-260.

BLAIS, André et Stéphane DION (dir.), 1991. *The Budget-Maximizer Bureaucrat*, Pittsburgh (Penn.), University of Pittsburgh Press.

BLUM, Léon, 1982 (1919). *Pour être socialiste*. Paris, Jannink.

BOGDANOR, Vernon et David BUTLER (dir.), 1983. *Democracy and Elections. Electoral Systems and Their Political Consequences*, Cambridge, Cambridge University Press.

BOUDON, Raymond, 1977. *Effets pervers et ordre social*, Paris, Presses Universitaires de France.

BOUDON, Raymond, 1984. *La Place du désordre. Critique des théories du changement*, Paris, Presses Universitaires de France.

BOUDON, Raymond, 1992. *Traité de sociologie*, Paris, Presses Universitaires de France.

BOUDON, Raymond, 1986. *L'Idéologie, ou l'origine des idées reçues*, Paris, Fayard.

BOULDING, Kenneth E., 1989. *Three Faces of Power*, Newbury Park (Calif.), Sage.

BOURDIEU, Pierre et Jean-Claude PASSERON, 1970. *La Reproduction. Éléments pour une théorie du système d'enseignement*, Paris, Minuit.

BOURGAULT, Jacques et Stéphane DION, 1991. « Haute fonction publique et changement de gouvernement au Québec. Le cas des sous-ministres en titre (1976-1989) », *Politique*, 19, p. 82-106.

BRAMS, Steven J., 1985. *Superpower Games : Applying Game Theory to Super Power Conflict*, New Haven (Conn.), Yale university Press.

BRETON, Albert, 1985. « Commentaires », *in Rapport, Commission royale sur l'union économique et les perspectives de développement du Canada*, vol. III, Ottawa, Ministère des Approvisionnements et Services, p. 554-600.

BREWER, Garry D. et Peter DE LEON, 1983. *The Foundations of Policy Analysis*, Chicago, The Dorsey Press.

BUDGE, Ian et Dennis J. FAIRLIE, 1983. *Explaining and Predicting Elections*, Londres, Allen and Unwin.

BUDGE, Ian et Hans KEMAN, 1990. *Parties and Democracy*, Oxford, Oxford University Press.

BURGESS, Michael et Alain-G. GAGNON, 1993. *Comparative Federalism and Federation, Competing Traditions and Future Directions.* Toronto, University of Toronto Press.

CADART, Jacques, 1983. *Les Modes de scrutin de dix-huit pays libres de l'Europe occidentale*, Paris, Presses Universitaires de France.

CADART, Jacques, 1990. *Institutions politiques et droit constitutionnel,* Paris, Économica.

CAIRNS, Alan C., 1992. *Charter versus Federalism,* Montréal et Kingston, McGill-Queen's University Press.

CAPORASO, James (dir.), 1986. *The Elusive State,* Newbury Park (Calif.), Sage.

CARNOY, Martin, 1984. *The State and Political Theory,* Princeton (N.J.), Princeton University Press.

CHAGNOLLAUD, Dominique (dir.), 1993. *La Vie politique en France,* Paris, Seuil.

CHARLOT, Jean, 1971. *Les Partis politiques,* Paris, Armand Colin.

CHARLOT, Monica, 1990. *Le Pouvoir politique en Grande-Bretagne,* Paris, Presses Universitaires de France.

CHAZEL, François, 1992. « Mouvements sociaux », *in* BOUDON, p. 263-312.

CHAZEL, François, 1992. « Pouvoir », *in* BOUDON, p. 195-226.

CHERKAOUI, Mohamed, 1992. « Stratification », *in* BOUDON, p. 97-152.

COTTERET, Jean-Marie et Claude EMERI, 1970. *Les Systèmes électoraux,* Paris, Presses Universitaires de France.

CRÊTE, Jean et Pierre FAVRE. (dir.), 1989. *Générations et politiques,* Paris/Québec, Économica/ Presses de l'Université Laval.

CROISAT, Maurice, 1992. *Le Fédéralisme dans les démocraties contemporaines,* Paris, Montchrestien.

DAHL, Robert A., 1973. *L'Analyse politique contemporaine.* Paris, Robert Laffont.

DAHRENDORF, Ralf, 1972 (1957). *Classes et conflits de classes dans la société industrielle,* Paris, Mouton.

DENTON, Robert E et Gary C. WOODWARD, 1990. *Political Communication in America*, 2e éd., New York, Praeger.

DION, Léon, 1971, 1972. *Société et politique. La vie des groupes.* 2 tomes, Québec, Presses de l'Université Laval.

DOWNS, Anthony, 1957. *An Economic Theory of Democracy*, New York, Harper.

DUVERGER, Maurice, 1951. *Les Partis politiques*, Paris, Armand Colin.

DYE, Thomas R., 1990. *American Federalism. Competition among Governments*, Lexington (Mass.), D.C. Heath.

EASTON, David, 1965a. *A Framework for Political Analysis*, Englewood Cliffs (N.J.), Prentice Hall.

EASTON, David, 1965b. *A Systems Analysis of Political Life*, New York, John Wiley.

EDELMAN, Murray, 1988. *Constructing the Political Spectacle*, Chicago (Ill.),University of Chicago Press.

EDWARDS, George C. et Ira SHARKANSKY, 1978. *Les Politiques publiques*, Paris, Éditions d'organisation.

ELAZAR, Daniel J., 1984. *American Federalism, A View from the States*, 3e éd., New York, Harper and Row.

ELDERSVELD, Samuel J., 1964. *Political Parties : a Behavioral Analysis*, Chicago (Ill.), Rand McNally.

ELSTER, Jon, 1989. *Nuts and Bolts for the Social Sciences*, New York, Cambridge University Press.

EVANS, Peter B., Dietrich RUESCHEMEYER et Theda SKOCPOL, 1985. *Bringing the State Back In*, Cambridge, Cambridge University Press.

FERRY, Luc et Évelyne PISSIER-KOUCHNER, 1985. « Le totalitarisme », *in* « Théorie du totalitarisme », GRAWITZ et LECA, tome II, p. 115-159.

FILLIEULE, Olivier et Cécile PÉCHU, 1993. *Lutter ensemble. Les théories de l'action collective*, Paris, L'Harmattan.

FINIFTER, Ada W. (dir.), 1983. *Political Science : The State of the Discipline*, Washington (D.C.), American Political Science Association

FINIFTER, Ada W. (dir.), 1993. *The State of the Discipline II*, Washington (D.C.), American Political Science Association,

GAUTHIER, David, 1986. *Morals by Agreement*, Oxford, Clarendon Press.

GAUTHIER, David, 1990. *Moral Dealing : Contract, Ethics and Reason*, Ithaca (N.Y.), Cornell University Press.

GELLNER, Ernest, 1989 (1983). *Nations et nationalisme,* Paris, Payot.

GIBBINS, John R. (dir.), 1989. *Contemporary Political Culture,* Londres, Sage.

GIDDENS, Anthony, 1973. *The Class Structure of the Advanced Societies,* Londres, Hutchinson University Library.

GRABB, Edward, 1990 (1984). *Theories of Social Inequality, Classical and Contemporary Perspectives,* 2e éd.,Toronto, Holt, Rinehart and Winston.

GRABER, Doris A., 1988. *Processing the News,* 2e éd., New York, Longman.

GRABER, Doris A., 1993. « Political Communication : Scope, Progress, Promise », *in* FINIFTER, p. 305-332.

GRANT, Wyn, 1985. *The Political Economy of Corporatism.* Londres, Macmillan.

GRAWITZ, Madeleine et Jean LECA, *Traité de science politique,* 4 tomes, Paris, Presses Universitaires de France.

GREFFE, Xavier, 1994. *Économie des politiques publiques,* Paris, Dalloz.

GRIFFIN, Roger, 1991. *The Nature of Fascism,* Londres, Pinter.

GUBA, Econ et Yvonne S. LINCOLN, 1989. *Fourth Generation Evaluation,* Londres, Sage.

GURR, Ted Robert, 1971. *Why Men Rebel,* Princeton (N.J.), Princeton University Press.

HEIDENHEIMER, Arnold *et al.*, 1990. *Comparative Public Policy*, New York, St. Martin's.

HINDESS, Barry, 1987. *Politics and Class Analysis,* Oxford, Basil Blackwell.

HIRSCHMAN, Albert O., 1995 (1970). *Défection et prise de parole,* Paris, Fayard.

HOBSBAWN, E.J., 1990. *Nations et nationalisme depuis 1780. Programme, mythe et réalité,* Paris, Gallimard.

HOWLETT, Michael et M. RAMESH, 1995. *Studying Public Policy,* Toronto, Oxford University Press.

INGLEHART, Ronald, 1990. *Culture Shift in Advanced Industrial Society,* Princeton (N.J.), Princeton University Press.

INGLEHART, Ronald, 1977. *The Silent Revolution : Changing Values and Political Styles among Western Publics,* Princeton (N.J.), Princeton University Press

IYENGAR, Shanto et Donald R. KINDER, 1987. *News That Matters,* Chicago (Ill.), University of Chicago Press.

IYENGAR, Shanto, 1991. *Is Anyone Responsible ?* , Chicago (Ill.), University of Chicago Press.

JOHNSTON, Hank et Bert KLANDERMANS (dir.), 1995. *Social Movements and Culture,* Minneapolis, University of Minnesota Press.

JORDAN, A.G., et J.J. RICHARDSON, 1987. *Government and Pressure Groups in Britain.* Oxford, Clarendon Press.

JOUVENEL, Bertrand de, 1972. *Du Pouvoir. Histoire naturelle de sa croissance,* Paris, Hachette.

KENYON, Daphne A. et John KINCAID (dir.), 1991. *Competition among States and Local Governments. Efficiency and Equity in American Federalism,* Washington (D.C.), Urban Institute Press.

KINGDON, John W., 1984. *Agendas, Alternatives and Public Policies,* Boston, Little Brown.

KLANDERMANS, Bert et Sidney TARROW, 1988. « Mobilization into Social Movements : Synthesizing European and American Approaches », in B. KLANDERMANS, H. KRIESI et S. TARROW (dir.), *From Structure to Action : Comparing Social Movement Research across Cultures ; International Social Movement Research,* vol. I, (Greenwich (Conn.) JAI Press), p. 1-38.

KNOKE, David, 1990. *Organizing for Collective Action.,* New York, Aldine de Gruyter.

KRASNER, Stephen D., 1978. *Defending the National Interest,* Princeton (N.J.), Princeton University Press.

KUKATHAS, Chandran et Philip PETTIT, 1990. *Rawls, A* Theory of Justice *and its Critics,* Stanford (Calif.), Stanford University Press.

LALMAN, David, Joe OPPENHEIMER et Piotr SWISTAK, 1993. « Formal Rational Choice Theory : A Cumulative Science of Politics », *in* FINIFTER, p. 77-104.

LAPIERRE, Jean-William, 1973. *L'Analyse des systèmes politiques,* Paris, Presses Universitaires de France.

LAQUEUR, Walter (dir.), 1976. *Fascism. A Reader's Guide,* Berkeley (Calif.), University of California Press.

LAVAU, Georges et Olivier DUHAMEL, 1985. « La démocratie », *in* GRAWITZ et LECA, tome II, p. 29-113.

LAVER, Michael et Norman SCHOFIELD, 1990. *Multiparty Government,* Oxford, Oxford University Press.

LAWSON, Kay et P. MERKL. (dir.), 1988. *When Parties Fail. Emerging Alternatives Organizations,* Princeton (N.J.), Princeton University Press.

LEMIEUX, Vincent, 1979. *Les Cheminements de l'influence,* Québec, Presses de l'Université Laval.

LEMIEUX, Vincent, 1985. *Systèmes partisans et partis politiques*, Sillery, Presses de l'Université du Québec.

LEMIEUX, Vincent, 1995. *L'Étude des politiques publiques. Les acteurs et leur pouvoir*, Sainte-Foy, Presses de l'Université Laval.

LEMIEUX, Vincent et Marie LAVOIE, 1984. « La Réforme du système électoral », *Politique*, 6, p. 33-50.

LIJPHART, Arend, 1994. *Electoral Systems and Party Systems,* Oxford, Oxford University Press.

LIJPHART, Arend et Bernard GROFMAN (dir.), 1984. *Choosing an Electoral System : Issues and Alternatives*, New York, Praeger.

LIPSET, Seymour M. et Stein ROKKAN (dir.), 1967. *Party Systems and Voters Alignments,* New York, Free Press.

LOWI, Theodore, 1987 (1969). *La Deuxième République des États-Unis. La fin du libéralisme,* Paris, Presses Universitaires de France.

LUKES, Stephen, 1974. *Power. A Radical View,* Londres, Macmillan.

MARX, Karl, 1969 (1852). *Le 18 Brumaire de Louis Bonaparte*, Paris, Éditions Sociales.

MASSICOTTE, Louis et André BERNARD, 1985. *Le Scrutin au Québec : un miroir déformant,* Lasalle (Québec), Hurtubise HMH.

MATRAS, Judah, 1984. *Social Inequality, Stratification and Mobility,* 2e éd., Englewood Cliffs (N.J.), Prentice Hall.

MAUS, Didier, 1988. *Le Parlement sous la Ve République,* Paris, Presses Universitaires de France.

MAYER, Nonna et Pascal PERRINEAU, 1992. *Les Comportements politiques,* Paris, Armand Colin.

MAYNAUD, Jean, 1970. « Les Principaux modes de scrutin en régime parlementaire », *Forces*, 13, p. I-XVI.

MELUCCI, Alberto, 1989. *Nomads of the Present,* Londres, Century Hutchinson.

MÉNY, Yves et Jean-Claude THOENIG, 1989. *Politiques publiques,* Paris, Presses Universitaires de France.

MÉNY, Yves, 1991. *Politique comparé,* Paris, Montchrestien.

MEYNAUD, Jean, 1964. *La Technocratie,* Paris, Payot.

MEZEY, Michael L., 1993. « Legislatures : Individual Purpose and Institutional Performance », *in* FINIFTER, p. 335-364.

MICHELS, Roberto, 1971 (1914). *Les Partis politiques,* Paris, Flammarion.

MIGUÉ, Jean-Luc et Gérard BÉLANGER, 1974. « Towards a General Theory of Managerial Discretion », *Public Choice,* 17, 1, p. 24-43.

MILLS, C. Wright, 1969 (1956). *L'Élite du pouvoir,* Paris, François Maspero.

MOE, Terry M., 1980. *The Organization of Interests*. Chicago (Ill.), University of Chicago Press.

MONNIER, Éric, 1992. *Évaluations de l'action des pouvoirs publics*, Paris, Économica.

MORRIS, Aldon et Carol McCLURG MUELLER (dir.), 1992. *Frontiers in Social Movement Theory,* New Haven (Conn.), Yale University Press.

MULLER, Pierre, 1990. *Les Politiques publiques*, Paris, Presses Universitaires de France.

NEUMAN, W. Russell, Marion R. JUST et Ann N. CRIGLER, 1992. *Common Knowledge,* Chicago (Ill.), University of Chicago Press.

NIMMO, Dan et James E. COMBS, 1990. *Mediated Political Realities,* New York, Longman.

NIMMO, Dan et Keith R. SANDERS (dir.), 1981. *Handbook of Political Communication.* Beverly Hills (Calif.), Sage.

NISKANEN, William A., 1971. *Bureaucracy and Representative Government,* Chicago (Ill.), Aldine Atherton.

NORDLINGER, Eric A., 1981. *On the Autonomy of the Democratic State*, Cambridge, (Mass.), Harvard University Press.

NOZICK, Robert, 1988 (1974). *Anarchie, État et utopie,* Paris, Presses Universitaires de France.

OLSON, Mancur, 1978 (1965). *Logique de l'action collective,* Paris, Presses Universitaires de France.

OLSON, Mancur, 1982. *The Rise and Decline of Nations,* New Haven (Conn.), Yale University Press.

ORBAN, Edmond et Michel FORTMANN (dir.), 1994. *Le Système politique des États-Unis,* Montréal, Presses de l'Université de Montréal.

OSTROGORSKI, Mosei, 1979 (1902). *La démocratie et les partis politiques* , Paris, Seuil.

OSTROM, Elinor, 1986. « An Agenda for the Study of Institutions », *Public Choice,* vol. 48, nº 1, p. 3-25.

PACTET, Pierre, 1989. *Institutions politiques, droit constitutionnel,* Paris, Masson.

PANEBIANCO, Angelo, 1988. *Political Parties : Organization and Power*, Cambridge, Cambridge University Press.

PARINI, Philippe, 1991. *Régimes politiques contemporains,* Paris, Masson.

PARSONS, Talcott, 1960. *Structure and Process in Modern Societies*, Glencoe, Illinois, Free Press.

PATRICK, Glenda M., 1984. « Political Culture », *in* Giovanni SARTORI (dir.), *Social Science Concepts,* Beverly Hills (Calif.), Sage, p. 265-314.

PERCHERON, Annick, 1985. « La Socialisation politique, défense et illustration, » *in* GRAWITZ et LECA, tome III, p. 165-235.

POPKIN, Samuel L., 1991. *The Reasoning Voter,* Chicago (Ill.), University of Chicago Press.

POULANTZAS, Nicos, 1974. *Les Classes sociales dans le capitalisme aujourd'hui* , Paris, Seuil.

PRESSMAN, Jeffrey L. et Aaron WILDAVSKY, 1984. *Implementation,* Berkeley, University of California Press.

PROSS, A. Paul, 1986. *Group Politics and Public Policy,* Toronto, Oxford University Press.

PRZEWORSKI, Adam, 1985. *Capitalism and Social Democracy,* Cambridge, Cambridge University Press.

QUERMONNE, Jean-Louis et Dominique CHAGNOLLAUD, 1991. *Le Gouvernement de la France sous la Ve République,* Paris, Dalloz.

RAE, Douglas, 1970, *The Political Consequences of Electoral Laws,* New Haven (Conn.), Yale University Press.

RANNEY, Austin, 1981. « Candidate Selection », *in* David BUTLER, Howard R. PENNIMAN et Austin RANNEY (dir.), *Democracy at the Polls,* Washington (D.C.), American Entreprise Institute for Public Policy Research.

RAWLS, John, 1987 (1971). *Théorie de la justice,* Paris, Seuil.

RAWLS, John, 1993. *Political Liberalism,* New York, Columbia University Press.

RENAN, Ernest, 1882. « Qu'est-ce qu'une nation ? », *in Discours et conférences,* Paris, Calmann-Lévy.

RENSHON, Stanley A., 1977. *Handbook of Political Socialization,* New York, Free Press.

ROGERS, Everett M. et James W. DEARING, 1988, « Agenda Setting Research : Where Has It Been, Where Is It Going ? », *in* ANDERSON, p. 555-594.

ROSE, Richard, 1969. « The Variability of Party Government : a Theoretical and Empirical Critique », *Political Studies* , 17, 4, p. 413-445.

ROSE, Richard, 1984. *Do Parties Make a Difference ?* 2e éd., Chatham, N.J., Chatham House.

ROSE, Richard, 1989. *Politics in England,* Glenview (Ill.), Scott, Foresman.

LASSALE, Jean-Pierre, 1991. *La Démocratie américaine,* Paris, Armand Colin.

SARTORI, Giovanni, 1976. *Parties and Party Systems*, Cambridge, Cambridge University Press.

SCHMITTER, Philippe et Gerhard LEHMBRUCH (dir.), 1979. *Trends toward Corporatist Intermediation,* Beverly Hills (Calif.), Sage.

SCHNAPPER, Dominique, 1994. *La Communauté des citoyens. Sur l'idée moderne de nation,* Paris, Gallimard.

SEILER, Daniel L., 1980. *Partis et familles politiques*, Paris, Presses Universitaires de France.

SEILER, Daniel L., 1993. *Les Partis politiques*, Paris, Armand Colin.

SEURIN, Jean-Louis (dir.), 1986. *La Présidence en France et aux États-Unis,* Paris, Économica.

SHOEMAKER, Pamela J., 1991. *Gatekeeping,* Newbury Park (Calif.), Sage.

SIGEL, Roberta S., 1989. *Political Learning in Adulthood,* Chicago (Ill.), University of Chicago Press.

SMITH, Anthony D., 1987 (1986). *The Ethnic Origins of the Nations,* Oxford, Basil Blackwell.

SWANSON, David L. et Dan D. NIMMO (dir.), 1990. *New Directions in Political Communication,* Newbury Park (Calif.), Sage.

TAAGEPERA, Rein et Matthew S. SHUGART, 1989. *Seats and Votes : The Effects and Determinants of Electoral Systems,* New Haven (Conn.), Yale University Press.

TARROW, Sidney, 1989. *Struggle, Politics, and Reform : Collective Action, Social Movements, and Cycles of Protest*, Ithaca (N.Y.), Center of International Studies, Cornell University.

TARROW, Sidney, 1994. *Power in Movement. Social Movements, Collective Action and Politics,* Cambridge, Cambridge University Press.

THOMPSON, Michael, Richard ELLIS et Aaron WILDAVSKY, 1990. *Cultural Theory,* Boulder (Col.), Westview Press.

TILLY, Charles, 1978. *From Mobilization to Revolution.* Reading (Mass.), Addison-Wesley.

TILLY, Charles, 1984. « Social Movements and National Politics », *in* Charles BRIGHT et Susan HARDING (dir.), *Statemaking and Social Movements,* Ann Arbor (Mich.), University of Michigan Press.

TOINET, Marie-France, 1987. *Le Système politique des États-Unis,* Paris, Presses Universitaires de France.

TOURAINE, Alain, 1973. *Production de la société,* Paris, Seuil.

TRUMAN, David B., 1966 (1951). *The Governmental Process,* New York, Alfred A. Knopf.

USEEM, Michael, 1984. *The Inner Circle : Large Corporations and the Rise of Business Political Activity in the U.S. and U.K.*, Oxford, Oxford University Press.

VACHET, André, 1988 (1970). *L'Idéologie libérale, l'individu et sa propriété,* Ottawa, Presses de l'Université d'Ottawa.

VERBA, Sydney, 1965. « Comparative Political Culture », *in* Lucian W. PYE et Sydney VERBA, *Political Culture and Political Development,* Princeton (N.J.), Princeton University Press, p. 512-560.

WALKER, Jack L. Jr, 1991. *Mobilizing Interest Groups in America*, Ann Arbor (Mich.), University of Michigan Press.

WEBER, Max, 1971 (1922). *Économie et société*, Paris, Plon.

WILLIAMSON, Peter J., 1989. *Corporatism in Perspective,* Londres, Sage.

WILSON, Frank L., 1987. *Interest-Group Politics in France,* Cambridge, Cambridge University Press.

WRIGHT, Erik Olin, 1979 (1978). *Class, Crisis and the State,* Londres, NLB.

WRONG, Dennis, 1979. *Power,* Oxford, Basil Blackwell.

ZALD, Mayer N. et John D. McCARTHY (dir.), 1987. *Social Movements in an Organizational Society,* New Brunswick (N.J.), Transaction Books.

Index général

Le papier utilisé pour cette publication satisfait aux exigences minimales contenues dans la norme American National Standard for Information Sciences – Permanence of Paper for Printed Library Materials, ANSI Z39.48-1992.

Québec, Canada
2000